KB077149

사라진 호텔, 겟로스트

get lost

지은이 이지완

발 행 2024년 7월 5일
펴낸이 한건희
펴낸곳 주식회사 부크크
출판사등록 2014.07.15.(제2014-16호)
주 소 서울특별시 금천구 가산디지털1로 119 SK트윈타워 A동 305호
전 화 1670-8316
이메일 info@bookk.co.kr

ISBN 979-11-410-9356-3

www.bookk.co.kr

사라진 호텔, 겟로스트

get lost

이지완 장편소설

BOOKK

차 례

프 롤 로 그

Prologue

낮고 빠른 구름이었다. 저 멀리서 빠르게 다가온 공 모양의 구름은 느닷없이 꽈배기 형태로 변했다. 내 앞에서 잠깐 멈추는가 싶더니 순식간에 허공으로 떠올랐다. 어느새 모양은 삼각형으로 바뀌어 있었다. 마치 탱탱볼이 요리조리 튀면서 여러 모양으로 변하는 것 같았다. 구름은 희롱하기로 작심한 듯 쉴 새 없이 움직였고, 나는 정신을 차릴 수가 없었다. 그 와중에도 구름 표면에 쓰여 있는 글씨를 읽을 수 있었다.

Tempus fugit

시간이 날아간다는 뜻의 라틴어였다. 고개와 눈동자는 계속 돌아가는데 문장의 의미는 뇌리에 또렷했다. 그러다가 갑자기 구름이 피식 바람 빠지는 소리를 내면서 사라졌다. 헐겁게 부푼 풍선이 맥없이 터지는 것 같았다. 라틴어 문구도 함께 사라졌는데 그 순간 정신이 바짝 들었다. 꿈이었구나.

차 안에서 깜빡 졸았던 모양이다. 왜 이런 꿈을 꾸게 되는 걸까? 나는 눈을 감고 고개를 흔들어 꿈 잔상을 털어냈다. 창밖을 내다보니 어느새 시내에 진입하고 있었다. 홉카는 사면이 통창이라 프레임이 있는 귀퉁이 부분만 제외하면 모든 방향으로 전망이 트여있다. 앞쪽에 고층건물들이 보이기 시작한다. 그중에는 내가 일하는 BB 빌딩도 있고, 그 중 40층에서 47층은 나와 같은 뇌 오퍼레이터들의 사무실이다.

3년째 일하고 있는 곳이지만 새삼스러운 마음으로 바라본다. 산도 아닌 도심의 고층 빌딩이 구름에 휩싸이는 모습은 흔치 않다. 나는 짧은 감탄과 함께 창쪽으로 몸을 기울인다. 꿈에서는 정신 사납던 구름이 실제로는 평화롭다. 출근시간까지 여유가 있어서인지, 아니면 스펙트럼 이퀄라이저의 감수(感受) 민감도를 높여둬서인지 약간 센티해지는 기분이다.

홉카에서 내리기 전에 나는 커피를 주문한다. 바리스타로 후디—물론 인공지능 로봇이다—를, 원두는 과테말라 안티구아, 온도 87도, 농도는 투샷, 픽업 시간은 10분을 설정한다. 기대감 때문인지 벌써 혈액에 카페인이 스며드는 것 같다.

빌딩 숲으로 진입한 뒤 콩알차는 지면인 1차로로 하강한다. 곧 차가 멈추고 출입문이 열린다. 나는 커피 주문을 위해 열었던 V 스크린을 닫고 차에서 내린다. 내가 홉카를 콩알차라고 부르면 듣는 사람마다 멋진 비유라고 말한다. 5차선 차도는 나들목마다 차선을 변경하는 지점이 있는데 그 구간 모양이 콩깍지를 닮았다. 일인용 자동차를 층층마다 품고 있는 모습이 콩깍지라면 홉카들은 그 안의 콩알이다. 다인승 비히클이 사라진 것이 꼭 10년 전이었으니까 이 콩알들이 세상의 모든 이동 수단을 통일한 셈이다. 대륙 사이를 오가는 비행기를 제외하면 말이다.

집이 시 외곽인 알트모어 카운티여서 내가 시내로 나올 때 홉카는 높이 6미터의 3차로를 이용한다. 지상으로 다녔던 옛날로 치면 간선도로 쯤 되는 셈이다. 맨 위 5차로는 이웃한 국가 사이를 잇고, 4차로는 도시, 3차로는 부도심 생활권을 이동하는 차선이다. 2차로는 시내 주행 차로이고, 1차로는 정차용이다. 한 차로의 높이는 2미터인데 차선도 없고 공간 분리도 아니다. 홉카를 부상(浮上)시키는 자기(磁氣)의 레벨이 목적지에 따라 자동으로 세팅되는 방식이다. 물론 모든 이동은 중앙교통통제소인 CTC에서 통제한다. 홉카를 이용하려는 개인들은 자신의 V 스크린을 통해 예약한다. 24년 동안 나는 한 번도 사고와 교통체증을 겪거나 목격한 적이 없다.

차에서 내리면서 나는 생각한다. 예전처럼 소유한 차량이 부와 신분의 상징이었다면 모든 교통수단이 이렇게 콩알차로 통일될 수 있을까 싶다. 이동 수단은 이미 오래전에 공용화됐고, 또 그 한참 전에 자율주행화되었다. 운행 노동은 더 이상 사람의 몫이 아니었고, 과시 수단으로서의 매력도 잃었다.

사람의 레벨을 나누는—루트가 화를 낼 표현이지만—기능은 모조리 V 스크린 안으로 들어갔다. 옷, 차, 집 들은 표준화되어 더 이상 겉모습만으로는 사람의 사회적 지위를 확인하기 어렵다. 화폐가 전산화하면서 지갑의 두께와 재력이 아무 관련이 없게 되었듯이 말이다. 리얼과 버추얼의 권력이 바뀌었다. 버추얼의 세상이 물리적 세계를 삼켜버린 것이다.

“나, 청소년용 V 스크린 처음 받았을 때 말이야. 꼭 말풍선 같다고 생각했어.”

어젯밤 맥주를 마시면서 나는 동거인이자 남자친구인 루트에게 말했다.

“말풍선? 만화책에 나오는?”

“그래, 그거. 디렉토리에 저장된 옛날 만화책을 꺼내보면 생각은 점선, 말은 실선으로 표시되었잖아. 그거 V 스크린 대화창이랑 비슷하지 않아?”

“일리는 있네. 하지만 온빛, 그건 그냥 장치일 뿐이야. 인류가 누리고 있는 기술들을 모아놓은 메뉴판일 뿐이라고. 말이나 생각의 직접적인 표현과는 다르지.”

루트가 주피터에서 사고(思考) 레벨을 올려놓은 게 분명했다. 논쟁하고 싶어 하는 날은 항상 그랬다. 어제는 나도 지고 싶지 않았다.

“형식이 내용을 지배하는 경우도 있는 거야. 이 V 스크린 말풍선이 없었다면 우리가 누리는 서비스도 이만큼 많아지지 않았을 거야. 옛날에 스마트폰이 만들어진 뒤에 무수한 앱들이 개발된 것처럼 말이지.”

“내 생각은 달라. V 스크린은 본질이 아니야. 그걸 구동하는 주피터라는 거대한 시스템이 있고, 또 그 안에 있는 내용물들이 우리의 삶에 영향을 주는 거지. 모든 사람이 열두 살이 되면 V 스크린 계정을 받게 되지만, 모두가 같은 레벨을 쓰지는 않아. 부자들은 더 많은 것, 더 좋은 것을 누리고 가난한 사람은 기본적인 펌웨어만 쓰잖아.”

루트가 이십 세기에 태어났더라면 마르크스 신봉자였을 것이다. 그는 오른손 엄지로 중지의 두 번째 마디를 더블클릭해 허공에 자기 스크린을 열며 말했다.

"봐봐, 온빛. 뉴스, 쇼핑, 학습, 여행, 커뮤니티, 통역, 뱅킹, 커뮤톡 따위의 간단한 것부터 업무 지원, 신체기능 조절, 두뇌 모드 변경까지 다양한 것들이 있지. 돈이 없어서 베이직밖에 못 쓴다면 이걸로 자기 혈당 수치조차 확인 못할걸. 정부가 보내는 귀찮은 문자는 억지로 다 받아야 하고……"

그의 말이 틀린 건 아니다. V 스크린과 주피터는 겉으로는 보편적 서비스지만 레벨은 천차만별이다. 루트는 그 차등을 못마땅해하지만 나는 다르다. 부자들 사이에서 유행한다는 유료 모듈 중에는 내가 갖고 싶은 것들도 많다. 하지만 내 욕망을 루트 앞에 드러내는 순간, 그가 내세우는 도덕과 당위의 먹잇감이 된다. 논쟁 중에 루트보다 내가 먼저 입을 닫는 이유다.

역시 어젯밤에도 참았다. 그의 말에 다시 반박하고 싶었지만 다툼으로 번지는 건 싫었다. 그에게서 허영심이 과하다거나 철부지라는 말을 들을까 봐 겁이 났기 때문이다. 사랑하는 남자에게서 그런 말을 들으면 속상한 건 사실이다. 감정 삭제 모드를 써 지운다고 해도 말이다.

사랑? 그렇다. 나는 루트를 사랑한다. 그의 말투와 행동, 습관, 외모는 내게 호감을 불러일으킨다. 하지만 루트를 처음 만나던 그날 밤, 스펙트럼 이퀄라이저의 감정 기능을 '모두 활성화'로 바꿔놓지 않았다면 어땠을까? 그래도 사랑에 빠졌을까? 그를 사랑하는 지금

이야 세팅 값이 어땠든 그와 사랑에 빠졌을 거라고 말하고 싶지만 솔직히 자신할 수는 없다. 그가 처음 내게 말을 걸었을 때 친절하고 신뢰할 수 있다고 느낀 것이 온전한 내 판단이었을까?

사고뿐 아니라 모든 감정도 뇌 안에서 일어나는 화학적 작용임이 밝혀진 이후, 인류의 숙어 사전에서 '운명적인 만남'이란 말은 사라졌다. 운명이란 말로 눙치기엔 인류가 너무 똑똑해진 것이다.

"루트, 네 말은 많이 들어서 잘 알고 있어. 나는 V 스크린이 말풍선을 닮았다고 말했을 뿐인데 너무 진지하고 심각하게 말하는 것 아니야?"

일부러 상대방을 보지 않고 맥주를 홀짝이며 내가 말했다. 원치 않은 링에 올라 몇 번 잽을 날린 뒤 겁먹은 복서의 심정이었다. 같이 있고 싶지만 싸우고 싶지는 않았다. 반면 그는 어떻게든 카운터 펀치를 날리겠다는 심산이었다.

"네가 너무 천진난만하게만 사는 것 같아서 그러지. 인간이라면 문제의식을 가져야 해. 시스템에 종속되면 안된다구."

"난 누릴 줄도 알아야 한다고 생각해. 넌 너무 경계하면서 행복을 파먹고 사는 것 같아."

내가 말투를 누그러뜨렸는데도 그에게는 펀치였던 모양이다. 루트는 마시던 맥주 캔을 들고 벌떡 일어났다. 화가 난 것 같았다.

"논쟁은 그만하고 싶다. 나 먼저 잘래."

차가운 두 문장을 남기고 루트가 자기 방으로 휑하니 사라졌다. 그가 앉았던 거실 소파에는 온기조차 사라진 듯했다. 나는 불쾌하고 침울한 마음을 억누르려 한숨을 쉬었다. 그래도 답답함이 가라앉지 않자 V 스크린을 열었다. 루트와의 언쟁이 떠오르지 않도록 다른 짓들을 했다. 오른손 엄지와 검지를 비벼가며 백화점을 돌아다녔다. 내 아바타에 옷을 입히거나 구두를 신겨 보기도 했다. 일본 벳부로 온천 여행을 갔는데도 기분이 나아지지 않았다. 어쩔 수 없이 두뇌 모드로 들어가 감정 삭제 기능 버튼을 눌렀다.

Setting : Past 20 mins / All emotions

직전 20분 동안의 내가 느낀 감정을 지웠다. 1초도 걸리지 않았다. 한결 마음이 편해졌다. 감정 삭제 기능을 쓴다고 해서 기억이 전부 사라지는 건 아니다. 루트와 대화한 내용은 내 머릿속에 남아 있다. 단지 그 시간에 해당되는 감정의 기억이 사라지는 것이다. 기억의 감정인지도 모른다.

기쁨, 분노, 슬픔, 즐거움, 사랑, 증오, 욕망 등 7개의 하위 감정이 있는데 V 스크린의 두뇌 모드에 들어가 골라서 지울 수 있다. 설정 시간에 따라서 비용은 다르지만 지우고 싶은 감정의 종류는 요금과 무관하기 때문에 나는 다 지웠다. 20분 동안 대화하면서 부정적인 감정만 느낀 것은 아니지만 고르는 게 귀찮기도 했다. 언젠가 루트는 이 카테고리가 불교의 교리인 칠정(七情)에서 갖다 쓴 거라며 욕을 했는데 사실인지는 잘 모르겠다.

원하는 모듈을 사기는커녕 이런 식으로 돈을 낭비하게 된다. 그래도 께름칙한 마음이 사라져서 좋았다. 그나마 나는 뇌 은행이라는 꽤 괜찮은 직장이 있어서 쪼들리지는 않고 산다. 내심 루트도 감정 삭제를 실행하면 좋겠다 싶었지만 그는 그러지 않을 것이다. 직장이 없어 쓸 돈이 부족하기도 하지만 무엇보다 루트는 그런 사람이다. 활용해서 편하고 즐거우라고 있는 문명의 이기를 왜 적대시하려고만 하는지 솔직히 난 이해하지 못한다. 한번은 그에게 풍차를 적으로 알고 돌진하는 돈키호테 같다고 말했다가 어젯밤처럼 찬바람이 분 적도 있었다. 물론 그 직후에도 감정 삭제를 해서 내 기분이 정확히 기억나지는 않지만 말이다.

감정 삭제 외에도 두뇌 모듈에는 여러 기능이 있다. 도파민, 엔도르핀 분비 자극과 같은 기본적인 기능(베이직 레벨에서는 이것만 가능하다)과 함께 가장 일반적으로 쓰는 스펙트럼 컨트롤이 있다. 5개의 스케일에서 자기의 뇌가 어떤 상태로 기능할지를 고를 수 있는 기능이다. 전체 활성도(비활성1~활성10), 감수 민감도(둔감1~민감10), 논리사고 척도(무리1~진리10), 반응 지향 척도(내부1~외부10), 수용 매개 척도(감각1~직관10) 등이다.

상위 레벨에서는 자신의 신체기능 모니터에 따라 인공지능이 알아서 세팅해 주기도 한다. 말하자면 위의 5개 스케일을 블렌딩 하는 것인데 인지, 운동, 판단, 휴식, 기억 등 다섯 개의 모드 중에 고를 수 있다. 가령, 인지 모드를 골랐다고 하면 AI가 두뇌 피로도, 혈압, 맥박, 영양 섭취, 소화 정도, 혈당 수치, 산소포화도 등을 종합해 스케일을 최적화해서 제공하는 방식이다. 레벨 3 요금제를 쓰고 있는 내게는 해당되지 않는다.

어젯밤 루트와 다툰 뒤 내가 실행했던 감정 삭제는 옵션이다. 레벨 2 요금제부터 고를 수 있는 옵션에는 장기기억 강화, 트라우마 완화, 집중력 향상, 학습 칩 보강, 시청각 기능 향상 등도 있다. 오늘 아침 나는 감수 민감도를 8에, 수용 매체 척도를 7에 맞췄다.

나머지는 모두 평균인 5를 유지했다.

일 분쯤 건물을 올려다보고 있으니 목 운동이 되는 것도 같다. 기온이 올라서인지 건물 꼭대기에 걸쳐 있던 구름이 빠르게 흩어진다. 콩알차에서 내리는 사람들이 제각기 55층의 거대한 BB(두뇌은행, Brain Bank) 건물 안으로 들어간다. 위치와 건물은 몇 번 바뀌었지만 이 조직은 무려 20세기 후반부터 존재했다. 미국 매사추세츠주 보스턴에, 스위스 베른, 말레이시아 쿠알라룸푸르 등지에 뇌은행이 있었다. 그러니까 300년이 넘은 조직인 것이다. 물론 하는 일은 완전히 달라졌지만 말이다.

오늘 뭔가 평소와 다른 기분이 드는 이유를 알았다. 구름이나 두뇌 모듈 세팅 값 때문이 아니다. 분기에 한 번 있는 도서관의 날이기 때문이다. 이미 백 년 전에 사라진 도서관에 가는 건 물론 아니다(모든 책은 이미 각자의 V 스크린 안에 들어와 있다). 어떤 직원들은 '고고학의 날'이라고 부르기도 하는데, 한 마디로 과거의 역사를 돌아보는 날이다. 아무래도 우리는 뇌 오퍼레이터들이니까 주로 인간의 두뇌와 관련된 과거의 사건을 학습한다. 맡은 일을 잠깐 멈추는 것도 좋고 지금의 우리 사회가 어떤 계기로 진화했는지 알게 되는 것도 나는 좋아한다. 지난주 월요일 주피터에 회사 공지로 뜬 내용은 이랬다.

2317년 3분기 도서관의 날 강의 안내 / 오전 9시 30분부터 12시까지 / 강사 : 그레그 몬티 / 주제 : 2020년의 희생과 헌신 / 방식 : 시작 10분 전 V 스크린에 전달되는 링크 접속

맑아진 하늘을 마지막으로 올려다본 뒤 나는 건물 안으로 들어선

다. 머릿속 칩에 있는 신분증이 스캔되어 자동으로 출입이 허락된다. 2020년이라…… 그때쯤이면 이름과 부서, 사진이 새겨진 플라스틱 신분증의 시대였을 것이다. 바코드나 QR코드, 더 진보했다면 RFID의 시대였을 수도 있다. 까마득한 과거의 일이지만 흥미가 느껴진다. 감수 민감도를 높여놔서 그런 것 같다.

나는 브레인 오퍼레이터다. 뇌 은행이라고는 하지만 뇌를 빌리고 빌려주는 건 아니다. 초창기에 이 조직은 죽은 지 얼마 되지 않은 사람의 뇌를 공급받아 연구하는 일을 했다. 실험을 통해 알게 되는 뇌의 기능을 토대로 그들은 뇌 지도를 그렸다. 그리고 어떤 방식으로 자극하는지 연구해 두뇌 조절 방법을 알아냈다. 과거 유럽인들이 지도를 만들고 항해하며 아메리카 대륙을 발견했듯이…… 그 300년의 노력의 결실이 주피터요, V 스크린이라고 나는 믿는다. 루트는 인정하지 않겠지만 말이다.

역할이 딴판인데도 이름이 바뀌지 않은 건 이상한 일이다. 아마도 은행이라는 명칭이 상징처럼 되었기 때문일 것이다. 내가 은행원과 다를 바 없는 점도 있다. 큰돈을 움직이면서도 그게 은행원 자신의 돈이 아닌 것처럼 나는 우리 시(市)의 수많은 사람들의 두뇌 작동을 감시, 촉진, 제어하지만 그건 내 뇌와는 관련이 없다. 돈을 뇌로 바꾸기만 하면 은행과 다를 바가 없는 셈이다.

1층 로비에 들어서자 후디가 다가온다. 내 GPS 신호가 감지되었기 때문이다. 그—라고 지칭할 때마다 망설여지지만 그것이라고 할 수도 없다—는 어깨 트레이에 주문한 커피를 싣고 온다.

"안녕, 후디."

"안녕, 곽온빛."

"성은 빼고 부르라니까. 친밀감이 안 느껴지잖아."

그가 내미는 커피를 받으며 내가 살짝 항의한다.

"모든 유기체의 고유명사는 풀네임으로 부르도록 설계돼 있다고 말했잖아. 물론 마다가스카르편평한등거미거북이라든가 개도둑놈의갈고리꽃처럼 너무 긴 이름으로 사람들을 당황시킬 때도 있지만 말이야."

설정값에 따라 하는 농담이지만 내 취향인 건 사실이다. 지금 이 말도 후디의 빅데이터에 기록되어 다음번에는 다른 조크가 발화될 것이다. 똑같은 걸 식상하게 느끼는 내 성향이 반영되기 때문이다. 감지되는 내 신체 반응에 따라서 인공지능 로봇들의 말과 행동은 달라진다. 동공의 크기와 심박수의 변화, 웃을 때의 얼굴 주름, 목소리의 떨림 등이 호의적인 반응을 보고한다면 다음번에는 비슷하지만 살짝 다른 농담이 제공될 것이다. 거북이 이름이 바뀐다거나 하는 방식으로. 하지만 내가 호응하지 않는다면 더 이상 내게 농담을 걸지 않거나 전혀 다른 종류의 개그를 보내올 것이다. *풀네임으로 부르도록 설계돼 있잖아. 강아지풀이나 딱풀, 뷰티풀, 스위밍풀!* 따위로……

"고마워, 후디 아티피셜 인텔리전트 로봇."

"별말씀을. 북유럽 겨울밤의 오로라 같은 멋진 하루 보내, 곽온빛."

내가 어깨 트레이에서 커피를 내리자 후디가 인사를 한다. 그저께 그는 '민들레 포자를 날려보내는 상큼한 바람 같은 하루 보내'라고 인사했다. 로봇들은 내가 좋아하는 것들로 인사를 꾸며낸다. 그러고 보면 사람보다 AI 로봇이 훨씬 창의적인 것 같기도 하다. 사람의 뇌는 그만한 다양성이나 순발력을 갖출 수 없기 때문이다.

후디가 내려준 커피를 들고 사무실로 향한다. 사무실이라고 해봐야 넓은 빈 공간에 공용 의자와 각자가 담당하고 있는 스토리지 모니터가 있을 뿐이다. V 스크린의 업무 모듈에서 비밀번호를 입력하면 내 업무를 체크하고 시스템을 제어할 수 있다. 업무는 독립되어 있지만 전체적인 정보 처리는 블록체인 방식이기 때문에 500명의 오퍼레이터들이 모두 엮여 있는 셈이다. 내가 실수나 오류를 저지를 확률은 0.1% 미만이고, 나머지 중 하나가 그것을 걸러낼 확률은 99.999%라서 잘못된 업무 처리의 위험성은 0.1의 13 제곱 정도로 낮아진다. 3년 동안 내가 실수한 적도, 나머지 499명의 실수도 목격한 일도 없다.

커뮤 톡 몇 개를 처리한다. 다른 미디어 모듈과 마찬가지로 커뮤 톡도 비언어 시프트(non—verbal shift)를 해놓았다. 쓰여 있는 언어(어떤 언어라고 해도)는 읽지 않아도 개념으로 이해되고, 생각하는 것만으로 언어 전환이 가능하다. 21세기에는 전신마비 장애인의 뇌파를 이용해 언어 표현을 도왔다고 하는데 그것이 이 기능의 시초인 것 같다. 여러 언어 사이의 장벽은 두 세기 전에 이미 사라졌지만 비언어 시프트가 통역을 넘어 개념만으로 소통할 수 있게 해준 것은 불과 20년 전이다. 언어를 고수하는 사람들이 있어 커뮤 톡이 언어로 되어 있긴 하지만 대다수가 읽고 쓰지 않는 지금과 같은 추세라면 메시지는 곧 아주 단순한 상징 기호로 표기될 것이다.

언어가 사라지는 건 시간문제라고들 한다.

루트는 이것도 못마땅해한다. 언어와 사고는 밀접하게 관련돼 있어 읽고 쓰는 습관을 포기하면 사고 능력도 현저히 낮아질 거라는 주장이다. 그래서 학습 칩 보강도 안 한다. 나는 잘 모르겠다. 그가 말하는 사고능력이란 것이 무슨 소용인가 싶다. 학습 칩을 사서 장착하면 쉽게 지식을 얻을 수 있고, 스펙트럼 컨트롤을 잘 활용하면 인지와 판단, 운동에서 좋은 퍼포먼스를 낼 수 있기 때문이다. 물론 돈은 더 들겠지만 말이다. 가난한 사람들은 여전히 보급형 V 북으로 공부를 해야 한다. 루트가 굳이 책을 읽는 건 돈이 없어서인지 신념 때문인지 잘 모르겠다. 둘 다일지도 모른다. 돈이 없으니까 신념에 매달리고, 신념을 지키느라 돈을 안 버는 것일지도……

그래도 그의 말을 듣고 보면 일리는 있다. 진리라고 할 수는 없어도 적어도 무리는 아니다. 묘한 설득력도 있다. 그를 사랑하는 마음 때문에 그런가 싶어서 어느 날은 논리사고와 반응 지향 척도를 내부 1로 낮춘 상태에서 토론을 해봤다. 그런데도 그의 올드한 주장에 어느 정도 동의하게 되었다. 이상한 일이다.

V 스크린에 1분 전 메시지가 뜨고 나는 업무 모듈에서 도서관의 날 강의에 접속한다. 집중하기 위해서 스크린 투명도를 0에 맞춘다. 이제 눈에 들어오는 오프라인 시각은 모두 차단됐다.

"여러분, 반갑습니다. 교육팀 리온입니다. 미리 알려드린 대로 3분기 도서관의 날은 그레그 몬티 박사의 특강입니다. 약 300년 전인 2020년은 매우 중요한 해였습니다. 콜럼버스가 미대륙에 도착한 1492년이 중요한 해였던 것처럼 말이죠. 지금 우리 사회의 근간을 이루는 몇 가지 변화가 있었으며 특히 두뇌 제어 연구에 있어서 혁명적인 모멘텀이 있었던 해였습니다. 오늘은 2020년에, 한국에서 있었던 일을 돌아보려고 합니다."

하늘색 정장 차림과 긴 은발 퍼머 머리의 리온은 내가 가장 존경하는 임원이다. 자신 있는 말투와 태도, 흠잡을 데 없는 능력과 업무 성과 때문에 입사 전부터 나의 롤모델이었다.

"그레그 몬티 박사를 소개합니다. 이분은 근현대 과학사를 공부하시고, 이번에 벌써 다섯 번째 칩을 내셨습니다. 생각 과자 프로젝트라는 제목인데 오늘 강의로 들려주실 2020년의 사건과도 관련이 있습니다. 칩 구매와 장착은 나중에 각자의 V 마켓에서 하더라도 지금 이 시간에는 더 깊고 생동감 있는 이야기를 들어보도록 하겠습니다. 아무쪼록 오퍼레이터 여러분 모두에게 유익한 시간이 되길 바랍니다."

화면이 바뀌고 60대 후반쯤으로 보이는 남자가 나타난다. 뒷배경은 바닷가 쪽으로 난 창문이었는데 역광이어서 그런지 인물이 조금 어두워 보인다. 그가 어디서 접속하는지 알 수 없다. 그는 감색 정장 차림에 체크무늬 베레모를 든 채 서 있다. 화면이 상반신만 잡고 있어서 정확한 키는 가늠하기 어렵지만 왠지 훤칠한 쪽일 거라 여겨진다. 20세기 영화감독이자 배우였던 클린튼 이스트우드가 떠오르는 인상이다.

"여러분 반갑습니다. 소개받은 그레그 몬티입니다. 300년이나 지난 과거의 이야기를 하려고 합니다. 좀 의아하시죠? 하지만 리온이 소개해 준대로 그 해의 일은 지금의 우리를 있게 했다고 해도 과언이 아닐 정도로 중요합니다. 생각 과자 프로젝트(Thought cookie project)라고 불리는 그 일은 15세기 유럽인들이 아메리카 대륙을 발견한 것과 비슷한 파급이었습니다. 인간의 두뇌에 대한 이해가 부족하던 시대에 처음으로 걸음마를 뗀 사건이라 할 수 있죠."

그레그 몬티 박사는 진지한 목소리로 강의를 시작했다. 실시간으로 자동통역 되는 몬티 박사의 말을 들으며 나는 V 스크린의 뇌 모듈에서 감수 민감도를 최대치인 10으로 올린다. 도윤화, 경승호…… 그가 소개하는 인물들이 지금 내가 쓰고 있는 한국식 이름과 비슷하다고 느낀다.

"그들은 의도했든 아니든 우리가 뇌의 세계를 이해하고 활용할 수 있는 기폭제 역할을 했습니다. 당시에 뇌를 연구하는 것은 기술적인 문제뿐 아니라 윤리적인 난관도 컸습니다. 정부와 인증받은 연구소들은 기껏해야 심장이 멈춘 사람의 몸에서 뇌를 꺼내 전기 자극을 주는 방식으로만 실험할 수 있었습니다. 살아있는 사람의 뇌는 금지였습니다. 오로지 치료 목적으로만 가능했죠. 생쥐의 뇌로는 한계가 컸습니다. 쥐와 인간은 다르거든요. 인류의 진보를 추구하는 비밀 결사 조직이 나설 수밖에 없는 환경이었습니다. 중세 유럽에서 성서와 배치되는 과학적 연구를 하는 것과 비슷하달까요? 그래서 어떤 학자들은 그들을 갈릴레이 갈릴레오와 비교하기도 합니다. 그래도 지구는 돈다는 말처럼 '그래도 뇌는 정복되어야 한다'고 생각했는지도 모릅니다."

그가 하는 말에 따라 자동으로 준비된 이미지가 뜬다. 도윤화와 경승호의 사진, 300년 전 두뇌를 연구하던 사람들의 모습, 20세기 중반에 유행했다는 뇌엽 절제술 사진 등등. 생각만 해도 끔찍하다. 심리치료를 하겠다고 두개골을 열어서 뇌엽을 자르는 시술이 유행이었단다. 심지어 이를 개발하고 주도한 안토니오 모니스라는 신경학자에게 노벨 의학상을 수여하기도 했다고, 박사는 말하고 있다. 무지와 야만의 시대였던 것이다.

"옛날 사람들은 질병의 원인을 죄에서 찾았습니다. 죄의 결과로 사람이 아프다고 생각한 것이죠. 박테리아와 바이러스의 존재를 몰랐기 때문입니다. 17세기, 세균의 존재를 발견한 뒤에도 300년 동안 두뇌만큼은 열외였습니다. 정신 질환은 신체 질환과 달라서 멘탈의 영역이라고 생각했죠. 지금이야 V 스크린 뇌 모듈에서 클릭 한 번으로 우울증과 조현병의 싹을 자르지만 당시 사람들은 그렇지 못했습니다. 정신적으로 문제가 있으면 오랜 기간 정신 수련이나 명상을 했습니다. 어떤 이들은 고행의 길을 떠났으며 무당을 불러 굿판을 벌이거나 목사를 초대해 퇴마의식을 치르기도 했습니다. 두뇌 역시 피지컬의 영역이라는 사실을 몰랐던 시대였으니까요."

박사의 설명을 들으면서 나는 300년 전 사람들의 생각 수준을 가늠해 본다. 정신과 치료를 받아도 항우울제 몇 알을 먹는 것이 전부였을 것이다. 그들에게 뇌란 미지의 영역, 미정복의 땅, 그래서 공포의 대상이었을 것이다. 섣불리 잘못 열었다가는 많은 사람들의 삶을 망치는 판도라의 상자였을 수도 있다.

그런데 그 두려움을 딛고 일어난 사람들이 있었다니 흥미를 느끼지 않을 수 없다. 몬티 박사의 강의를 따라, 나는 그들이 두뇌 신대륙을 발견했던 시간으로 서서히 빠져든다.

1부 실종

missing

1

드디어 찾았다. 떨리는 마음으로 나는 스마트폰에 좌표와 시간을 기록한다. X 155, Y 87 지점. 2020년 9월 29일 새벽 4시 35분. 생각보다 빨리 발견했다. 세 달을 각오했는데 43일 만에 찾아냈으니 말이다. 그는 작은 숨소리를 내며 여전히 자고 있다. 자기 머리에서 어떤 일이 벌어지는지 모른 채……

침대 머리맡에서 나는 그를 내려다보고 있다. 깨어 있을 때처럼 잘 때도 그의 자세는 반듯하다. 노란 스탠드 조명 빛이 숨 쉴 때마다 오르내리는 그의 가슴팍을 비추고 있다. 머리를 탐색하기 위해 침대 프레임에 고정시켜 놓은 작은 핀 조명이 방금 찾아낸 B 포인트를 가리키고 있다. 어린 시절 땡볕 아래서 종이를 태우려고 돋보기로 모았던 햇빛 같다. 독창하는 뮤지컬 배우를 비추는 스포트라이트 같기도 하다.

이제 리딩(reading)이 끝났으니 라이팅(writing) 작업을 시작해야 한다. 한차례 심호흡을 한다. 오랜 염원을 이루게 됐다는 희열과 아무것도 모른 채 자고 있는 이 사람에 대한 죄책감이 뒤엉킨다. 어느 쪽이든 감정에 휘둘리지 않아야 한다. 흥분과 자책 모두 이 프로젝트를 망치는 길이 될 것이다. 탐색 과정인 리딩보다 주입인 라이팅은 훨씬 복잡하고 섬세하다. 절대 감정에 휩쓸려 일을 그르쳐서는 안 된다. 나는 지금 겨우 절반을 지난 마라토너일 뿐이다.

키트를 열어 손가락 두 마디 크기의 마이크로 인젝터를 꺼낸다.

다시 한번 심호흡을 한 뒤 주사기의 끝을 바라본다. 말단 부분으로 갈수록 사선 모양으로 날카롭게 벼려져 있다. 지름 3나노미터의 이 작은 구멍을 통해 스토리가 심어질 것이다. 플루이드 칩은 반도체 메모리를 액화(液化) 한 것인데 S가 이미 두 달 전에 완성해 두었다. 숙주—라고 부르고 싶지는 않지만 적당한 다른 단어가 떠오르지 않는다—의 뇌에 옮겨질 정보는 J 담당이었다. 정보라기보다는 스토리에 가까운 것인데 보름 전 서울에서 S가 준비해 놓은 플루이드 칩에 새겨졌다.

이제 B 포인트에서 빈 모공을 하나 찾아 그 속으로 액화칩을 주사하면 된다. 이 작업을 얼마나 반복해야 할지 아직은 모른다. 그의 반응을 관찰하며 결정할 문제다. 똑같은 바이러스에도 사람마다 면역 반응이 다르듯 이것 역시 그의 뇌에서 어떻게 작용할지 모른다. 생쥐 실험에서 얻은 성공이 통하길 바랄 뿐이다.

잠깐 나는 그동안 스위스 베른에서 희생된 수천 마리 생쥐들의 명복을 빈다. 실험이 아니었다면 태어나지도 못했을 거라는 생각으로 합리화해 보지만 미안한 건 어쩔 수 없다. 특히 처음으로 브레인 라이팅에 성공한 더블 M—우리는 그 녀석을 마이티 마우스라고 불렀다—이 떠올랐다. 공포, 안락, 슬픔, 기쁨 등 네 가지 감정을 자극할 스토리를 주입했을 때 녀석은 정확히 우리의 예상대로 움직였다. 가령, 짝짓기 경험을 나눴던 암컷이 갑자기 사라지는 영상을 플루이드 칩에 넣어 주입했을 때 MM은 전형적인 슬픈 행동을 보였다.

키트 안에 인젝터를 내려놓고 나는 가만히 눈을 감는다. 흥분이

가라앉고 지난 10년의 도전이 영화 예고편처럼 재생된다. 우리의 실험이 오늘 밤 맺게 되는 작은 열매는 걷잡을 수 없이 커질 것이다. S와 J, 그들의 얼굴과 목소리가 뇌리에 스쳐간다. 그들의 헌신은 오래 기억될 것이다.

지금 이후 인류의 운명은 통째로 바뀔 것이다. 속단하기는 이르다는 경계심도 든다. 그럼에도 내 뇌하수체에서는 아드레날린이 멈추지 않고 뿜어져 나온다. 이제 치매와 트라우마 없는 세상이 열린다. 우울증과 조현병도 정복될 수 있다. 콤플렉스, ADHD, PTSD 따위의 심리학 용어도 사전에서 지워질 것이다. 모든 종류의 중독과 악몽과 가벼운 두통까지도 곧 종말을 맞이한다.

내가 주입해서 열리는 이 문이 유토피아로 통하는지는 모르겠다. 하지만 많은 사람들을 디스토피아에서 건져낼 수는 있다고 믿는다.

여전히 떨리는 손을 내밀어 나는 마이크로 인젝터를 집어 들었다.

2

좋은 핑계를 찾아 스스로 멍청하지 않다고 착각하는 것이 지혜다
좋은 재료를 찾아 스스로 슬프지 않다고 오해하는 것이 행복이다
- 한이슬의 인스타그램

아내가 사라졌다. 실종, 가출, 도피, 유괴, 납치…… 승호는 사라짐과 관련된 낱말들을 하나씩 떠올려 보았다.

'증발!'

자기도 모르게 생각이 입 밖으로 튀어나왔다. 말을 뱉고 보니 욕을 하고 싶었던 건지도 모른다는 생각이 들었다. 연이어 씨발이라고 중얼거리고 났더니 피식 어이없는 웃음이 났다. 지금 상황에 가장 어울리는 단어는 증발이고 씨발이다. 사라질 이유나 근거, 맥락 따위가 전혀 보이지 않는다. 그녀는 5일 전 열대야가 기승을 부리던 밤에 그냥 없어진 것이다. 물이 수증기가 되듯 아내는 실체에서 유령으로 변신했다. 수증기는 흔적이라도 남기지만 그녀는 흔적조차 없이 사라져 버렸다.

승호는 사이드 브레이크를 올리고 주차장 건너편 건물을 바라보았다.

대전북부경찰서

생각 없이 바라보는데 노려보는 셈이 되고 만다. 얼마 전부터 이런 일이 잦다. 그냥 보기만 하는데 눈빛이 날카로워진다. 며칠 전

정도완 국장은 이렇게 말했다.

“경 비서관, 눈에 힘 좀 풀어. 그냥 보면 되지, 왜 노려보거나 째려보나?”

“제가요?”

“그래, 너, 경승호. 우리 사무실에서 안구 경직도 1등! 자네 말이여.”

승호는 멋쩍어 뒷머리를 긁적였다.

“몰랐네요. 저한테 그런 습관이 있는지.”

“대전까지 왔으면 매사에 여유를 가져요. 여기 서울처럼 팍팍한 동네 아녀. 조선시대 사대부들도 그랬댜. 칼날, 사약, 곤장이 창궐하는 조정에서 쫓겨나잖아? 사대문 밖 귀양길 진입로부터 웃었다잖여. 여기 전쟁터 아닝게 두뇌에 여유를 주라고, 어?”

그때 사무실 막내 한이슬이 팔꿈치로 정 국장의 옆구리를 쳤다. 눈치를 보며 입모양으로 타박하는데 승호에게는 다 들리는 듯했다.

“귀양이라뇨!”

정도완 국장은 일부러 진한 사투리를 썼다. 승호는 텃새 부리는 거라고 생각했다. 사무실 사람들은 위해주는 척하며 위화감을 만들거나 비아냥거렸다. 그나마 편들어 주는 한이슬 때문에 승호는 기분이 조금 나아졌다.

의도는 모르겠지만 정 국장의 지적 자체는 옳았다. 생각이 없다는 건 승호에게 이완이 아니라 긴장이 되고 만다. 멍 때리고 있으면 멍청해져야 맞는데 독기가 서리는 이유는 뭘까? 대체 언제부터 그랬던 걸까?

깊은 한숨을 내쉰다. 경찰서 주차장에 아스팔트 아지랑이가 핀 걸 보니 승호는 차 문을 열고 싶지가 않아졌다.

뜨겁고 습한 남태평양 고기압의 영향으로 오늘도 전국이 찜통이 될 것으로 보입니다. 오전 10시 현재 서울의 기온 32도를 기록하고 있고요, 한낮에는 중부 내륙 지방이 40도까지 치솟겠습니다. 전국에 폭염 특보가 발령된 가운데……

승호는 라디오를 껐다. 목에 걸었던 마스크를 쓰고 밖으로 나오자 숨이 막힐 것 같은 답답함이 몰려왔다. 더위로 죽을 수 있겠다는 생각마저 들었다. 더위 탓에 1년 넘게 이어지고 있는 코로나도 더 짜증 났다. 이 염천에 마스크까지 써야 한다니 차라리 바이러스에 걸리는 편이 낫겠다 싶기도 했다. 바이러스로 죽는 사람보다 바이러스에 걸리지 않기 위해 신경 쓰다 죽는 사람이 더 많을 거라고, 그는 생각했다.

문을 열고 나온 승호는 크게 휘청거렸다. 각오했지만 폭염의 기세는 발걸음을 주저하게 만들 정도였다. 그는 몸을 돌려 주차된 차를 돌아보았다. 감청색 BMW 5 시리즈로 7년 전 증권회사에 입사하면서 산 녀석이다. 지금 생각해 보면 한심했다. 아니, 당시에도 혀를 끌끌 차는 눈총이 많았다. 8천만 원에 이르는 가격도 그렇지만 여의도에서 이제 갓 직장 생활을 시작하는 사회 초년생이 저만한 외제차를 탄다는 것은 누가 보기에도 사치였다. 그럼에도 승호는 첫 출근 전날, 48개월 할부 계약서에 사인했다.

"서울시민에게 자동차는 말이야, 걷거나 서지 않을 자유를 주고, 나머지 모든 자유를 빼앗아가는 존재야."

자동차 구입을 반대하던 친구 승찬이 말했다.

"그래도 사고 싶다면 사야지. 엘리트는 품위 유지비도 더 드는 법이니까."

승찬의 말이 비아냥이라는 걸 알았지만 승호는 딱히 반박할 수가 없었다. 잠시 주춤거리다가 변명 조로 웅얼거리고 말았다.

"과시용 아니라 보답용이야. 27년 동안 개고생 한 나한테 주는 감사 선물이라고."

"그럴 거야. 아무렴, 그러시겠지. 감사도 너님들끼리 서로 잘 주고받고…… 자웅동체야? 지킬 앤 하이드냐? 푸핫."

녀석의 깐족거림은 늘 거슬리지만 승호는 승찬을 타박한 적이 없다. 원망하는 마음이 들지도 않았다. 틀린 말이 아닌 데다 그의 비아냥에 생각거리가 조금씩 묻어 있다는 걸 발견하기 때문이다.

스스로에게 준 자동차 선물의 효과는 오래가지 않았다. 서울 시내에서는 지하가 무조건 빠르다는 사실을 금세 깨달았기 때문이다. 뭣 모르고 상계동 집에서 여의도까지 차를 운전했다가 30분이나 지각한 날 이후, 승호는 평일에 아예 운전대를 잡지 않았다.

주말이라고 자유롭게 차를 쓴 것도 아니었다. 용무가 있어 차를 쓴 것이 아니라 차를 쓰기 위해서 외출하거나 약속을 잡았다. 그마저도 술 약속이면 어떤 주에 그의 애마는 바퀴를 단 일 미터도 구르지 못했다. 차를 산 지 5년 동안 달린 거리는 17,000킬로미터가 전부였다. 오히려 대전에 내려온 이후의 몇 달 동안 훨씬 많은 마일리지가 쌓였다.

원격 잠금 버튼을 누르며 승호는 저 애물단지가 자신의 처지 같다는 생각이 들었다. 잘 만들어져 비싸게 팔렸지만 이후에는 아무런 존재가치를 발휘하지 못했다. 2006학년도 수학능력시험 전국 석차 30위, 서울대 경영학과 수석 입학, 졸업 전 공인회계사 자격인 CPA와 미국 CPA 자격 획득…… 찬란한 미래를 보장해 줄 것 같던 그의 스펙도 저 고급 승용차의 사양처럼 비용만 축내고 있다. 연비는 낮고 때마다 교체해야 하는 부품은 비쌌다. 매년 내는 보험료는 왜 비싸고 아까운지. 사람들의 이목은 끌지만 정작 별 볼일 없는 신세로 전락하고 만 것이다.

'더 잃을 게 없어서 이제는 아내까지 잃는 건가?'

피식 나오는 웃음이 비현실적이다. 승호는 절망스러운 상황에서 냉소나 비웃음이 나오는 자신의 버릇을 잘 알고 있다. 결코 웃을 일이 아닌데도 그랬다. 오해도 많이 받았다.

"지금 웃음이 나와?"

화난 아버지에게서, 몇 명의 여자친구들에게서, 군대 고참과 증권회사 상사들에게서 듣던 말이었다. 어쩔 도리가 없는 상황에 이르렀을 때 그가 내지르는 코웃음은 상대를 자극하기에 충분했다. 왜 그런 행동을 하는지 승호 스스로도 몰랐다. 그 이유를 알려준 것은 아내 윤화였다.

"일종의 자기방어 기제예요. 보호막을 치는 거랄까? 승호 씨는 늘 수재로 살아왔고, 의지를 발휘해 성취하는 삶을 살았어요. 그런데 그 의지로 안 되는 상황에 부딪히는 거지. 평범한 사람이라면 다른 길을 찾거나 스스로를 합리화하는데 승호 씨는 그게 안 되는 거라. 미로를 잘 빠져나가던 사람 앞에 떡 하니 막다른 벽이 나타났는데

도무지 넘을 방법이 없어 보이는 거죠. 엄두가 나지도 않고, 못 해낸 이유를 변명하고 싶지도 않고, 그런데도 해결하고 싶고…… 그런 마음이 코웃음을 만들어 내보내는 거. 어때, 내 해석이 맞는 거 같죠?"

그녀의 지적은 정확했다. 심각한 것은 승호의 인생 자체가 그 조소와 비웃음으로 변하고 있다는 점이다. 윤화의 실종이 어쩌면 결정타가 될 수 있다는 생각에 승호는 다시 한번 씁쓸한 표정을 지었다.

경찰서 입구에 들어서자 젊은 의경의 안내로 발열 체크와 신분 확인을 받았다.

"실종 신고…… 하러 왔습니다."

방문 목적을 묻는 의례적인 물음에 답하면서 승호는 심장 박동이 빨라지는 걸 느꼈다. 며칠 잠잠했던 두통이 재발하는 것 같기도 했다. 실종 신고라는 말을 나올 듯 말 듯 되뇌더니 의경이 눈도 마주치지 않고 중얼거렸다.

"2층 여청과로 가십시오."

"네?"

마스크 때문인지 승호는 의경의 말을 알아들을 수 없었다.

"여성청소년과라고요. 계단으로 올라가십시오. 2층입니다."

짜증을 숨기려는 내색도 없이 의경은 고개를 창밖으로 돌려버린다. 안내 끝났으니 꺼지라는 투였다. 다시 한 번의 자괴감. 처음 방문하는 민원인에게 줄임말을 쓰는 응대 버릇은 도대체 뭔가? 승호는 따져서 훈계할까 하는 생각이 들었지만 단념했다. 그런 쪽으로 승호는 숙맥에 가까웠다. 마음은 부글거려도 말과 행동은 영락없는 범생이다. 이해관계가 걸린 문제에서 당당하게 말하는 것에 익숙하지 않았다. 차라리 수학 문제를 풀어 발표하라면 떳떳할 수 있었다.

굳이 따지자면 승호에게 승산이 있는 시비거리였다. 이제 겨우 스물 두엇 되었을 녀석과 관리 책임자에게서 사과 받는 일은 어렵지 않을 것이다. 전화 한 통화면 이길 수 있을 터였다.

"북부서 서장실이죠? 저는 국회의원 조기섭 의원실의 경승호라고 합니다. 네, 북구갑, 행안위 소속요. 거 이름은 모르겠지만 경찰서 입구에서 안내를 맡은 의경이 불친절하다고 민원이 발생하고 있어요. 그것도 여러 건. 내부적으로도 그런 민원 들어보셨을 겁니다. 뭐가 문제인지 파악해서 연락 좀 주십시오. 의원님이 방문하셔도 그렇게 응대한다면 정말 큰일이죠. 어쨌거나 시민들이 불편한 일로 경찰서를 방문하는 건데 안내실부터 불쾌감을 느끼면 되겠습니까? 경찰 행정은 친절함에서부터 시작되는 거 명심하십시오."

이런 압박 전화를 왜 나는 못하지? 자괴감 또 한 방. 미디어에서는 상호 비방과 격론이 오가는 정치판이지만 기자들이 안 보이는 곳에서는 다르다. 이익을 위해서는 정적과도 모의하고 청탁을 주고받는 일이 비일비재하다. 정치판에 발을 들인 지 5년, 정치권력의 추잡한 면을 많이 목격했다. 대부분은 합법과 불법의 경계에 있거나 위법성을 따지기 애매한 것들이었다.

승호는 보기만 했지 배우지는 못했다. 아니, 배워서 따라 할 성정이 아니었다. 부탁은 승호 자신에게 매우 부담되고 부끄러운 일이었다. 아내가 실종된 심각한 상황도 마찬가지다. 가족이나 친구, 사무실에도 알리지 않았고, 가급적이면 스스로 조용히 해결하고 싶다.
"승호 씨가 부탁을 주고받는 것을 싫어하는 이유도 나는 알지."
아내 윤화가 신혼여행에서 했던 말이 떠오른다.
"엄밀하게 말하면 싫어하는 게 아니라 어려워하는 거예요. 스스로 문제를 해결해 내는 것에 익숙한 나머지, 다른 사람의 도움을 받는 걸 두려워하는 거예요. 도움받는 걸 꺼려 하듯 돕는 것도 그다지 좋아하지 않고…… 최소한 형평성은 지키고 있는 거죠. 불행 중 다행이라고 해야 되나, 하하."
아마 하와이의 어느 해변이었을 것이다. 렌트한 오픈카의 뚜껑은 주차장에서 딱 한 번 열어 본 것이 전부였다. 뙤약볕이 싫어 에어컨을 틀고 다녔고, 에어컨 바람에 두통이 생긴 승호가 쉬자고 제안해 들어간 찻집에서였다.
"몇 달 사이에 어떻게 그렇게 잘 파악했지?"
망고 주스 안의 얼음을 빨대로 톡톡 치며 승호가 물었다.
"이보셔요, 신랑님. 엊그제부터 당신 아내인 사람의 직업을 몰라요? 뇌 연구원이라고요. 당신이 머리는 더 좋을지 몰라도 머리 작동하는 법은 내가 더 잘 안다니까."
그때 승호는 윤화가 사랑스럽다고 느꼈다. 당장이라도 차를 돌려 호텔로 돌아가 뒤엉키고 싶은 충동이 일었지만 역시 마음속의 메아리일 뿐이었다. 햄릿의 우유부단함.
"영광입니다. 내 전두엽의 작동 방식을 속속들이 파악하고 있는 아내를 만나서……"
웃는 윤화를 바라보다가 승호가 말을 이었다.

"당신은 나를 그렇게 잘 아는데 나는 당신에 대해 아는 것이 별로 없네."

"또 그 얘기……"

삐죽거리는 아내의 입.

"알았어. 알았어. 천천히 알아갈게. 대신 그쪽은 정보 제공을 신속히 좀 해주시고."

귀엽다는 듯 승호를 바라보던 윤화의 눈. 그 이후로 1년 가까운 시간이 흘렀지만 아내에 대해서 얼마나 더 알게 됐을까? 알기는커녕 행방까지도 모르는 신세가 됐으니 승호의 낭패감은 더 컸다.

여성청소년과는 2층 복도 끝에 있었다. 복도 벤치에는 민원인으로 보이는 두 명이 앉아 있었다. 하나는 30대로 보이는 여자였고, 다른 이는 60 남짓의 중년 남성이었다. 승호는 그들처럼 긴 의자에 앉아 순서를 기다려야 하는지, 안으로 들어가야 하는지 판단이 서질 않았다. 무턱대고 들어가면 두 사람 앞에서 새치기를 하는 셈이 되지 않을까 싶었다. 이런 생각을 하면서도 우유부단한 범생이 근성—승찬의 표현이었다—을 버리지 못하는 자신이 싫었다.

"저어, 민원 업무가 있는데 여기 기다렸다가 들어가야 되는 건가요?"

앉아서 핸드폰을 들여다보던 젊은 여자에게 승호는 조심스럽게 말을 건넸다. 여자는 상추쌈 사이에서 벌레라도 발견한 듯한 표정으로 고갯짓을 했다. 그런 걸 왜 자기한테 묻느냐는 눈빛이었다.

"저기 들어가서 말씀하세요."

힘든 날이다. 아내의 실종으로 며칠 골치 아팠지만, 의경이며 이 여자며 불볕더위며 별것 아닌 것들이 짜증을 돋우는 날이다. 알베르 카뮈의 ≪이방인≫에서 주인공은 단지 더워서 모르는 사람을 총으로 쐈다고 했던가? 뫼르소는 방아쇠를 당길 실천력이 있었지만 승호 자신은 그만한 용기도 없다는 사실에 더 화가 치밀었다.

사무실에 들어가 용건을 말했다. 직원이 내미는 쪽지에 이름을 적고, 기다리라는 말에 다시 복도로 나와 자리에 앉았다. 승호는 오가는 경찰과 민원인들을 멀뚱멀뚱 구경하다가 스마트폰을 꺼냈다. 혹시나 하는 심정으로 다시 버튼을 눌렀다.

“지금 고객님의 전화기가 꺼져 있습니다. 삐 소리가 나면……”

지난 5일 동안 수백 번은 들었을 멘트다. 입에서 얕은 한숨이 다시 새어 나온다. 승호는 눈을 감았다. 고단함이 몰려온다. 여청과 사무실 안에서 뉴스를 읽는 여자 앵커의 목소리가 흘러나왔다. 눈을 감아서인지 소리가 제법 크게 들렸다.

대전 유성구에서 실종된 다섯 살 박정빈 양의 행방이 여전히 오리무중입니다. 오늘로 실종 엿새째인데 경찰의 수사는 제자리걸음입니다. 시민들의 제보는 잇따르고 있지만 박 양의 행방을 확인할 만한 결정적인 내용은 아직까지 없어 보입니다. 대전 유성경찰서에 나가 있는 취재기자 불러보겠습니다. 장선화 기자, 박 양 수사에 진전이 있습니까?

승호는 눈을 감은 채 이 사건에 대해 얼핏 들은 것 같다고 생각했다. 아내가 사라지기 전날인 7월 27일 실종 문자가 왔었다. GPS 기반으로 모든 시민들에게 발송되는 재난문자였다.

[대전경찰서] 유성구에서 실종된 박정빈 양(여, 5세)을 찾습니다. 107cm, 23kg, 노란색 민소매 원피스, 하얀색 운동화 ☎182

코로나 이후로 관공서 문자는 지겹도록 이어졌다. 그 탓에 여자아이 실종 문자도 아마 대수롭지 않게 넘어갔을 것이다. 그날 저녁 로컬 뉴스에서 아이의 실종 소식이 나오지 않았다면……

TV 화면에서 눈을 떼지 않은 채로 승호가 중얼거렸다.

"아, 여자애 실종 뉴스구나. 너무 안 됐다. 부모는 얼마나 속이 탈까? 누가 찾아주면 좋겠고만."

내 말에 소파 옆쪽에서 책을 읽고 있던 윤화가 승호 쪽으로 돌려 앉았다.

"시민정신을 기대하는 모양인데 사실 그런 거 없어요. 권력자들이 만들어낸 개념이지. 해밀턴의 법칙이라고 알아요? 혈연 선택이라고도 하는데……"

승호는 이미 아내의 뇌과학 지식 설명에 질려 있는 상태였다. 연애 초기에는 호기심이 발동해 되묻기도 했지만 더는 아니었다. 그녀는 쉴 새 없이 뇌의 작용과 관련된 이야기를 해댔다. 마치 자기 머릿속에 담아두면 터지기라도 하는 듯이…… 엄밀히 얘기하면 그런 유의 말만 한다는 것이 문제였다. 자기 자신에 대한 이야기는 극도로 아꼈고, 뇌과학 연구에 대한 이야기만 잔뜩 늘어놓았다.

그날 윤화의 설명은 이랬다. 인간의 이타적인 행동에는 조건이 따르는데 유전적 연관 정도와 밀접하다는 것이다. 혈연으로 가까이 얽혀 있고, 이득이 커야 비용을 감수하면서 이타적인 행동을 한다는 것이다. 지루한 승호가 TV에서 눈도 떼지 않고 "뻔한 걸 무슨 법칙으로까지 만들어서는..." 하고 핀잔을 주었지만 윤화는 멈출 기색이 아니었다.

"저 뉴스나 실종 문자를 보면서 찾아줘야겠다고 생각할 사람이 몇이나 될까요? 유전적 연관도가 있는 사람은 거의 없고, 이득도 없어요. 그런데 찾아주기 위한 행동에 따르는 예상 비용은 작지 않지. 평소에 눈여겨봐야 하고 경찰에 전화도 해야 되고 여차하면 불려다녀야 하고……"

승호는 피곤해졌다. 아내의 말은 멈추지 않고 유전적 연관도의 남녀 차이, 방관자 효과, 그리고 애초의 취지와는 정반대에 가까운 '캐빈 베이컨의 법칙'까지 이어졌다.

"그건 모든 사람이 연결돼 있다는 이론 아닌가? 실종된 아이가 겨우 6단계 안에 있는 건데 그럼 찾아주려고 하는 사람이 많지 않을까? 더군다나 지역사회면 웬만하면 3단계 안에 있겠네."

윤화는 입을 삐죽 내밀더니 말없이 주방으로 갔다. 그게 실종 전 둘의 마지막 대화였다. 피곤해진 승호는 안방에 들어가 누웠고, 윤화는 감쪽같이 사라졌다. 다음날 아침 눈을 뜨자 윤화는 없었다. 같은 도시에 사는 다섯 살 아이와 서른 살 아내는 실종 동기가 된 셈이었다. 불과 닷새 전일이지만 다섯 달은 지난 느낌이었다. 승호는 관자놀이가 뻐근하게 아파왔다.

"경승호 님, 들어오세요."

얼마나 지났을까? 사무적인 남자 목소리에 정신이 돌아왔다. 선잠이 들었던 모양이다. 같이 앉아있던 앞의 두 사람은 보이지 않았고,

새로 와 대기 중인 여고생과 엄마로 보이는 중년 여자가 잔뜩 긴장한 상태로 앉아 있었다. 승호는 그들의 자세와 태도로 미루어 자신의 표정을 가늠해 보았다. 초조함, 불안감, 답답함, 억울함과 같은 단어가 떠올랐다. 하긴, 경찰서에 온 시민 중에 그렇지 않은 표정이 있을까?

40대 초반으로 보이는 남자를 따라가자 진술녹화실이라는 푯말이 보였다. 네댓 개쯤 되는 방마다 경찰과 민원인이 들어가 있었고, 승호는 그중 빈 방으로 안내되었다.

"여기 앉으세요."

형사가 의자를 가리키며 앉았다. 둘 사이의 플라스틱 유리막에 글씨가 쓰여 있었다.

코로나19 예방 차원에서 설치된 가림막입니다

형사가 뭐라고 자기 이름을 말하긴 했는데 승호는 제대로 듣지 못했다. 신경이 날카로워져서일까? 다시 물어볼까 하다가 결례일까 싶어 단념했다. 형사는 자기 앞의 PC에 타이핑을 하기 시작했다. 아마 이전 민원인의 수사 기록을 정리하는 모양이었다. 어색한 침묵이 1분쯤 흘렀을까?

"실종 신고를 하신다고요?"

"네."

"신분증 좀 보여주시겠습니까?"

승호가 주민등록증을 건넸다. 형사는 물끄러미 바라보더니 다시 컴퓨터에 타이핑을 시작하며 중얼거렸다. 경승호, 870512... 대전시 북구 서운동 한꿈 아파트...

"누가 실종되셨나요?"

"아내입니다."

신고하러 왔을 뿐인데 피의자가 되어 취조 받는 느낌이 든다.

"아내분 성함이?"

"도윤화. 9101062454619. 주소는 같습니다."

답답함 때문인지 불안해서인지 승호는 묻지도 않은 아내의 주민번호까지 읊었다.

"마지막으로 본 시간과 장소는요?"

"5일 전이고요, 집에서 마지막으로 봤습니다."

책상 위의 달력을 흘낏 보더니, 들릴 듯 말 듯 한 형사의 되뇜. 7월 28일 자택에서 마지막으로 목격…… 승호는 형사가 생각이나 추리는 하지 않고, 자기 말을 옮겨 적는 것에만 열중하고 있다고 생각했다.

40은 넘었을까? 눈빛은 퀭하고 대머리는 아니지만 머리숱은 적었다. 그 때문에 나이가 더 들어 보인다. 뚱뚱하지도 마르지도 않은 몸, 175 정도 되는 키. 마스크 때문에 입은 보이지 않지만 왠지 돌출형 구강일 거라고 승호는 생각한다. 사건이나 민원인에게서 자신을 충분히 차단하겠다는 의지, 노력은 하겠지만 감정 따위는 개입시키지 않겠다는 각오가 이쪽으로 전해진다.

형사는 파란색 빈폴 티셔츠에 베이지색 면바지를 입고 있었다. 목에는 신분증을 걸고 있었는데 뒤집혀 있어 사진과 이름은 보이지 않았다. 잔글씨와 대전북부경찰서장이라는 문구만 눈에 띄었다. 쓰고 있는 마스크 위에는 경찰 마스코트인 포돌이와 포순이가 웃고 있었다.

'사람들이 저 마스코트처럼 웃으며 대했으면 짜증이 덜 났을까? 아냐, 나는 심각한데 뭐가 좋다고 웃고 지랄이야 하는 심정이었을지도 몰라.'

승호는 윤화의 행방뿐 아니라 스스로의 감정도 더는 추적할 수 없을 것 같았다.

"잠깐만요. 30일에 112로 신고를 하셨었네요?"

컴퓨터로 조회를 했던 것인지 형사가 눈을 크게 뜨고 묻는다.

"네. 그래도 해결이 안 돼서……"

형사는 수화기를 들더니 어디론가 전화를 걸었다.

"북부서 여청과 홍진깁니다. 3일 전 지구대에서 실종신고 받으시고 한꿈 아파트 출동 나가신 걸로 돼 있어서요. 네네, 도윤화 씨요. 아직 해결이 안 돼서 남편분이 직접 오셨네요. 아, 그래요? CCTV에요? 네. 아직 그건 확인 안 했습니다. 네, 알겠습니다. 그때 확인한 영상 좀 보내주세요. 아파트 관리사무소에 다시 말씀하시면 되잖아요. 네, 전산망으로요. 북부서 여청과 홍진기입니다. 네네, 고맙습니다. 수고하십시오."

수화기를 내려놓은 형사가 처음으로 승호의 눈을 제대로 바라보며 말했다.

"단순 가출로 처리가 돼 있는……"

승호가 형사의 말을 막고 설명했다.

"아, 그게요. 30일에 신고해서 경찰분들과 함께 아파트 CCTV를 확인해 보니까 28일 밤에 아내가 여행 가방을 들고 나간 게 찍혔고요, 저도 돌아오겠지 싶은 생각에 기다렸는데 아직까지 연락도 안 되고 해서 직접 온 겁니다."

승호의 설명은 자꾸 변명조가 되어가고 있었다.

"도윤화 씨가 집을 나가기 전에 메모나 문자 메시지 같은 걸 남기진 않았나요?"

형사가 손가락 사이로 볼펜을 깔딱대며 묻는다. 승호의 머릿속에 이틀 전 발견한 쪽지가 떠올랐다. 립밤이나 반지 같은 작은 물건을 넣는 윤화의 화장대 서랍에서 찾은 것이었다.

511.34몬.62ㅎ

작은 종이에 사인펜으로 흘려 썼는데 윤화의 필체와는 달랐다. 승호는 글씨 주인공이 윤화가 아님을 단박에 알아보았다. 그녀는 글씨를 아주 정성스럽게 썼다. 심지어 물건을 사고 카드 청구서에 사인을 할 때도 정갈한 고딕체였다. 반면 서랍 속 종이 위의 글씨는 한껏 멋을 부린 흘림체였다. 승호는 글씨가 도서관 책의 청구 번호라는 사실을 알았다.

단서를 묻는 형사의 질문에 승호는 서랍장 속 쪽지가 떠올랐지만 입 밖으로 내지는 않았다. 아무 의미 없는 정보는 혼선을 줘서 아내를 찾는 데 방해가 될 수 있겠다는 생각이었다. 아내의 필체가 아닌 것이 신경 쓰였지만 윤화의 실종과는 무관한 쪽지라고 승호는 확신했다.

"전혀 없었습니다. 뭐라도 남겼으면 이렇게 답답하진 않을 텐데……"

답답하기는 마찬가지라는 듯 홍진기 형사는 한숨을 내쉬었다.

"비록 여성이기는 해도 젊은 분이 누구랑 같이 나간 것도 아니고, 스스로 여행용 트렁크 가방을 챙겨서 나갔으면 가출 아닐까 싶은데요. 이런 말씀 좀 죄송하긴 한데…… 아내분이 평소에 정신질환이나 우울증 같은 거 있으셨어요?"

"그런 것 없습니다."

승호가 단호하게 말했다. 형사의 깊은 한숨이 또 한 번 투명 아크릴 창 너머로 건너왔다. 아내의 핸드폰 번호를 물어 받아 적은 후에 형사가 고개를 들었다.

"당연히 전화 연락은 안 되실 거고…… 이거 조금 기다리셔야 될 것 같습니다. 저희 수사 여력이 좀 부족한 상태라서……"

"아니, 하루이틀도 아니고 닷새 넘게 실종인데 더 기다리라고요?"

승호는 자기도 모르게 목소리가 커졌다.

"경승호 씨. 지금 다섯 살 여자애 실종 때문에 난리가 난 상탭니다. 관할은 유성이지만 저희 북부서도 엄청 압박을 받고 있다고요. 윗대가리들은 왜 빨리 못 찾느냐고 닦달하지, 장난 전화에 언론사 기자들에…… 6개서 여청과가 거의 마비 상태예요. 성인 여성이 제 발로 걸어 나간 거는 가출이라고요, 가출. 아시겠어요?"

푸념인지 경고인지 비난인지, 그 모든 감정이 섞인 듯한 말을 잔뜩 늘어놓고 형사는 또 한숨을 쉬었다. 버릇인 듯했다. 홍진기, 그 이름을 기억해 두겠다고 승호는 다짐했다. 사건이 해결되면 문책을 요구하리라. 세금으로 월급 받는 주제에 대놓고 업무 해태를 하다니…… 그래도 지금 당장 문제 삼을 수는 없다.

"그래서 저도 처음에는 이곳저곳 다 연락해 보고 찾아가기도 했습니다. 그런데 5일 동안 연락이 안 될 정도면 뭔가 다른 조치가 있어야겠다 싶어서요. 자기 발로 나갔을 수는 있는데 그 뒤에는 뭐 납치라든가 그런 범죄에 연루될 수도 있는 거잖아요. 적극적으로 좀 도와주세요, 형사님."

변명조에서 읍소의 말투가 되는 걸 느끼면서도 승호는 말을 이어갔다.

"정말 백방으로 다 찾아가고 샅샅이 뒤져봤습니다. 이건 가출이 아니에요. 경찰에서 뭔가 조치를 취해 주셔야 합니다. 애만 중요하고 성인 여자는 안 중요하다는 겁니까? 하다 못해 실종 문자라도……"

승호는 급히 말을 멈췄다. 140만 대전 시민들에게 아내의 실종이 알려진다. 이 도시에서 그를 아는 사람은 몇 없지만 일부는 문자를 받고 승호에게 연락할 것이다. 와이프가 실종됐다며? 사무실에서도 알게 되겠지. 그럴 수는 없다.

승호의 말을 듣는 둥 마는 둥 홍진기 형사는 마우스만 딸깍거리고 있다. 모니터만 응시한 채 승호에게는 눈길을 주지 않았다. 민원인에게 목소리를 높인 것이 민망했던 모양이었다. 잠시 감정을 삭이면서 승호나 윤화에 대한 다른 정보를 검색하고 있는 것이리라. 잠시 소강상태가 이어진다.

휴가 내고 뭐 하고 계세요? 저녁에 참이슬 + 한이슬, 콜?

주머니 속에서 진동을 느껴 문자를 보니 한이슬이었다. 마침 형사가 컴퓨터에 몰입해 있어 답신할 짬이 났다.

골치 아픈 일 처리 중. 스트레스 극심. 겟로스트에서 6시 반?

"아내분하고 사이는 좋으셨어요?"

이슬에게 문자를 전송하려는데 형사가 차분해진 목소리로 다시 묻는다.

"네, 뭐. 나쁘지 않습니다. 아니 결혼한 지 일 년 좀 지났는데 나쁠 리가 없죠. 아니, 좋습니다. 좋았어요. 가출할 이유도 명분도 없습니다. 확실해요."

승호는 당황하면 말이 많아지는 버릇이 있다. 그의 말에 거짓은 없었다. 기실 아내 윤화와의 관계는 나쁠 것이 없었다. 다만 형사의 질문이 이슬에게 문자를 주고받는 가운데 불쑥 들어온 터라 당황하게 된 거였다.

다시 컴퓨터에 뭔가를 타이핑하는 형사를 물끄러미 바라보며 승호는 생각했다. 정말 윤화와 사이가 좋았던 것일까, 좋았다면 이슬과의 관계가 이렇게 됐을까, 나는 부도덕한 바람둥이인가, 윤화가 눈치채고 가출한 걸까, 이슬은 왜 10살이나 많은 유부남을 만날까? 갑자기 너무 많은 의문이 한꺼번에 떠올라 승호는 고개를 저어 생각을 떨궈냈다.

"아내분과는 어떻게 만나셨습니까?"

홍 형사가 물었다.

"저한테 연애사까지 시시콜콜 말씀드려야 할 의무가 있습니까?"

승호는 따지듯 되물었다.

"아내분을 찾고 싶으시다면서요? 단서를 찾아야 할 것 아닙니까?"

형사가 더 큰 목소리로 다그쳤다.

3

첫눈(雪)이 과대평가돼 있는 이유는 첫눈(眼)에 반하는 사랑을 기대하는 바보가 많기 때문이다
- 한이슬의 블로그

윤화를 처음 만난 것은 2020년 1월이었다. 당시 승호는 대전에 내려온 지 반년쯤 되었는데 좀처럼 새 도시에 적응하지 못하고 있는 상태였다. 그래도 가끔 속내를 털어놓는 승찬이 있어서 다행이었다. 고등학교 시절에는 '승브라더스'라고 불릴 정도로 가까웠지만 대학, 군대, 취업의 길이 갈라지면서 조금씩 멀어졌다. 그래도 일년에 한두 번 정도는 만났고, 한쪽이 연애를 하게 되면 식사 자리를 잡아 인사시키는 걸 당연히 여겼다. 각자의 여자친구를 동반해 넷이 함께 술자리를 갖거나 함께 놀이공원에 가기도 했다. 프로야구를 보러 잠실과 고척에 간 적도 있었다.

최승찬은 학원 강사였다. 서울 외곽에 있는 이류대에서 역사를 전공했고, 교사가 되려는 노력이 좌절되자 노량진의 학원가로 진출했다. 주로 공무원 시험 준비생들을 상대로 한국사를 강의했다. 어려서부터 역사책을 많이 읽었고, 고교 시절에도 유독 역사 과목의 점수만 높았다.

"내가 너처럼 모든 과목에 뛰어나지는 않았어도 좋아하는 걸 업으로 삼고 있으니 네가 그렇게 부럽지는 않다. 수능 점수, 대학 학점

따위는 좋은 기회를 얻는 데 요긴하지만 사용하는 지식은 한두 과목이 전부일걸."

승찬은 직업에 만족하는 것 같았다. 심지가 굳은 놈이었다. 승호의 우유부단함에 비해 그는 명쾌한 성격이었다. 학원 강사라는 직업은 SKY 출신 아니면 대접받기 힘든데 특유의 친화력과 유머감각으로 제법 인기 강사 타이틀을 땄다. 여의도 증권맨이던 시절, 승호는 출퇴근하는 지하철 광고판에서 승찬의 얼굴을 자주 보았다. '최강 한국사 최승찬' 밝게 웃으며 엄지를 치켜세운 친구의 모습에 승호는 왠지 모를 부러움을 느꼈다.

"너 경영학 전공이니까 알겠네. 비교우위론이라고 있지? 미국은 다 잘 만들고, 인도네시아는 대체로 서툴지만 미국이 모든 물건을 다 만들진 않아. 가장 수지 타산이 높은 걸 생산하지. 부가가치가 덜한 것들은 인도네시아가 만들고…… 그런 면에서 넌 효율이 떨어지는 인생을 산 거야. 모든 문제를 다 풀어 맞혀도 모든 영역을 다 지배하는 건 아니거든. 그러니까 자족하면서 행복하게 지내라. 뇌에서 멕기 좀 빼고."

승호는 가끔 억울했다. 승찬의 성취는 자기보다 빈약한 것이었다. 학창 시절의 성적도, 획득한 입시 점수도, 진학한 대학의 수준도 상대가 되지 않았다. 그런데도 녀석의 생활에는 자유가 있어 보였고, 승호 자신은 루저가 된 느낌이었다. 승자의 저주 같은 것이랄까…… 게다가 지금은 금융과 정치의 중심이라는 여의도에서 쫓겨나 지방으로 내려온 신세였으니 그의 패배감은 더했다.

"조언 고맙다. 효율성 없게 올백만 추구하면서 살았는데 앞으로는 네 말대로 끌리는 쪽에 집중하마."

가시 돋친 친구의 조언에 승호는 맥빠진 다짐을 할 뿐이었다. 대전에 내려온 뒤로 만남은 더 뜸해졌지만 둘은 사나흘에 한 번 정도 통화했다. 승찬이 말은 날카롭게 했어도 물가에 아이 내놓은 부모처럼 늘 승호의 안부를 챙겼다.

"여의도에 비하면 너무 한가해. 영감이 내려오지 않으면 일이 거의 없다고 봐야지. 정책 연구나 법안 발의를 하는 것도 아니고, 이해관계를 조정할 일도 별로 없어. 지역 언론에 우리랑 관련된 기사 난 것 있나 체크하고, 가끔 오는 민원인들 비위 맞춰서 돌려보내고, 동네 행사 있으면 가서 얼굴 비추고... 그런 게 전부야."

아무리 친구라지만 남자 둘이 전화기를 붙들고 정기적으로 할 얘기는 뻔했다. 주로 승찬의 안부 전화였고, 승호는 대전 생활의 따분함을 친구에게 보고했다.

"심심한 동네에 가서 진짜 심심하겠다. 그런데 그거, 내가 보기에 각박강박인 것 같은데?"

승찬은 늘 이런 식이었다. 잘 지내는지 묻고, 승호가 대답하면 그 내용을 자기만의 방식으로 분석해서 조언해 주었다.

"각박강박이 뭐야?"

"내가 지어낸 말인데 멋지지 않냐? 각박한 걸 피해서 살게 된 사람이 정작 여유로운 걸 못 견디는 심리를 뜻하지. 뭔가 더 분주해야 되고, 뭘 더 해야 될 것 같고, 이렇게 무료해도 되나 싶은 불안감이 각박강방이란 말씀."

승찬의 위로는 팩트 폭격이었다. 정말이지 따분했다. 5평짜리 원룸에서 잠을 깨면 시리얼에 우유를 말아 먹고 출근했다. 특별한 일 없는 일과였고, 저녁이면 아무도 기다리지 않는 단칸방으로 돌아왔다. 독일산 애미는 주인인 서울산 승호에 비하면 그나마 쓸모를 찾았다. 출퇴근은 책임졌기 때문이다.

내용도 없는 오전 회의와 동향 보고, 여의도 지시사항 전달 등이 끝나면 점심 시간을 기다렸다. 이렇게 한가하고 한심해도 되나 싶을 지경이었다. 증권회사에 다닐 때보다 연봉은 절반 수준으로 줄었지만 이렇게 지내면서 월급을 받는다는 것이 솔직히 불합리하다는 생각도 들었다. 하지만 지금 승호의 처지에서 업무의 수준을 따질 일은 아니었다.

승호가 대전에 내려왔을 때 사무실에는 책임자인 정도완 국장과 자신보다 세 살 많은 채준식 비서관, 서무를 담당하는 스물다섯 살의 김민희—한이슬의 전임자—가 일했다. 승호까지 네 명이 전부였지만 이상하게도 점심은 뿔뿔이 흩어져서 먹었다. 정 국장은 '관리'한다는 명분으로 기관장이나 언론사 간부, 공무원들을 만나 식사를 했다. 11시쯤 나가 3시경에 돌아왔는데 낮술에 절어 있는 경우가 많았다. 오후에 복귀조차 하지 않는 날도 잦았다.

채 비서관은 대전 토박이였다. 대전고와 충남대를 졸업한 걸 입에 달고 살았다. 삼십 대 중반의 젊은 나이지만 학연과 지연이 능력의 전부라 생각하는 듯했다. 누군가를 처음 만나면 끈을 찾으려고 애썼다. 어느 학교를 다녔는지, 누구는 아는지, 그 동네가 어땠는지 집요하게 묻고 장광설을 늘어놨다. 첫 출근한 승호에게도 그랬는데 별다른 연결고리가 찾아지지 않자 금세 시큰둥해졌다. 잘 부탁드린다는 인사에도 이렇게 대꾸했다.

"승호 씨, 대전에서 자리 잡기 쉽지 않겠어요. 완전히 맨땅에 헤딩이잖아. 지역사회는 서울이랑 달라 녹록지 않다고. 백방으로 뛰면서 인맥을 만들든가, 적당히 근신 기간 때운 뒤에 서울로 복귀하든가 해요. 이것이 내 심심한 조언입니다."

근신이니 유배니 그런 말을 들을 때마다 승호는 기분이 상했다. 그러나 내색하지는 못했다. 그 일은 변명할수록 커지는 피노키오의 코 같았다. 채준식의 충고는 사고 친 뒤 내려온 엘리트가 자신의 영역을 침범하지 못하게 하는 방어 행위였다. 첫날부터 그렇게 느껴졌다. 채 비서관도 점심을 따로 먹었다. 아마도 그 중요한 인맥 관리에 쓰는 모양이었다.

여직원 김민희는 응대 전화 받을 때가 아니면 좀처럼 입을 열지 않는 타입이었다. 먼저 무슨 말을 꺼내는 법이 없었고, 묻는 말에만 겨우 작은 목소리로 대답하곤 했다. 정 국장과 채 비서관이 밖으로 나가니까 승호와 단둘이 점심을 먹는 것도 어색할 터였다. 그걸 눈치채고 승호는 늘 먼저 일어났다. 그렇게 혼밥의 날들이 시작됐다.

대전에 내려온 뒤 승호는 처음으로 서울에 올라가 승찬을 만났다. 노량진의 어느 닭갈비 집이었다.

"천하의 경승호가 추레하게 맥도날드에서 감자튀김이나 케첩에 찍어 먹고 말이야. 내 친구 정말 안 됐다."

안타까움과 통쾌함의 어디쯤인지 모를 친구의 위로인지 조롱인지.

"여자는? 거긴 괜찮은 여자 없디?"

"지금 내 상황이 여자나 만날 시추에이션 같으냐?"

승호의 신세한탄에 승찬이 정색을 하며 말했다.

"무슨 소리? '여자나'라니? 지금의 너야말로 가장 여자가 필요한 상황이지. 안 그래?"

그렇긴 하다. 시간은 많고 마음은 붕 떠있었다. 영화관이나 도서관도 하루이틀이지 혼자 시간을 보낸다는 건 생각보다 쉬운 일이 아니었다. 게다가 겨울이었다. 크리스마스와 새해를 낯선 도시에서 혼자 맞는 승호의 공허함은 절정에 달해 있었다.

"너 여자 만나볼래?"

술잔을 넘어 승찬의 뜬금없는 제안이 넘어왔다.

"응?"

"지원 씨랑 헤어진 게 벌써 언제냐? 일 년도 지난 것 같은데…… 직장 문제야 한숨 돌렸으니까 다시 연애 시작해 봐. 게다가 극도로 무료하다며?"

틀린 말이 아니었다. 서른셋의 나이. 결혼까지는 아니어도 마음 나눌 상대가 필요하긴 했다. 더군다나 아는 사람 하나 없는 도시에서는 더더욱……

"너 대전에 아는 여자 있냐?"

냉큼 해달라고 말하기가 민망해 승호는 넌지시 돌려 물었다.

"요 똘똘이 스머프 녀석, 생각이 있구먼. 허허. 좋아, 아주 좋아."

머쓱해진 승호는 술잔을 비웠다.

"근데 그건 안 물어보냐? 모든 남자가 어떤 여자에게든 궁금해하는 거."

승찬이 장난기 가득한 투로 말했다.

"뭐?"

"예쁘냐? 라고 안 묻냐고. 이 답답 솥뚜껑아."

그렇게 해서 도윤화를 만나게 되었다. 당시 윤화는 서울에 있었다. 승찬의 말로는 곧 카이스트 연구원으로 발령받아 대전에 내려갈 참이라고 했다(실제로 봄 학기가 시작하기 전인 2월에 대전으로 왔다).

승호는 윤화를 처음 만난 그날을 잊을 수가 없었다. 그가 살아왔던 세계가 아닌 또 다른 세상을 만났다고 느낀 날……

한 사람을 알게 되는 것은 한 세계를 아는 것과 같다

대학 신입생 시절, 학생회장 선배가 신입생 오리엔테이션 때 했던 환영사가 떠올랐다. 멋진 말이었다(그가 여학우들을 꼬실 때마다 사용한 문장이 아니었다면 더 오래 멋진 말이었을 것이다). 어쨌든 승호는 윤화를 만나 완전히 새로운 세계와 조우했다. 그렇게 느꼈고 그렇게 믿었다.

만나기로 한 전날 밤, 윤화는 이렇게 문자를 보냈었다.

북구면 대전역보다 서대전역이 가까울 테고, 거기서 6시 KTX 탑승 가능하세요? 용산역에 딱 7시에 도착하겠네요.

협의가 아니었다. 장소와 시간을 통보받는 느낌이었지만 기분이 나쁘진 않았다. 고민을 대신해준 상대가 고맙게 느껴지기까지 했다.

좋습니다. 퇴근시간 전에 나온다고 잘리면 윤화 씨가 책임 지시는 걸로

농담 섞은 답신에도 상대는 호락호락하지 않았다.

그 정도로 사람을 자르는 직장이라면 옳다구나 하며 당장 그만두시는 걸로 ㅋㅋ 용산역 쇼핑몰 안에 매드포갈릭 있어요. 괜찮으시죠?

다 알아놓고 던지는 제안. 승호는 유쾌해져서 싫다고 말할 수가 없었다.

마늘만 먹는 게 아니라면 괜찮습니다.

확실히 상대는 농담을 되받을 줄 아는 여자였다.

쑥도 있는지 확인해 놓을게요. 내일 만나요.

그날 밤 승호는 궁금함을 이기지 못하고 윤화의 SNS 계정을 찾아보았지만 아무것도 찾을 수 없었다. 카카오톡 프로필에도 이름 세 글자 외에는 어떤 정보도 없었다. 2020년을 사는 대한민국 젊은 여자들 중에 이렇게 흔적을 남기지 않는 사람이 있을까? 아니면 얼마 전의 실연 때문에, 혹은 내일의 새 출발을 위해 계폭한 직후인 걸까? 승호는 궁금증에 잠을 설쳤다.

다음날에도 설렘이 이어졌다. 승호는 주책맞게 왜 이러지 싶었다. 이십 대의 청춘은 흘렀는데 서른이 넘어도 두근거림이 남아 있다는 사실이 놀라웠다. 그 싱숭생숭함은 지난 몇 년의 시련까지 아무렇지도 않은 느낌으로 만들었다. 오로지 그녀를 만나게 되는 순간만 기다려지는 것이었다. 하루가 어떻게 흘렀는지, 어떻게 용산역까지 갔는지 의식조차 하지 못했다.

거기 예약한 식당이 꽤 크고 좀 어둡던데 어떻게 찾죠? 인상착의라도 알려주세요. 승찬이한테 사진은 못 받아냈거든요

KTX에서 내리기 전 승호는 문자를 남겼다.

혼자 앉아 있는 여자 중에 가장 예쁜 여자입니다

헉 근자감 저시는데요

재수 없음과 도도한 매력은 한 끗 차이라고 했던가?

그거 근거 있는 자신감의 줄임말이죠? ㅋㅋ 내가 그쪽을 알아볼 거니까 걱정 마세요

몇 분 뒤 식당에 들어서며 두리번거리는 승호를 향해 그녀는 오른 손을 번쩍 들었다. 마치 '저 발표 시켜 주세요'라고 조르는 유치원생처럼……

"여기예요."

눈이 마주치자 윤화가 밝게 웃으며 일어섰다. 그녀는 그가 기대했던 것보다 훨씬 예뻤다. 전형적인 미인이었다. 아름다운 여자 사람. 눈망울은 컸고 콧날은 오뚝했다. 입술은 붉고 생기가 돌았다. 굳이 따지자면 영화배우 이영애를 연상시키는 외모였다. 키는 170 정도로 꽤 커 보였다.

"반갑습니다. 경승호라고 합니다."

어색하고 수줍어서 어정쩡한 자세로 인사하는 그를 보더니 윤화가 웃었다.

"네, 알고 있어요. 앉으세요."

초면인 사람과 편하게 시선과 대화를 나눌 수 있는 사람은 많지 않다. 그렇다고 어색함에 절절 매는 사람도 흔치는 않다. 그날 두 사람은 양 극단에 있었다. 승호는 내내 쑥스러웠고 긴장했다. 입이 마르고 말은 제대로 나오지 않았다. 학력은 물론, 입담도 어디 가서 뒤처진다는 얘기를 듣는 편은 아니었지만 그날따라 뇌와 혀가 따로

노는 느낌이었다.

반면 윤화는 능수능란하게 대화를 주도했다. 자세는 꼿꼿했고 시선은 승호를 직격했다. 전학 오게 된 아이를 상대하는 노련한 교사 같았다. 그녀는 당당했고 그만큼 승호는 주눅 들었다.

그를 놀라게 한 것은 윤화의 아름다움 뿐만이 아니었다. 그녀는 양어깨의 쇄골이 드러날 정도로 헐렁한 티셔츠를 입고 있었다. 흑백의 스트라이프 무늬 가운데에 미키와 미니 마우스가 웃고 있었다. 하의는 감색 고르덴 바지였다. 테이블 옆 옷걸이에는 노란색 오리털 점퍼가 걸려 있었다. 꼭 넷플릭스 영화를 보다가 맥주가 떨어져 잠깐 멈춰 놓고 집 앞 편의점에 들른 꼴이었다. 소개받아 생면부지의 남자를 만나는 자리에 이런 차림으로 나왔다는 사실이 놀라웠다.

승호의 경험에 비추었을 때 대개 이런 경우는 둘 중 하나였다. 패션 감각이 아예 없든가, 남의 시선 따위는 신경 쓰지 않겠다는 의지. 승호는 자기 옷차림을 내려다보았다. 늘 정장을 하고 출근해야 했지만 그날은 특별히 더 신경을 썼다. 새 셔츠를 꺼내 다려 입었고, 수트와 코트는 모두 이틀 전에 드라이클리닝해 놓았었다. 평소에 안 하던 넥타이핀까지 했는데 정작 상대는 동네 마실 차림이었다.

승호는 뭔가 억울했다. 여자의 언행과 옷차림은 자유분방한데 자신은 뭔가 어색하고 꽉 막힌 느낌이었다. 성의라든가 예의에 있어서라면 저쪽이 민망해야 할 터인데 오히려 자신이 부끄러운 이유는 무얼까?

"연구하시는 분이라 그런지 다른 쪽으로는 별로 신경을 안 쓰시나 봐요."

딴에는 용기를 내어 승호가 말을 걸었다. 작심했다는 걸 들키고 싶지 않아 포크로 돌돌 마는 파스타에서 눈을 떼지 않은 채였다.

"다른 쪽이라면.. 가령?"

정수리에 윤화의 시선이 느껴졌다. 이 여자는 의식조차 못하고 있다! '아, 옷차림 말씀이세요?' 하면서 무슨 변명을 늘어놓을 걸로 예상했지만 보기 좋게 빗나갔다.

"아뇨, 뭐. 그냥 의, 식, 주 다방면에 걸쳐서……"

그가 당황해서 주워섬겼는데 그게 웃겼는지 윤화가 빵 터졌다. 파안대소로 한참을 웃더니 나중에는 두 손으로 관자놀이를 문질렀다.

"아, 눈물 나. 죄송해요. 제가 엉뚱한 데서 빵 터지는 경향이 있어서요."

그러더니 '의식주 다방면'이란 혼잣말로 따라 하며 다시 한번 큭큭거렸다. 승호는 그녀의 반응에 오히려 마음이 편해졌다. 희화화되었다고 불쾌할 수도 있었지만 상대에게 만족을 주었다는 야릇한 성취감을 느꼈기 때문이었다.

'이 여자는 망가진다는 사실을 모른다. 망가져 본 적이 없어서 그게 뭔지 모르는 거다. 존재 자체로 빛이 나 다른 조명이 필요 없는 느낌……'

그러고 보니 화장도 거의 하지 않았다. 얼핏 퍼머 기가 남아 있긴 했지만 머릿결도 그다지 신경 쓰지 않은 것 같다. 이렇게 꾸미지 않는 여자는 처음이고, 꾸미지 않고도 이렇게 매력적인 여자 역시 처음이었다.

"아이고, 초면에 미안해요." 윤화가 폭소를 겨우 진정한 뒤 말했다. "제가 의식주 다방면에 신경을 안 쓰는 건 맞아요. 그냥 뭐 별로 안 중요해 보여요, 저한테는."

그러더니 그녀는 자신의 티셔츠를 내려다보았다.

"미키 마우스, 미니 마우스. 요 녀석들은 좋아해요. 남들은 쥐가 더럽다 무섭다 그러는데 저한테는 캐릭터든 실물이든 귀엽거든요."

"아휴 실물까지…… 취향 독특하십니다."

승호는 그녀의 독특한 매력에 빠져들고 있음을 직감했다.

"음식 괜찮으세요?"

윤화가 물었다.

"네, 맛있네요. 와인도 괜찮고요."

"다행이네요." 그녀가 웃으며 말했다. "승찬 오빠에게 말씀 많이 들었어요. 절친이시라고."

"네. 제가 워낙 사교성이 없어서 친구라고는 그따위 녀석 정도죠."

농담반 진담반이었는데 상대의 눈이 커졌다.

"사교성이 없으시다고요? 안 그래 보이시는데……"

"아, 제가 좀 그래요. 오래 걸리는 편이죠, 가까워지려면.. 성격 급한 사람은 못 견디고 떨어져 나가기도 하고요."

"그러시구나."

윤화가 수프를 휘젓고 나서 농담을 걸었다.

"쏙 요리는 없네요. 마늘은 모든 요리에 들어갔겠지만."

웃을 때 그녀는 양볼의 광대가 빛났다. 매력적인 볼륨이었다. 잔뜩 긴장한 상태였는데도 승호는 자꾸 넋을 잃고 윤화의 얼굴을 바라보게 되었다.

"승호 씨. 아, 승호 씨라 불러도 돼요?"

"이미 불러놓고 무슨…… 편하신 대로."

"오면서 고민을 했거든요. 뭐라 불러 드려야 되는지. 네 살 위니까 오빠긴 오빤데 초면에 오빠라 부르면 결례잖아요. 승호 씨는 또 건방져 보이고. 그쪽이라 부르면 거리감만 느껴질 거고……"

"아뇨, 승호 씨 좋습니다."

"다행이네요, 승호 씨. 그런데 이상하지 않아요? 단군신화의 쑥과 마늘 이야기요."

다시 그녀가 엉뚱해졌다.

"네에?"

"쑥과 마늘은 정력에 좋은 음식인데 백일 동안 그것만 먹으면 얼마나 힘들겠어요? 뇌하수체에서 성호르몬이 엄청 많이 분비될 테니까요. 남성 호르몬, 그러니까 안드로겐이랑 테스토스테론."

초면에 오빠 호칭이 결례인 걸 아는 여자가, 이번엔 정력 운운하고 있다. 피자 한 조각을 살짝 베어 씹더니 그녀가 이야기를 계속했다.

"그것까지는 좋아요. 모든 유혹은 약점을 노리는 거니까. 그런데 결말이 이상해요. 호랑이는 도망가고 곰은 사람이 된다? 사람은 사람인데 여자가 됐어요! 남자가 아니고요. 분명히 곰이었을 때는 수컷이었을 텐데—암컷 곰한테는 쑥과 마늘이 시험이 되지 않을 테니까요—종(種)도 바뀌고 성(性)도 바뀐 거잖아요."

승호는 가만히 듣기만 했다. 와인 몇 모금에 취했나 싶기도 했지만 그런 것 같지는 않았다. 윤화가 계속 말을 이어갔다.

"이상한 얘기지만 교훈은 있어요. 몸에 좋은 마늘을 많이 먹자. 특히 남자는!"

그러면서 그녀는 레드와인 잔을 들이대어 승호의 잔에 부딪혔다. 그는 이런 캐릭터의 여자를 만나본 적이 없었다. 처음엔 살짝 당혹스럽기도 했지만 점점 윤화가 가진 고차원의 매력에 빠져들게 되었다.

"경 씨면 특이성이네요. 저도 도 씨라서 흔치 않은 편인데……"

"사람들이 정 씨랑 많이 헷갈려요. 이름 쓸 때도 잘 써야 돼요."

희귀성끼리의 공감대.

"어렸을 때 별명은 모두 성과 관련된 거였어요. 도화지, 도자기, 도레미, 도라에몽 같은 것들. 다 애교로 봐줬는데 5학년 때인가, 도살장이라고 부르는 남자애가 있어서 응징을 해주기도 했죠, 히힛."

"윤화 씨를 좋아해서 그랬을 거예요. 남자들은 원래 그렇거든요. 문제를 일으켜서라도 관심을 사려고 하죠."

"그 애가 일으킨 문제에 상응하는 만큼 관심을 줬죠. 도살 직전까지 혼내줬습니다. 나중에는 돼지 멱따이는 소리로 울면서 빌더라고요."

"그래서요?"

"봐줬죠, 뭐."

"예쁘시기만 한 줄 알았는데 정의의 칼을 숨기고 있군요. 세일러문인가?"

둘은 한바탕 웃었다. 승호는 점점 긴장이 풀리는 걸 느꼈다.

"한을 품으면 오뉴월 서리 정도는 가능하죠. 어쩌면 더한 것도요."

승호는 칩거 시절에 봤던 몇몇 복수극 영화가 떠올랐다. 이영애와 이미지가 닮아서 그런지 ≪친절한 금자씨≫가 떠올랐다.

"영화 좋아해요?"

성인 남녀가 소개로 만난 자리에서 언급될 가능성이 가장 높은 소재였다. 뱉어놓고 보니 진부한 질문이었다. 윤화가 자신을 뻔한 남자로 여길까 봐 승호는 걱정됐다.

"안 좋아해요. 영화 거의 안 봐요. 심지어 부귀영화도 별로예요. 승호 씨는?"

평범한 화제에도 평범하지 않은 반응이었다.

"그다지 좋아하지는 않는데 많이는 봤어요."

"어떻게 그럴 수가 있지? 좋아하지도 않으면서 많이 봤다고요?"

윤화가 턱 받친 얼굴을 승호 쪽으로 더 가까이 내밀며 물었다. 그녀가 다가오자 승호는 심쿵이란 말의 뜻을 실감했다.

"몇 년 전에 좀 우울해서 회사 때려치우고, 몇 달 동안 두문불출했던 적이 있었거든요. 방 안에서 시간 때울 수 있는 재료가 영화밖에 없었어서…… 책은 지겹기도 했고 우울감의 원흉이라 영화로 시간을 도배했죠."

"또 뭐 좋아해요?"

악의 없는 형사처럼 윤화는 질문을 계속했다.

"음, 생강 과자 좋아해요. 센베라고……"

"알아요. 우린 센베이라고 불렀는데…… 그걸 좋아하시는구나."

윤화의 맞장구에 승호는 긴장이 풀리고 용기가 났다.

"다 좋아하는 건 아니고 생강 들어간 것만요. 왜, 여러 가지 맛이 있잖아요. 김이나 땅콩 조각이 박힌 것도 있고…… 그 중에서도 하얀 생강 넣고 원통 모양으로 말린 것만 좋아했어요."

"나는 그것만 싫어했는데…… 느닷없이 씹히는 매운맛이 싫었어요. 김 박힌 게 맛있었는데.. 센베이 과자 취향은 다른 걸로!"

윤화의 환한 웃음은 경쾌했다. 바짝 마른 생강 과자가 부서지는 유쾌한 소리 같았다.

"어렸을 때 토요일 저녁마다 아버지가 사 오셨는데 거의 루틴이었어요. 제가 생강 과자만 먹으니까 그것 위주로 사오셨죠. 웃긴 게 뭔지 알아요?"

혹시나 지루해하지 않나 눈치를 보며 승호가 뜸을 들였다. 다행히 윤화는 여전히 관심과 호감의 눈빛을 보내고 있었다.

"아주 오랫동안 그걸 생각 과자로 알고 있었어요. 왜 사람마다 오래 지녀온 황당한 착각들 있잖아요. '귀신이 고깔 노릇'이라든가, '환골탈퇴' 같은……"

"맞아요. 저도 고등학교 때까지 떡뽂이로 알고 있었어요. 쌍자음을 도대체 몇 개를 써야 되는 건지 얼마나 헷갈렸다구요, 하하."

"생강 과자를 생각 과자로 착각한 건 글자 때문인 것 같아요. 하얀 봉투에 큰 글씨로 '전통쎈베'라고 쓰여 있고 그 아래에 작은 글씨로 땅콩과자, 김과자, 생각 과자라고 인쇄되어 있었어요. 오타를 그냥 믿어 버린 거죠."

사실은 믿음의 근거가 되지만 때때로 믿음이 사실을 만든다. 승호는 생강 과자를 생각 과자로 생각하면서 생각이 늘었다. 그 매콤 쌉쌀한 과자를 물어 부수면 생각도 넓어지고 깊어지는 것으로 알았다. 입이 즐거워서가 아니라 두뇌 향상에 도움이 되는 거라 생각해 부지런히 먹었다. 만약 당시에 부모님이 스포츠에 관심이 있었다면 운동을 열심히 했을 것이다. 어린 승호가 관심을 끌 수 있는 가장 유력한 영역은 지능이었다. 정작 부모는 크게 반응하지 않았지만 말이다. 부모로부터 버림받지 않겠다는 생존 본능이 그의 지능을 키운 셈이었다.

또래 아이들이 지능과 두뇌의 크기에 관심을 가질 때—아인슈타인은 뇌가 더 컸다는 둥—승호는 달랐다. 똑똑한 두뇌는 좋은 상태의 과자처럼 바삭할 거라고 믿었다. 반면 멍청하고 둔한 두뇌는 잔뜩 습기 먹은 센베이처럼 물컹거릴 거라 생각했다. 근거는 없었다. 아니, 생각 과자가 근거였다.

나중에 알게 된 사실이지만 머리에는 생강 과자가 아니라 호두가 좋았다. 승호는 그걸 고등학교 영어 시간에 알게 됐다. 교과서 텍스트의 주제는 음식과 신체의 연관성이었다. 두뇌와 비슷하게 생긴 호두가 실제로 두뇌 발달에 도움을 주고, 심장과 닮은 토마토는 심장병을 예방한다. 단면이 사람의 눈을 닮은 당근은 시력에 좋고, 현미경으로 세포 관찰을 하는 양파가 사람의 세포 건강에 좋다. 생강은 뇌가 아니라 위와 닮아서인지 소화기 계통에 좋다고 나왔는데 배우면서도 승호는 고개를 갸우뚱했다. 호두는 모르겠고 생강이야말로 생각하는 능력에 유용하다는 믿음이 커서였을 것이다.

음식을 먹을 때 윤화는 자세가 꼿꼿했다. 승호가 흥미로운 얘기를 하면 포크를 내려놓고 상체를 앞으로 내밀었다. 가끔 두 손을 턱에 괴고 눈을 반짝이며 듣기도 했다.

"You know, this is Mad for garlic. What are you mad for now?(여긴 매드포갈릭. 당신은 지금 무엇에 미쳐 있어요?)"

윤화가 갑자기 영어로 물었다. 시간과 와인 덕분에 승호는 초반의 긴장감이 제법 누그러진 상태가 되어 있었다.

"Well, I'm still looking for it(글쎄요, 여전히 찾고 있는 중)."

"I would like help you because I'm an expert in brains(돕고 싶네요. 저는 두뇌 전문가니까요)."

승호는 윤화의 말이 프러포즈처럼 들렸다. 특별한 관계로 발전하고 싶다는 그녀의 마음이 읽혀 승호는 날아갈 듯 기뻤다. 와인으로 긴장이 풀린 데다 영어로 말하니까 조금 더 용기가 났다.

"It might be you, what I'll be mad for(어쩌면 당신일 수도 있겠네요, 내가 미칠 상대가)."

알아들었는지 윤화는 고개를 숙인 채 와인 잔을 빙빙 돌리면서 환하게 웃었다.

그날 밤 둘은 매드포갈릭을 나와 2차로 맥주를 마시며 서로를 탐색했다. 궁금한 것을 물었고 대답했다. 각자의 직업에 대한 보람과 푸념을 털어놨다.

승호의 머릿속에 유일하게 찜찜하게 남은 것은 윤화가 자신에 대한 이야기를 좀처럼 하지 않는다는 거였다. 가족이나 어린 시절 이야기가 나오면 슬며시 화제를 돌리거나 승호 쪽으로 말을 넘기곤 했다. 아픈 과거가 있나 싶기도 했고, 특히 초면의 상대가 꺼리는 내용을 집요하게 묻기도 뭣해 승호는 적당히 넘어가 주었다.
맥줏집에서 나오기 전에 취기를 빌어 승호가 말했다.
"다시 연락해도 될까요?"
"다시 연락 안 하면 혼날 줄 알아요."
기다렸다는 듯이 되받고 나서 윤화는 화내는 표정을 지었다. 승호는 기뻤다. 둘은 새로운 도시인 대전을 같이 탐험하자는 의기투합을 하며 새벽 1시쯤 헤어졌다. 승호는 택시 뒷자리의 노란 점퍼가 멀어지는 걸 보며 흐뭇한 웃음을 삼켰다.
윤화는 승호가 그때까지 만나본 사람 중에 가장 낯선 사람이었다. 처음 만났어도 뻔한 사람이 대부분이었는데 윤화는 달랐다. 예측 가능성이 현저히 떨어지는 인물이었다. 대화할수록 점점 미궁으로 이끌리는 것 같았다. 베일 하나를 걷어내면 더 짙은 베일이 나왔다. 가까워졌다고 생각하게 만들어 놓고 더 멀리 달아났다. 그녀의 존재는 계속 튀어나오는 러시아 인형 마트료시카 같았다. 끝없이 상이 맺히는, 서로 마주 보는 양쪽의 거울 같기도 했다.

4

사랑—필요한 분별력을 빼앗고 불필요한 상상력을 선물하는 마술
- 한이슬의 오픈 채팅

그날 새벽 상계동 본가로 귀가한 승호는 다음날 정오쯤 윤화에게 안부를 물었다.

속 괜찮으세요? 술 너무 많이 드신 건 아닌지?

문자를 보내 놓고 답장이 왔나 싶어 그의 시선은 자꾸 핸드폰으로 향했다. 조바심에 샤워하러 들어갈 수도 없었다. 그 틈에 답신이 온다면, 그래서 10분 후에 그걸 확인하게 된다면 그 10분이 아까워 미칠 것만 같았다. 침대에서 나오지도 못하고, 사진 없는 윤화의 카톡 프로필을 자꾸 열어볼 뿐이었다. 밥 먹으라는 어머니의 말도 들리지 않았다.

머릿속이 복잡해졌다. 사랑일까? 그러기엔 상대를 너무 모른다. 그냥 호감 정도? 아니다. 잘 알아야 사랑에 빠지는 건 아니다. 알고 싶다는 욕구가 너무 강렬하다. 사랑인 것 같다.

두뇌회로가 엉켰다. 눈은 핸드폰을 보고 있지만 맺힌 상(像)은 도윤화의 매력적인 얼굴이었다. 지난밤 호가든 생맥주를 마신 뒤 그녀의 붉은 입술에 묻은 흰 거품, 승호의 학창 시절 이야기를 들으며 턱을 괸 가느다란 두 손, 살짝 웃으며 고개를 숙일 때 보이던 부드러운 턱살, 그런 장면들이 승호의 두뇌를 지배했다.

그가 경험했던 이전의 사랑들은 그렇지 않았다. 분별력을 빼앗은 여자는 없었다. 만났던 거의 모든 여자들은 승호를 경외했다. IQ 160의 천재, 멘사 정회원, 공부 기계, 만점 생산자…… 어려서부터 자신에게 붙은 수식어가 연애에도 이어졌다.

승호는 그게 싫었다. 똑똑한 머리에 괜찮은 외모를 갖춘 엄친아, 그런 훈남과 사귄다는 것은 여자 입장에서도 부담이었을 것이다. 개중에는 경외심이나 자격지심 대신 '너 따위가 뭐 대단하다고' 식의 태도를 보이는 여자도 있었는데 승호는 그런 유도 싫었다. 어떤 경우든 여자친구들은 승호의 뛰어난 두뇌를 의식하는 것에서 자유롭지 못했다.

그가 경험했던 대여섯 번의 연애는 대부분 시시하게 끝났다. 상대에게 매력을 느껴 만나다가도 금세 싫증이 났다. 잔뜩 기대하고 각오한 시험에서 너무 쉬운 수학 문제를 만난 느낌이었다. 승호는 뻔한 여자들의 모습에 금방 허탈하고 시시해졌다.

"그게 너의 핵심적인 문제야. 고질적이고 근본적인 프라블럼이지."

몇 해 전, 여자친구에 대해 시들해진 자신의 감정을 털어놓았을 때 승찬이 한 말이었다.

"보통 사람들은 좋은 건 기대하고 나쁜 건 각오하지. 시험문제? 쉽기를 기대하고 어려운 걸 각오하며 준비해. 쉬운 문제가 나오면 아싸, 고맙습니다 하면서 풀고 어려운 문제는 망했다, 씨발 하는 거지. 근데 너는 시시한 걸 못 참아. 두뇌를 가동해야 직성이 풀리는 스타일이지. 여태껏 그렇게 문제 풀면서 용케 살아왔겠지만 여자는 달라. 수학 문제가 아니거든."

이럴 때는 자신이 아니라 승찬이가 천재인 것 같았다.

"넌 주어진 문제는 잘 풀지만 문제 예방에는 숙맥이야. 여자는 네가 풀어서 만점 받는 도전과제가 아니라고! 예방, 관리, 사후 대처 그런 게 필요한 생물이지."

말없이 맥주를 들이켜면서 승호는 생각했다. 승찬의 말대로 자신이 미숙한 것일 수도 있다. 그렇다면 고치면 된다. 하지만 여자라는 존재 자체가 자신의 행복 조건에 포함되지 않는 거라면? 몇 번의 연애를 거치면서 승호는 점점 더 암담해지는 걸 느꼈다.

소위 '썸'을 타는 동안 상대가 쉽게 틈을 보이면 급속도로 흥미를 잃었다. 그렇다고 도도한 것에 끌리는 것도 아니었다. '감히 내 조바심을 건드려?' 하는 괘씸함이 오만방자하게 그의 머릿속에 퍼졌다. 그러고는 더 모질고 날카로운 말로 상대를 몰아붙이곤 했다.

어찌어찌 같이 침대에 오르게 되어서도 마냥 좋지는 않았다. 누워 있는 여자는 그에게 해결해야 할 과제로 느껴졌다. 승찬의 지적 대로 문제는 그가 '과제'의 심리를 이해하려고 하지 않는다는 점이었다. 수학 문제는 풀어주기를 가만히 기다리는 존재지만 침대 위의 여자친구는 그렇지 않다. 그는 가장 빠른 해법을 찾아 키스와 애무를 했다. 일방적으로 여자를 탐험했다. 문제에게 주도권을 넘겨주는 수험생이 없는 것과 같은 이치였다. 문제 풀이 기계로 살아온 습성은 침대 위에서도 쉽게 고쳐지지 않았던 것이다.

증권맨 시절, 한 번은 이런 일도 있었다. 출근길 상계역에서 전철을 기다리는데 또래의 젊은 여자가 플랫폼 벤치에 앉아 있었다. 그녀는 앞머리에 분홍색 헤어롤을 말고 있었다. 승호는 망설였지만 말해 주는 것이 좋을 것 같다고 판단했다.

"저어, 머리에…… 그거 빼는 걸 잊어버리신 것 같아요."

여자는 흠칫 놀라며 상체를 승호 반대쪽으로 내뺐다. 민망해진 그가 멋쩍게 돌아서자 여자가 말했다.

"이렇게 하고 다녀도 이상한 거 아니에요."

따져서라도 자존심이 상한 걸 만회하겠다는 투였다. 때마침 전동차가 들어왔다.

"아…… 네에, 그렇다면 죄송합니다. 몰랐어요."

전철 진입하는 소리에 묻힌 승호의 사과는 진심이었다. 한 번도 그런 모습의 여자를 밖에서 본 적이 없었기 때문이다. 놀라운 것은 그녀의 다음 태도였다. 같은 칸에 올라타 두어 개 역쯤 났을까? 좁은 공간 안에서 음악을 듣고 있는데 누군가 뒤에서 승호를 툭툭 치는 것이었다. 그녀였다. 승호는 몸을 돌리며 이어폰을 뺐다.

"아까 일부러 그러신 긴 아니죠?"

비난하거나 따지는 의도는 아니었다. 부드러운 말투였다. 확인해야 마음이 놓이겠다는 의도된 질문.

"네?" 승호는 당황스러웠다. "저, 저는 몰라서…… 정말 몰랐습니다."

추행범으로 의심받는 느낌이 들었다.

"범생이죠? 문제를 보면 해결해야 후련하죠?"

여자가 가까이 다가와 속삭였다. 질문이 아니라 확인이었다. 추측을 확인하기 위한 질문이었다. 승호는 그녀의 입김에 귀가 간지러웠다. 지하철에서 만난 생면부지 타인의 발언치고는 느닷없고 뜬금없었다. 당황스러움의 주체가 그 여자에서 승호로 바뀌었다. 어쨌든 그날 일을 계기로 둘은 사귀게 되었다.

여자의 이름은 송다연. 롯데월드에서 놀이 기구를 운행하는 일을 하고 있었다. 고향은 충남 보령인데 천안에서 대학을 졸업하고 서울로 상경했다고 했다. 나이는 승호보다 한 살 많았다. 전공은 생물학인데 회전목마나 돌리고 있다고 푸념을 늘어놨다. 160이 안 되는 아담한 체구였고, 둥근 얼굴에 치열이 고르고 예뻤다. 웃을 때 생기는 반달 모양의 눈매가 가수 이효리를 닮았다. 굳이 따지자면 예쁜 편은 아니었고, 귀엽다는 평가를 받을만한 외모였다.

둘은 주로 주말에 만났다. 시내에서 영화를 보거나 용인이나 양평 같은 교외로 드라이브를 나갔다. 무용지물 같던 승호의 차가 유일하게 쓰임새를 갖던 날들이었다. 맛집을 검색해 같이 식사를 하고, 눈에 띄는 카페에서 커피를 마시는 코스였다. 직업 때문인지 다연은 놀거리를 찾아다니는 것을 싫어했다. 음식점이나 카페에서 둘만의 대화를 나누는 걸 즐겼다.

그녀는 전공인 생물학에 대한 얘기를 자주 했다. 특히 신경생물학에 관심이 많았는데 동물의 신경계를 조작해 행동을 교정하는 것에 대해 자주 이야기했다.

"한번은 개구리 실험을 하는데 너무 재밌는 거야. 머리 뚜껑을 열고, 가는 핀셋으로 뇌 이곳저곳을 찌를 때마다 신기한 행동을 하거든. 분명히 마취 상태인데도 개굴 소리를 낸다거나 뒷다리를 뻗는다거나.. 해부학 실험 때마다 어떤 애들은 징그럽다고 뒤에 숨는데 나는 너무 재밌더라고..”

대학 시절 실험했던 얘기를 그녀는 무용담처럼 늘어놨다.

“고작 학부생이 뭘 알았겠냐만 뇌의 곳곳마다 작동하는 기능이 다르다는 것쯤은 알 수 있었지. 계속 공부하고 싶었는데 그놈의 돈 때문에 놀이기구나 돌리고 있고…… 한심하다, 송다연..”

그녀의 신세한탄에 승호는 그 호기심을 충족시킬 직업을 갖게 될 거라고 위로했다. 다른 여자친구들처럼 승찬에게 그녀를 소개하기도 했다.

“말씀 많이 들었어요. 불알친구 사이라고……”

홍대 앞에서 셋이 처음 만난 날, 어드벤처 걸의 말에는 거침이 없었다. 승호는 민망해졌지만 승찬은 즐거운 것 같았다.

“하하, 반갑습니다. 저도 이 녀석한테서 모험심 넘치는 다연 씨 얘길 듣고 꼭 뵙고 싶었어요.”

“모험심은 아니고 호기심 정도로 해두죠. 고등학교 때 승브라더스였다면서요? 여자든 남자든 고등학교 친구가 제일 오래 가는 것 같아요. 아무튼 반가워요.”

처음 만났는데도 다연은 낯가림이 없었다.

“승찬 씨는 스타 역사 강사라면서요? 역사는 잘 모르지만 왠지 빠져들면 나오기 힘든 매력적인 분야 같아요.”

“글쎄요, 저는 역사에서 빠져나와 과학으로 옮기고 싶은데…… 우리 서로 바꿀까요? 하핫.”

넉살 빼면 남는 게 없을 승찬이 설레발을 떨었다.

“저는 뭐, 역사를 입시 수단으로 가르치고 있지만, 나름 빠져들 만한 영역이라고 생각해요. 옛날 얘기인데 읽다 보면 다 지금 얘기 같고 내 주변 얘기 같거든요. 메타인지에 도움이 되죠. 노량진에서 머리 싸매고 공부하는 애들도 나중에는 알게 될 거예요. 지금 배우는 내용이 나중에 자아성찰에 도움이 될 겁니다."

"맞아요. 역사와 과학은 공통점이 있는 거 같아요. 둘 다 상상력이 필요하죠. 역사는 과거 쪽으로, 과학은 미래 쪽으로…… 비록 지금은 놀이공원에서 회전목마 따위나 돌리고 있지만 저도 꿈이 있어요. 뭔가 흥미로운 연구를 해보고 싶어요."

그날 승호는 소주잔만 들이켰지, 거의 입을 열지 않았다. 승찬과 다연이 워낙 잘 통해서 도통 끼어들 틈이 없었던 것이다. 그게 미안했는지 승찬은 가끔 그를 추켜세웠다.

"이 녀석, 십 년 넘게 친구로 지내고 있는데 겉보기엔 이따위여도 나름 괜찮은 놈이에요. 머리 좋은 건 알고 계실 테고…… 뭐랄까, 쓸모 있다고 해야 되나? 지금은 투자자들 돈 벌어주는 정도지만 나중엔 인류 역사를 발전시킬 중요한 역할을 할 인물이라 이겁니다."

승찬의 공치사에 승호는 민망했지만, 다연은 남자친구에 대한 자부심을 느끼는 듯했다.

그날 이후 셋은 홍대와 잠실, 노량진 등지에서 몇 차례 술잔을 기울이곤 했다. 그때마다 분위기는 좋았고 승호는 흡족했다.

공통적으로 쉬는 어느 주말에, 셋은 잠실 야구장에 갔다. 날씨가 화창한 토요일 오후 경기였다. 시끄러운 응원석을 피해 셋은 사람이 가장 적은 외야석에 자리를 잡고 맥주를 마셨다. 두산 베어스와 롯데 자이언츠의 경기였다.

"머리가 좋아야 야구도 잘 한다던데…… 승호야, 저 사람들 아이큐는 얼마나 될까?"

다연이 그라운드를 바라보며 물었다.

"그걸 내가 어떻게 알아? 타율만 알면 되지, 아이큐는 무슨……?"

승호는 이런 화제에 질려서 자기도 모르게 시큰둥한 반응이 나왔다.

"야, 브라더. 너한테는 과분한 여친님이 궁금해하시면 정성을 다해 대답하라고. 그게 예의면서 도의란다." 승찬이 끼어들었다. "음, 제 생각에는요. 야구 선수들 평균은 120 이상. 그리고 타자가 투수보다 더 똑똑할 거 같아요."

"왜요? 왜 타자 아이큐가 더 높지?"

마침 타자가 친 안타에 경기장이 함성에 휩싸였다.

"그거는 역사 전공인 나보다 과학 전공인 다연 씨가 더 잘 알 것 같은데요? 미천한 지식을 활용해서 내가 상상해 볼게요. 자극과 반응이라는 점에서 보면, 투수의 투구는 플레이의 시작이지만 타자는 대응하는 쪽이거든요. 제대로 반응해야 좋은 결과를 얻을 수 있으니까 머리를 더 많이 굴려야 되는 겁니다. 투수는 사고력, 판단력보다는 용기와 과감함이 더 필요할 것 같고…… 그냥 내 뇌피셜입니다. 천재 소년 두기! 자네는 어떻게 생각하나?"

승찬이 승호에게 과자 안주를 건네며 물었다.

"두기라니, 그게 언제 적 드라마인데 참내…… 글쎄, 운동 신경이 발달했으니까 후두엽이나 소뇌 쪽이 크긴 하겠지만 우리가 흔히 머리 좋네 나쁘네 하는 전두엽은 그냥 그렇지 않을까? 투수든 타자든."

두산이 병살타를 쳐 관중들의 희비가 교차했다. 승호 커플은 응원하는 팀이 없었고, 승찬만 자이언츠 쪽이었다. 다연이 말을 받았다.

"나처럼 잘 모르는 사람이 보면 야구는 정말 이상한 스포츠예요. 너무 복잡하고 불확실해요. 한 뼘 차이인데 어떤 건 홈런 어떤 건 파울이고, 잘 맞아도 아웃 빗맞아도 안타, 이런 것도 많고……"

"그래서 IOC가 올림픽에서 야구 종목을 뺀 거 아닙니까? 일본이 로비를 해서 다시 욱여넣긴 했지만. 야구가 이상하면서도 매력적인 운동인 이유가 그 불확실성 때문 아닐까요? 확실히 다른 종목에 비해 상대적으로 운의 영역이 큰 스포츠죠."

승찬이 말하는 순간, 홈런이 터졌다. 자이언츠가 경기를 뒤집었다. 승찬이 환호하자 다연도 덩달아 일어나 소리를 질렀다.

해가 저물고 라이트가 켜지면서 야구장 분위기는 점점 무르익었다. 승찬은 기분 좋은 취기를 느꼈다. 굳이 승부가 아니어도 분위기를 만끽할 수 있었고, 살짝 소외감과 시샘이 들기도 했지만 승찬과 다연이 잘 통하는 게 기분 나쁘진 않았다.

셋이 함께 만난 것은 그날 야구 관람이 마지막이었다. 절친과 여친이 잘 통하니까 자주 만나게 될 거라 생각했는데 이후로는 이상하리만치 시간 맞추기가 어려웠다.

승호에 대한 송다연의 태도가 변한 것도 그즈음이었다. 뭐랄까, 승호가 느끼기에 그녀는 용감해졌고 더 뻔뻔해졌다. 호감을 사려고 노력하기보다는 상대가 어떻게 보든 상관없다는 식으로 말하고 행동했다.

야구장 모임 이후 두 달쯤 지난 시점이었다. 주말에 가평 근처로 나갔다가 늘 그랬듯이 둘은 모텔에 갔다. 승호가 샤워를 하고 나오자 그녀는 야동을 보자고 제안했다.

"기왕 하는 거 더 달구면서 하면 좋잖아. 승호 씨도, 나도."

그는 당황했지만 다연은 전혀 개의치 않았다. 익숙한 동작으로 자신의 스마트폰 화면을 모텔 텔레비전에 연결했고 볼륨을 키웠다. 그녀는 화면에 나오는 일본 포르노 배우를 따라 승호의 고환을 쓰다듬으며 페니스를 핥았다. 그가 싫다고 하지 않았으므로 그녀는 계속했다. 승호는 화면 속의 포르노 배우들도, 화면 밖에서 그걸 따라 하는 다연도 섹시하다고 느끼지 못했다. 고혹적이라기보다는 그냥 지루하게 노골적이었다.

그녀는 자기의 가슴에 사정해 줄 것을 원했다. 절정에 이르렀을 때 자신의 양쪽 젖꼭지를 타깃으로 발사하라고 부탁했다. 승호는 어드벤처라는 직장 이름과 그녀의 요구가 어울린다고 생각했다. 자신과는 어울리지 않는 것 같았다.

그녀의 요청대로 절정의 순간, 그는 성기를 빼냈다. 재빨리 콘돔을 벗겨낸 뒤 그녀의 풍만한 가슴에 사정하면서 그것이 마지막이라고 생각했다. 다연과는 다시 만날 일이 없을 거라 생각했다. 예상이자 각오였고 전망이면서 기대였다. 깊은 호흡과 함께 승호는 다연의 옆자리를 찾아 누웠다. 그녀는 가슴에 방사된 정액 한 조각을 엄지와 검지 손가락으로 집어 올려 매만졌다. 호기심 가득한 미소가 얼굴에 번졌다.

"천재 경영학자의 새끼들이다."

그때 여자의 말은 감탄이었을지 모르지만 승호에게는 비아냥으로 들렸다. 심한 모멸감이 밀려왔다. 다시는 이 여자와 몸을 섞지 않을 거라고, 승호는 다짐했다. 그의 얼굴이 일그러졌다. 진도가 더딘 화면 안에서는 여전히 여배우의 새된 신음 소리가 흘러나오고 있었다.

그날이 마지막일 거라는 승호의 예감—내지는 각오—은 틀렸다. 귀찮아서 연락을 받지 않는 일도 있었지만, 섹스 생각이 간절해지면 승호는 다시 그녀에게 전화했다. 사랑이 증발해도 육정이 붙으면 떼기 힘들다는 말은 사실이었다. 어드벤처 걸은 주중에 대관람차를 돌리고, 주말엔 벌거벗은 허리를 돌렸다. 시간이 흐를수록 다연은 점점 더 대담해졌고, 적극적으로 변했다.

"이거라도 잘해야 너랑 균형이 맞을 것 같아."

반년 가까이 만나면서 어드벤처 걸은 여자친구에서 섹스 파트너로 전락했다. 그녀는 승호가 사랑을 느끼기 어려운 상대였지만 섹스를 포기할 상대는 아니었다. 그녀는 감정 공유 따위는 포기하고 몸에 미련을 갖게 만드는 것 같았다. 그것이 다연의 전략이었고 선택이었다.

결국 그마저도 흐지부지 끝났지만, 그때 승호는 깨달았다. 자신을 만나는 여자들마다 각자의 결핍을 의식하고 있다고... 부족한 걸 다른 방식으로 보완하려고 애쓴다는 사실을…… 어떤 여자는 선물 공세를 펼쳤고, 어떤 경우는 임신했다는 거짓말을 하기도 했다. 각자 가지고 있는 무기를 사용했지만, 그는 다 시답잖다고 생각했다. 여자들에 비해 스스로 우월하다는 생각을 안 했다면 거짓말일 것이다. 그런 내색을 하지 않았다는 것으로 승호는 스스로 위안을 삼았다. 똑똑한 놈까지는 인정하지만 재수 없는 놈은 아니라고 변명하고 싶었다. 어드벤처 걸의 마지막 인사는 축복인지 저주인지 모를 이런 문자였다.

놀이기구와 남자의 공통점이 뭔지 알아? 타고 있을 때는 탄 걸 후회하고 내린 다음에 다시 생각난다는 거. 그 괴리가 싫어서 너를 만날 때마다 오버했던 듯.. 롤러코스터 안에서 실제로는 겁먹었지만 일부러 환호하며 웃는 것처럼 말이야. 그동안 고마웠어. 싫은데도 내색 안 해줘서. 망치에게 세상의 모든 것은 박아야 할 못으로 보인다지? 승호 너에겐 널 위해 기꺼이 못이 되어주는 여자가 필요한 듯. 그런 좋은 여자 만나길 바랄게. 아듀!

5

너에게만큼은 쉽게 해석되고 싶지 않아
— 한이슬의 인스타그램

지난밤 처음 만난 도윤화가 좋은 여자인지 승호는 알 수 없었다. 어느 유행가 가사처럼 미친 듯이 막 끌릴 뿐이었다. 드디어 도전할 만한 어려운 문제를 만난 것 같기도 했다. 문자를 보내놓고 승호는 온갖 감정을 다 품었다가 뱉었다. ≪왜 나는 너를 사랑하는가≫에서 알랭 드 보통은 연애 감정을 이렇게 해석한다. 실체로서의 상대를 사랑하는 것이 아니라, 자기가 만들어낸 상대의 이미지를 사랑하는 것이라고……

승호는 소설 속 남자 주인공처럼 스스로의 감정을 냉정하게 돌아보려고 애썼다. 이 조바심은 무엇에서 비롯되는가? 물론 상대는 아름답다. 그동안 만나봤던 여자들 중에 가장 아름답다. 어젯밤에도 많은 사람들이 그녀를 흘깃거렸다. 연예인이 아닌가 싶은 정도의 외모다.

그러나 그게 전부는 아니다. 그녀는 승호에게서 어떤 열등감도 느끼지 않았으며 그렇다고 건방진 것도 아니었다. 놀라운 집중력으로 경승호라는 세계를 탐험하는 항해사 같았다. 거리감과 위화감을 드러내지 않으면서—느꼈을지는 모르지만—순수하고 깨끗한 호기심으로 그를 대했다. 33년 평생 승호를 그렇게 대한 사람은 없었다. 동경 아니면 질투, 그것이 거의 모든 대인관계의 토대였다. 윤화는 그 원초적 한계에서 자유로워 보이는 첫 번째 인물이었다. 그로서는 놓칠 수 없는 기회였다. 아름답다는 형용사보다 신비롭다는 표현이 더 어울린다고, 승호는 생각했다.

그녀의 이지적인 면도 승호가 마음을 빼앗긴 이유였음을 부인할 수 없었다. 뇌과학이라는 영역도 흥미로웠지만, 자신의 연구 분야에 대한 애정과 자부심은 그녀를 더욱 돋보이게 했다. 승호의 이야기를 들으면서 관련된 이론이나 실험을 언급할 때 윤화의 눈동자는 반짝였다. 진정으로 자신의 연구를 즐기는 듯한 느낌이었다.

윤화가 답 메시지를 보내온 것은 오후 5시쯤이었다. 그의 인내심은 모두 바닥난 상태였다.

해장하실래요? 마포에 끝내주는 북어 해장국집 있어요

동문서답 아니, 답을 한 것이 아니니까 동문서문이었다. 그마저도 다섯 시간 동안 마음을 죄다 헤집어 놓은 뒤에 말이다.

승호는 분했다. 늦은 답신에 대해 사과도, 해명도 없는 뻔뻔함에 치가 떨렸지만 그 감정을 드러내고 싶지 않았다. 서운해하는 순간, 약자가 된다. 그럴 순 없었다. 쿨해져야 했다.

좋습니다. 7시까지 갈게요. 그새 잊어버렸을지 모르니까 인상착의 말씀해 주세요

그녀가 시간까지 정하게 해서는 안 된다는 생각에, 모든 주도권을 넘겨서는 안 된다는 각오로 승호는 답신했다.

해장국집에 앉아 있는 여자 중에 가장 섹시한 여자입니다

그날 밤 승호는 자칭 섹시녀 윤화와 잤다. 해장국집과 영국식 펍

을 거쳐 그녀가 사는 오피스텔로 함께 들어갔다. 아침까지 함께 시간을 보낸 뒤에도 승호가 윤화에 대해 알게 된 것은 많지 않았다. 서울의 한 사립대 부설 뇌연구소에서 일하고 있으며, 두 달 후 대전의 카이스트로 내려오기로 예정돼 있다는 것이 전부였다. 매력적인 상대에 대해 아는 바가 없다는 조바심과, 조바심을 느끼면 안 된다는 다짐이 반복되며 승호를 괴롭혔다. 그녀를 감싸고 있던 베일은 이후로도 쉽게 걷히지 않았다.

자신의 일을 즐기는—것처럼 보이는—윤화와 달리 승호는 그렇지 못했다. 직업에 대한 태도를 색(色)과 계(戒)의 스펙트럼에 놓고 보면 그는 전형적인 계의 인간이었다. 즐기는 쪽이 아니라 의무에 충실한 쪽인 것이다.

조짐은 어려서부터 보였다. 2006학년도 수능시험 전국 30위는 그가 두 문제를 틀린 결과였다. 모든 전공이 그의 선택 범위 안에 있었다. 경영학을 택한 것은 좋아서가 아니었다. 시류를 따랐기 때문이다.

그가 대학을 다니던 2008년은 국제금융 위기가 닥친 해였다. 90년대 말 동아시아 외환위기—우리나라의 IMF 구제금융을 포함하여—이후 세계경제는 끝없이 좋아지는 것처럼 보였다. 중국은 두 자릿수 이상의 성장률을 기록했고, 닷컴 버블이 걷히며 주춤했지만 바야흐로 스마트폰과 반도체의 시대가 열리고 있었다.

미국 서쪽 실리콘밸리의 유망함은 동쪽 월가로 넘어와 더 큰 금융의 파도가 되었다. 온갖 종류의 파생 금융상품과 펀드가 활개쳤다.

돈이 돈을 벌었고, 물건이 돈을 벌게 해주는 시대는 끝난 듯했다.

고등학생이었던 승호는 흰 셔츠에 수트를 입고 여의도를 활보하는 자신의 모습을 상상했다. 클라이언트를 만나 수억 대의 계약을 체결하고, 적소에 투자해 돈을 불린다. M&A에 참여해 기업의 부가가치를 올리고, 고객사 임원들로부터 감사 인사를 받는다. 파티에 초대되고, 스톡옵션과 해외여행을 보너스로 받는다. 요트 위에서 샴페인을 터뜨리고, 비키니 차림의 여자들의 웃음을 즐긴다. 몸값을 높여 다국적 금융사나 국제경제기구의 임원이 될 수도 있다.

승호의 로망은 결코 저속한 것이 아니었다. 그만한 재능과 성취를 바탕으로 선택할 수 있는 가장 일반적인 미래상이었을 것이다. 그러나 대학에 입학한 지 반년도 지나지 않아 그의 로망은 흩어졌다. 금융위기 때문이 아니었다. 위기설은 있었지만 위기는 아직 오지 않았을 때였다(리먼브라더스 파산은 이태 후였다). 그가 흥미를 잃게 된 이유는 금융이라는 것이 돈 장난에 불과한 허상이라는 사실을 깨닫게 되었기 때문이다.

새내기였던 그에게 영향을 준 사람은 P 교수와 선배 N이었다. P 교수는 전공 수업 첫 시간에 최인훈의 소설 '상도'를 읽으라는 과제를 내주었다. 학기가 끝나기 전까지 독후감을 제출하라고도 했다. 복학생 선배인 N형은 교과와 관련 없어 보이는 책들을 많이 읽었는데 승호가 궁금해하자 자연스럽게 추천을 해주었다. ≪그들이 말하지 않는 23가지≫, ≪사다리 걷어차기≫, ≪나쁜 사마리아인들≫ 등 캠브리지대 장하준 교수의 대중서들과 러시아의 레온티예프와 같은 대안 경제학자들의 저서들이었다.

학창 시절 동안 문제를 푸는 데 전념했던 승호는 대학생이 되자 문제를 인식하는 데 어려움을 겪었다. 주어진 문제의 해법은 잘 찾았지만, 무엇이 풀어야 할 문제인지, 왜 풀어야 하는지에 대해서는 잘 몰랐다.

P 교수는 40대 중반의 젊은 조교수였는데 학생들이 가지고 있는 경제와 기업에 대한 선입견을 깨기 위해 다소 위악적으로 도발하는 타입이었다. 학생의 발표 내용에 대해 집요하게 추궁하고, 칭찬이나 인정 대신 매몰찬 비평을 가했다.

"여러분들은 고등학교 때 이렇게 배웠을 거예요. 기업 활동의 궁극적인 목적은 이윤 추구다. 그런데 생각을 해봅시다. 이윤은 어디에서 옵니까? 매출? 그렇지. 그 매출은 어디에서 오죠? 소비자의 주머니에서 나옵니다. 여러분도, 부모님도 마찬가지겠지만 지갑 속의 돈은 무한대가 아니죠. 결국 매출은 정해진 주머니 돈을 놓고 펼치는 경쟁이에요."

그의 강의에 어떤 학생들은 얼굴을 찌푸리기도 했다.

"자, 봅시다. 여러분들이 가장 관심이 큰 금융 쪽을 볼까요? 제조업은 그렇다 치고 금융업은 정말 부가가치란 것이 전혀 없는 영역이에요. 한 마디로 돈 놓고 돈 먹기죠. 사람들이 잘 모르는 용어로 상품을 만들어 현혹시키는 장사예요. 반박하고 싶어하는 얼굴들이 좀 보이는데 다음 시간에는 제대로 토론해 봅시다. 아, 그전에 과제가 있습니다. 다음 주까지 중국 고대 사상가인 장자의 '기계와 잉여가치'에 대해 조사해 오세요. 이상."

온실 속 화초처럼 칭찬만 받아온 어린 엘리트 대학생들은 실의에 빠지거나 오기를 품는 두 갈래로 나뉘었다. 승호는 후자였다. 경영학 뿐만 아니라 철학과 역사 등을 아우르며 교양을 쌓았고, 특히 기존 세계질서에 반하는 이론들을 탐독했다.

선배 N은 이런저런 말을 하지 않는 편이었다. 다만, 추천해 준 책에 대해서 간결하면서 핵심적인 촌평을 날려 승호에게 적잖은 영향을 주었다. 경제는 과학이 아니고, 윤리라는 것이다. 세상에는 진리가 있고 그것을 탐구하는 것이 과학이지만, 경제는 껍데기(현상을 분석하는 틀)만 과학이고, 알맹이(구조)는 누구의 이익에 복무할 것인가 하는, 선택의 문제라고 말했다. 승호는 소위 선진국이 했던 짓—가령 보호무역으로 성장해 놓고 개방이 최고인 것처럼 주장한다든가, 국제기구를 내세워 자국의 이익을 극대화하는 등—을 비판적으로 볼 수 있게 되었다. 금융은 실물경제의 토대 위에 웃자란 가분수 같은 존재였다. 승호는 P 교수와 N 선배 덕분에 자신이 뛰어들 영역인 금융계가 돈놀이를 그럴싸하게 포장한 세계에 불과하다는 사실을 깨달았다.

그 깨날음이 잘나가는 엘리트를 루저로 이끈 첫단추였을까? 차라리 승호가 그런 쪽으로 신념을 굳혀 갔더라면 대안 경제 활동가나 정치인, (주류는 아닐지라도) 학자가 될 수도 있었을 것이다. 그러나 그의 신념은 어설펐고, 이도 저도 아닌 애매한 지경에서 흔들렸다. 중도나 균형이 아니었다. 빼지도 박지도 못하게 된 어중된 못의 상태와도 같았다.

그 시간이 무려 10년이었다. 군 복무를 했고, 그럭저럭 졸업했고, 숙제처럼 증권회사에 들어갔다가 적응하지 못해 나왔고, 방황하다가 선배의 추천으로 국회에 들어가 일했고, 그 사건을 일으켜 쫓겨나다시피 대전으로 내려갔다. 가히 추락의 10년이라고 해도 될 정도였다.

계획도 없이 우발적으로 증권회사를 그만두고 승호는 폐인처럼 지냈다. 상계동 집에서 아예 나가지도 않는 날이 많았다. 사귀던 여자와도 연락을 끊었고, 승찬과도 만나지 않았다. 은둔형 외톨이 생활이었다. 딱히 이유도 없었다. 끝도 없는 무력감이 그를 지배했다. 횟집 수족관 바닥의 광어처럼 승호는 아무것도 하지 않은 채 침잠했다.

갑작스러운 퇴사와 칩거에 대해 부모는 별다른 반응을 하지 않았다. 어머니는 외출할 때는 밥을 차려 놓고 나갔고, 잔소리나 닦달 같은 건 없었다.

외동인데도 아들의 일에 일절 개입하지 않는 부모님 덕분에 반년에 걸친 은둔생활은 그다지 불편하지 않았다. 은행 지점장이었던 아버지가 끊었던 담배를 10년 만에 다시 피우는 것에 조금 죄책감이 들긴 했다. 승호가 어렸을 때 아버지는 분노를 이기지 못하고 화를 내곤 했는데 사춘기 이후로는 그마저도 없어지고 방관하는 태도로 승호를 대했다. 부모는 마치 새옹지마의 지혜를 터득한 사람들 같았다.

승호의 은둔은 부모에게 화(禍)에 가까웠을 것이다. 수재로 자라 탄탄한 성공 가도를 달리고 있던 엘리트 아들이 갑자기 방에 처박혀 버렸으니 말이다. 그래도 승호의 부모는 별다른 내색을 하지 않았다. 마치 하숙생을 대하듯 했다. 비용조차 받지 않는 인심 좋은 하숙집 주인들 같았다. 그 뒤에 복(福)이 찾아올 거라는 낙천주의가 있는 것일까? 승호는 미안하기도 했지만 한편으로는 부모의 냉담함을 이해할 수 없었다.

아마 우울증이었을 것이다. 그런데도 부모는 상담이나 치료를 권하지 않았고, 승호 자신도 고치처럼 틀어박혀 꿈쩍도 하지 않았다. 그는 하루 종일 영화만 봤다. 공공도서관에서 DVD 영화를 빌려와 하루에 5편씩 보았고, 본 것을 또 봤다. 국산이든 외화든 닥치는 대로 틀었고, 졸면서 보았고, 라면을 먹으면서 봤다. 액션, 멜로, 스릴러, 공포, 역사물 등 장르를 가리지 않고 보았다. 평소에 좋아했던 것은 아니지만 무위도식 하는 데 영화는 요긴했다. 책은 단 한 권도 읽지 않았다. 글씨라면 지긋지긋했다.

"엄마, 나 히말라야 좀 다녀올게요."

기약도 없던 칩거가 5개월에 이르렀을 때 승호가 느닷없이 말했다. 마치 동네 목욕탕 다녀오겠다는 식이었다.

"면세점에서 아빠 담배랑 내 위스키 사 오는 거 잊지 마라."

놀란 눈치도 없이 어머니는 태연자약했다. 칩거 시작과 끝이 다르지 않았다. 나흘 후 승호는 카트만두로 날아갔다. 한 달 동안의 네팔 여행으로 그의 고치 생활은 끝났다.

남들은 인도나 네팔, 부탄 등지를 여행한 뒤 굉장한 걸 경험한 듯 떠드는 경향이 있는데 승호는 그렇지 못했다. 인상 깊은 것들이 없지는 않았지만 장기기억으로 남겨놓고 싶은 정도는 아니었다. 오히려 잊고 싶은 기억이었다. 딱 한 번 승찬에게 이런 표현을 한 적은 있다.

“한 마디로, 3D. 덥고 더럽고 더는 참기 힘들었다.”

음식을 손으로 먹는 사람들, 검은 피부와 공격적인 흰 눈동자의 낯설음, 버킷에 담긴 물을 이용해 손으로 하는 화장실 뒤처리, yes란 뜻으로 고개를 가로젓는 힌두인들이 주는 혼란…… 승호는 그 나라의 많은 것들에 좀처럼 적응하지 못했다.

카트만두의 쿠마리 사원에서 소녀 쿠마리를 봤을 때는 그 야만성에 분노하기도 했다. 고작 네다섯 살 되는 여자아이를 선발—그렇다. 선발이다—해서 사원에 가두고 십수 년 동안 여신으로 섬긴다는 거였다. 말이 좋아 살아있는 여신이지, 초경이 시작되면 그 자격을 잃고 쫓겨나는데 이후에는 결혼도 못 하고 천민 신분으로 여생을 살아야 한다. 네팔인들은 쉬쉬하지만 전직 쿠마리들이 일탈하거나 자살하는 경우도 꽤 있다고 한다.

“도무지 모르겠어. 자기 딸을 쿠마리로 만들기 위해서 전국의 수많은 부모들이 몰려든다잖아. 깜깜한 방에서 시체와 함께 밤을 지내면서도 울지 않아야 하는 시험도 통과해야 하고…… 가혹하고 반인권적인 짓이야. 전통이란 말을 붙여선 안 돼.”

카트만두의 백패커 숙소에서 만나 동행하게 된 호주 출신 청년의 비분강개에 승호도 공감했다. 미스코리아가 떠올라 살짝 부끄러웠지만 내색하지는 않았다. 쿠마리 제도는 그와 비교할 수 없을 정도로 명백한 인권 침해인 것이다.

“돌아가면 국제사면위원회나 유니세프에 고발할 거야.”

녀석의 자가발전 분노는 쉽게 가라앉지 않았다.

"네가 고발하면 나는 지지 서명에 동참할게."

승호는 네팔을 선택한 것을 후회했다. 차라리 푸껫이나 괌으로 가서 오래 물멍이나 했더라면 하는 아쉬움이 밀려왔다.

고산 도시 포카라로 간 것은 산을 오르고 싶어서가 아니라 단지 더워서였다. 카드만두에서 미니 버스를 타고 일곱 시간을 달렸다. 사람으로도 만원이었는데 남은 공간에 수탉과 염소들도 타고 있어 비좁고 냄새도 고약했다. 불편한 승차감은 두말할 것도 없었다.

산악인들의 베이스 시티라는 포카라에 도착하자 승호는 그제야 숨통이 트였다. 애초에는 산을 올라 민박을 하면서 3박 4일 일정으로 안나푸르나 베이스캠프까지 가려고 했지만, 좀처럼 발이 떨어지지 않았다. 포카라 시내만 해도 더위를 참을 만했고, 쾌적함에 비례해서 귀찮음도 찾아왔기 때문이다.

무라마츠 토모미(村松友美)를 만난 것은 포카라의 허름한 호스텔에서 일주일 넘게 뭉그적거리고 있을 때였다. 퀴퀴한 이층 침대가 두어 개 배치돼, 네 명 혹은 여섯 명씩 자는 도미토리는 2층이었다. 잠질 때를 제외하고 배낭여행자들은 대부분의 시간을 거실에서 보냈는데 PC로 느려빠진 인터넷—통신 상태가 좋지 않아 가지고 온 스마트폰은 무용지물이나 다름없었다—을 쓰거나 책을 읽었다. 이런저런 여행 정보가 오가는 공간이기도 했다.

그곳에서 승호는 사흘째 손에 잡히는 책들을 닥치는 대로 읽으며 소일하고 있었다. 한국 관광객이 두고 간 것인지, 한국 여행자를 위해 사둔 것인지 우리 글 책도 꽤 많아서 심심하지는 않았다. 그는 이어령 교수의 '축소지향의 일본'이라는 책을 읽고 있었다. 토모미를 만났던 오후에 말이다. 나중에 승호는 공교롭다고 생각했다.
처음에는 유리 현관문을 밀고 들어오는 거대한 배낭이 눈에 들어왔다. 전문 산악인인가 보다 싶었는데 몸을 돌리자 배낭 절반 정도의 작은 몸집이 보였다. 사람이 배낭을 지고 온 것이 아니라 배낭에 사람이 딸려온 것 같았다. 토모미가 끙 소리를 내자 몇몇의 여행객들과 숙소 주인이 동시에 바라봤는데 멋쩍은 웃음으로 민망함을 감추려는 태도가 일본인다웠다.
토모미와 어떻게 친해졌는지 승호는 잘 기억하지 못했다. 그건 토모미 쪽도 마찬가지였다.
"그날 네가 먼저 말을 걸지 않았나? Are you Japanese? 라고……"
시내 펍에서 맥주를 부딪히며 불과 며칠 전의 첫 만남에 대한 작은 언쟁이 있었다.
"내가? 설마…… 난 낯선 사람한테 먼저 말 거는 스타일이 아니라고. 누구 다른 사람과 혼동하는 거겠지."
승호는 약간 억울한 마음에 변명했다. 여자를 밝히는 호색한으로 보이는 것이 싫었다. 송다연과 사귀게 되었던 전철역에서의 일도 떠올랐다. 스물일곱의 젊은 남자라면 명예심이 중요한 것이다. 특히 외국에 나간 한국의 엘리트 청년이라면 더욱……
"나도 그런데.. 참 미스터리군. 우리가 친구가 된 계기를 서로 모르다니 말이야. 그냥 내 이름에 친구(友)라는 글자가 있어서 그런 걸로 해두자."
토모미는 영어가 유창했다. 어린 시절 외교관인 아버지를 따라 영국에서 5년을 살았던 덕분이라고, 묻지도 않았는데 그녀는 설명했다. 언어 장벽이 없어서였는지, 경계심이 없어서였는지 둘은 며칠째 함께 돌아다니고 있었다. 페와 호수에서 2인용 카약을 빌려 타거나 자전거로 둘레길을 돌았다. 배가 고파지면 아무 식당이나 들어가 달바트나 쿨차, 툭파를 시켜 먹었다. 달바트는 콩밥, 쿨차는 화덕구이 빵, 툭파는 짬뽕면 같은 음식이었다.

배낭여행에서 동행은 쉽게 찾아진다. 승호에게 토모미도 그냥 스쳐간 여행자였을 수도 있었다. 그녀의 외모가 특별히 예쁘다거나 이성적으로 끌렸다거나 한 것도 아니었다. 자그마한 체구와 평범한 이목구비, 웃을 때마다 드러나는 덧니는 전형적인 일본 여자의 모습이었다. 귀여운 쪽에 가까웠다고 승호는 기억했다. 그것도 첫눈에는 아니고, 한참 익숙해져야 보이는 귀여움이었다. 나이도 두 살이 어려 여동생 같아 도움을 주고 싶다는 생각도 있었다. 어쩌면 거대한 배낭이라는 첫인상 때문에 동정심이 들었는지도 모른다. 나중에 알고 보니 토모미는 텐트와 야영 장비를 모조리 지고 다녔다.

특별할 것 없는 며칠의 동행이 그의 머릿속에 또렷이 남은 이유는 토모미에게 엉뚱한 말을 들어서였다. 펍에서 피자와 맥주로 저녁을 때우는데 이런저런 얘기 끝에 멘사에 대한 이야기가 나왔다.

"오, 네가 멘사 회원이라고? 나도 그런데……"

토모미는 반가워했다. 승호는 반가움을 드러낼지 숨길지 잠시 망설였다. 머리가 좋다는 것은 장점과 무기이면서 동시에 위협이기 때문이었다. 잘난 척은 사교의 장애물이고, 호감에 뿌려지는 재와 같았다. 한국에서 멘사 회원을 한 번도 만난 적이 없는 이유도 그

것 때문일 거였다. 서로 드러낼 수 없는 면허증 같은 것이다. 다시 만날 기회가 없는 외국인이라 터놓고 말했는지도 모른다. 승호는 반가움과 동질감을 드러내는 쪽으로 결심했다.

"아, 그렇구나. 나도 반가워."

"브레인 메이트라고 해도 되겠다, 우리."

하이네켄 맥주잔을 들고 토모미가 웃으며 말했다. 이름에 친구란 글자가 들어가서인지 오버한다고, 승호는 느꼈다. 과장된 반가움을 보인 후 그녀는 잠시 머뭇거리다가 말을 꺼냈다.

"그런데 너 혹시 그거 알아? 멘사 멤버 헌터라고……"

"뭐? 멘사 멤버 헌터? 우리 같은 사람이 사냥감인 거야?"

자못 진지한 표정으로 토모미는 설명을 이어갔다.

"프리메이슨(Freemason)과 일루미너티(Illuminati)는 뭔지 알지? 비밀결사 조직 말이야."

이런 종류의 음모설을 믿지도, 좋아하지 않기 때문에 승호는 말을 끊으려고 했지만 토모미는 집요하게 화제를 이어갔다. 그녀의 주장—확신에 가까운—은 이랬다. 프리메이슨의 기초 단위인 로지(lodge) 중 몇 곳이 사람의 두뇌에 대한 실증적 연구를 진행한다는 거였다. 문제는 대학이나 정부 출연 연구소에서처럼 공식적으로 인가받은 연구가 아니라는 점이다. 비밀 결사의 풍부한 자금 지원을 받아 활동을 하는데 자신과 같은 멘사 회원의 두뇌를 타깃으로 한다는 거였다.

"그 로지의 본부는 스위스 베른에 있어. 뉴욕과 런던, 뭄바이, 상하이, 도쿄에 지부들이 있고, 어쩌면 서울에도 있을지 몰라."

"가만, 토모미. 너는 이런 말도 안 되는 얘기를 어디서 들은 건데? 도대체 어떻게 알게 된 건데?"

의심스러운 눈초리로 승호가 물었다.

"내가 런던에 있을 때 난 이미 그들에게 노출됐어. 아버지가 주영 일본 대사관에서 일하셨는데 그때 멘사 가입이 됐거든. 외교관 가족의 정보는 엄격한 대외비이거나 아니더라도 굉장히 조심스럽게 다뤄지는데 그들은 훨씬 정교한 정보망을 가지고 있어. 겨우 중학생인 어린 나한테 공작원이 접근했었지."

점점 더 괴상한 이야기가 되어가고 있었다. 승호는 불신의 단계를 더 올려 반박했다.

"설마 21세기에 그런 일이 있으려고? 네가 예민해져서 상상한 것 아닐까?"

"아냐. 모두 말하자면 오늘 밤을 새워도 부족하지만 지금은 러프하게 말해줄게. 난 일본으로 돌아와서도 그들의 표적이 되었어. 영국에서는 어찌어찌 따돌렸는데 말이야. 그들은 스스로를 브레인업 일루미너티라고 부르는데 인간의 두뇌를 업그레이드한다는 계몽주의자들이야."

더는 듣고 싶지 않아졌다. 승호는 손을 내저으며 내일 뭐할지나 얘기하자고 말했다.

"승호! 너도 조심해야 해. 이 사람들, 이 조직은 정말 집요하고 표독해. 어쩌면 나치가 유태인한테 했듯이 우리처럼 좋은 두뇌를 가진 사람을 연구 대상으로 삼고 있다고."

토모미의 헛소리를 더는 들을 수 없어서 승호는 그답지 않게 화를 냈다.

"그만, 그만! 더 듣고 싶지 않아. 네 말도 믿을 수가 없고."

너희 조상들도 조선을 침략했을 때 생체 실험을 하지 않았니, 라고 차마 되묻지는 못했다. 친구, 메이트 이런 낱말들이 무색하게 그녀와의 관계에 급작스러운 가림막이 느껴졌다. 그냥 취향과 일정이 맞은, 또래의 여행자일 뿐이라는 생각이 들었다.

"네가 믿지 않는 것도 이해해. 나도 그랬거든. 하지만 이것만은 기억해둬. 언젠가 너한테도 그런 위험이 찾아올 수 있다는 사실을…… 그때 경계하고 현명하게 대처해야 해, 꼭."

그날 저녁 숙소에 어떻게 돌아왔는지 승호는 기억하지 못했다. 토모미의 음모론 이후에 다른 이야기를 했는지, 황당함에 승호 혼자만 숙소로 돌아와 버렸는지도 모른다. 기억하고 싶지 않은 사실은 쉽게 잊어야 한다. 그렇지 않으면 머리가 터지게 될 테니까.. 음모론 때문인지, 일정이 갈렸는지 다음날부터 둘은 함께 다니지 않았다.

귀국 후에는 귀국독주회를 해야 한다면서 승찬은 신촌의 어느 바에서 독주인 위스키를 샀다. 몇 달의 칩거와 한 달 여행경비를 썼기 때문에 승호는 가난했고, 스타강사의 반열에 오른 승찬은 수입이 꽤 컸다. 여행담의 말미에 승호는 토모미가 떠올라 그녀의 말을 전했다.

"별 미친 여자를 수고스럽게도 굳이 그 먼 곳까지 가서 만났구나, 너."

얘기를 들은 승호의 반응은 의외로 거칠었다. 허황된 음모론이었어도 나름 여행 친구라고 생각했는데 승찬이 그렇게 욕을 해대자 승호는 기분이 나빠졌다.

"그냥 해프닝인데 그렇게까지 흥분을 하고 그러냐?"

"말이 되는 말을 해야 말이지. 그 일본 여자, 이름이 뭐라고?"

승찬은 좀처럼 흥분을 가라앉히지 못했다.

"토모미. 벗 우 자 쓴다고 친화력이 좋다나?"

"성은?"

승찬은 취조하듯 캐물었다.

"뭐였더라? 무라마츠인가, 무라카미였던가?"

승호가 더듬는 이름을 기억하려는 듯 승찬은 골똘히 생각하다가 위스키 잔에 얼음을 넣었다. 그날 밤을 마지막으로 토모미에 대한 기억은 승호의 의식 아래로 깊이 잠들었다.

네팔에서 돌아온 뒤 얼마 후 승호는 조기섭 의원실에서 일하게 되었다. 대학 선배 N의 동정심 어린 소개 덕분이었다. 당시 N은 서초동에서 중견 로펌의 변호사로 일하고 있었다. 주로 기업의 해외 진출을 돕는 일을 전문으로 하는 곳이었다. 그 회사의 대표 변호사가 조기섭과 친구였고, 마침 국회에 입성한 직후라 새로 의원실을 꾸려야 하는 처지였다. N은 대표 변호사에게 승호를 추천했고, 면접을 본 뒤 출근하게 되었다. 2016년 4월의 일이었다.

"너 새내기 때 내가 너무 쓸데없는 책을 많이 읽혔나 싶더라. 잘 달리고 있는 녀석한테 일탈의 빌미를 준 것 같아서 말이야. 갑자기 회사 그만두고 집에 틀어박혔다는 소식을 듣고, 그때 죄책감이 다시 불쑥 올라오지 뭐야. 어쨌든 한시름 덜었다. 주식 시황 대신 표 계산 따위의 일을 하겠지만 같은 여의도니까 정 붙이고 잘 해봐."

N은 삼겹살과 소주와 꼰대 같은 말로 승호를 격려하려 했다. 쓸데없는 책이라…… 경제는 윤리라고 말했던 사람이 승호를 진짜 윤리의 세계인 정치판으로 이끈 것이다. 무엇이 옳은가를 따지며 내가 더 옳다고 부르짖는 싸움터에 들어선 셈이었다.

"형 소개로 들어갔는데 잘 해야죠. 욕먹게는 안 할게요. 고마워요."

소주를 따르며 승호가 말했다.

"알고 있겠지만 조기섭 의원도 대학 선배야. 잘 모셔."

모신다는 말에 얼마 전까지 지겹도록 본 조폭 영화들이 떠올랐다. 검은 양복을 입은 사람들, 모시는 사람들과 추앙받는 사람, 폭력배 사회와 정치판은 놀랍도록 닮았다고 승호는 생각했다.

비록 원치 않는 취업이었지만 승호는 다시 에너지를 되찾았다. 업무도 힘든 편이 아니었다. 국민을 섬긴다는 거짓말쟁이들의 비위만 적당히 맞추면 되는 일이었다.

The show must go on(쇼는 계속되어야 한다).

승호는 대학 시절, 교양 영어 시간에 배운 문장을 떠올렸다. 그렇게 새 쇼를 시작했고, 윤화를 만날 당시 그의 쇼는 4년 차에 접어들고 있었다. 마지못해 정치권에 뛰어든 승호에게 직업에 대한 윤화의 인식과 태도는 참신했고 부러웠다. 아니, 존경스러웠다.

6

<흑백사진>
흘러간 것이 탈색되는 이유는
생생하면 아프기 때문
지나간 것이 변색되는 이유는
리얼하면 슬프기 때문
— 한이슬의 인스타그램

승호의 아버지는 뼛속까지 은행원이었다. 논산의 명문 상고를 수석 졸업하고, 학교장 추천으로 자연스럽게 행원—당시에 가장 유망한 직업이라고 여겨지던—이 되었다. 침착하고 신중한 일처리와 무난한 대인관계로 승진을 거듭했고, 물밀듯 쏟아져 나온 명문대 출신의 후배들에게도 뒤지지 않았다. 실력으로나 인성으로나 아버지는 흠잡을 수 없는 은행원이었다.

98년 외환위기 속에서 다니던 은행이 통째로 매각됐을 때—심지어 덩치가 더 작은 은행에 합병되었다—도 아버지는 살아남았다. 누구보다 일찍 출근했고, 무섭게 집중했으며 가장 늦게 퇴근했다. 상고 출신의 행원은 과장급으로 승진한 뒤 야간대학을 다니는 것이 유행이었다. 그런데 아버지는 그렇게 하지 않았다. 일할 시간을 뺏긴다는 이유에서였다. 그 일관된 성실함이 '먹힌 쪽' 출신이라는 단점도 가려주었다. 그가 매번 가장 먼저 승진했을 때, 입사 동기들

중에서, 심지어 '먹은 쪽'의 비슷한 직위들 중에서도 흔한 시샘의 뒷말조차 없었다.

아버지가 성실한 개미 쪽이라면 어머니는 전형적인 베짱이였다. 우화에서처럼 그녀는 바이올린을 연주했다. 아무리 명문 상업고등학교를 수석 졸업한 은행원이었다고는 해도, 아버지가 여대생을 차지한 건 놀라운 일이었다. 직장만 그럴싸했지, 그는 모아 놓은 재산도 변변치 않던 스물일곱의 촌뜨기에 불과했다. 스물셋의 재원이었던 승호의 엄마는 결혼을 선택해 가정이라는 울타리 안에 눌러 앉았다. 음대 졸업 직후였다.

"엄마는 아버지 뭐가 좋다고 꿈을 버렸대? 유학도 포기하고 말이야."

고등학교 진학이 확정된 겨울이었다. 승호의 질문에 뜨개질 하던 어머니가 눈을 돌리지도 않고 되물었다.

"엄마 꿈이 뭐였는데?"

"바이올리니스트 아니었어? 결혼 안 했으면 졸업하고 독일 유학 가는 계획이었다면서? 이모가 그러던데."

"그건 내 꿈이 아니었지."

그게 전부였다. 승호가 의아해 쳐다봐도 말없이 뜨개질에 집중할 뿐이었다. 어머니는 그런 사람이었다. 인생을 달관한 것처럼 웃었다. 좋을 때는 미소를, 힘들면 쓴웃음을 지었고, 울거나 화내는 모습을 승호에게 보인 적이 없었다.

닮아서 만난 것인가, 살면서 닮아진 것인가. 아버지의 성격도 비슷했다. 결코 호들갑이나 오지랖을 떠는 법이 없었다. 승호가 좋은 성적을 받아와도 마찬가지였다.

"고생했다."

아버지는 딱 한 마디만 할 뿐이었고, 어머니는 특식을 차려주곤 했다. 그러면서도 당신이 먹고 싶은 메뉴라고 말했다. 칭찬에 인색했고, 간혹 칭찬하면서도 칭찬이 아닌 척했다. 아들이 전국 탑 랭커면 주변에 자랑할 만도 한데 결코 그런 일은 없었다. 학원 수강이 필요하다면 끊어주었고, 책값을 달라면 주었다.

승호는 부모의 그런 태도가 새옹지마 같다고 느꼈다. 말이 화를 부르든 복을 가져다주든 무미건조한 태도였다. 그들의 건조한 태도는 오히려 승호로 하여금 불안감을 느끼게 했다. 언젠가는 나쁜 일이 생길 것만 같았다. 부모는 그때를 대비해서 좋은 감정을 절제하고 있는 듯 보였다. 새옹의 말은 길흉 모두를 부르는 것 아닌가?

5남매의 막내였던 아버지는 가족과의 왕래가 드물었다. 격월 꼴로 돌아오는 제사는 물론, 명절도 거르기 일쑤였다.

"가족은 힘이 되지 못할 바에야 짐이 되어서는 안 된다."

과묵한 아버지의 입에서 가끔 그런 말이 나올 때마다 어린 승호는 직감으로 알았다. 묵직한 어떤 상처가 아버지의 가슴팍에 박혀 있다는 사실을……

유난히 더웠던 1994년 여름에, 아버지의 아버지, 즉 승호의 할아버지가 죽었다. 딸기를 재배하던 비닐하우스에 쓰러져 있는 것을 할머니가 발견했다. 북의 김일성이 죽은 지 꼭 일주일 만이었다.

승호는 여섯 살이었는데도 그해 여름 논산 외곽의 장례식장을 또렷이 기억했다. 참기 힘든 더위가 목덜미를 감쌌고, 날씨와는 반대로 사람들은 아버지한테 냉담했다. 가족, 이웃, 친구 할 것 없이 모두가 아버지를 피했다. 장례식장 한구석에서 담배를 버끔버끔 피우던 아버지의 모습이 승호가 기억하는 최초의 장면이었다. 애초에 정이 붙지 않았던 할아버지에 대한 슬픔은 없었다. 몇 달 뒤 죽은 할머니도 마찬가지였다(할머니의 장례식에 승호와 엄마는 아예 참석조차 하지 않았다). 아버지가 수세에 몰리면 자신에게도 불리하다는 막연한 느낌이 승호의 감정 창고 속에 저장되었다.

애초부터 잦지 않았던 친가 식구들과의 왕래는 조부모가 돌아가신 후에 더 뜸해졌다. 여전히 논산에 큰아버지와 둘째 고모가 살고 있었지만 명절은 물론, 애경사가 있어도 잘 만나지 않았다. 사춘기가 되었을 때 승호에게 무미건조한 가족사는 관심 밖이었다. 길 가다가 큰아버지나 고모들, 사촌들을 만나도 알아보지 못할 터였다.

그러다가 정말로 길 가던 중에 만났다. 승호가 대학에 입학한 지 몇 달 후의 일이었다. 수업이 없는 토요일이었는데 과외 지도를 가려고 잠원역에 내렸을 때였다.

“저, 혹시, 너, 승호 아니니?”

옆에서 가방을 잡아끌면서 중년의 여자가 물었다. 왠지 낯이 익으면서도 누군지 식별할 수 없었다. 승호는 의심을 거두지 못한 채로 살짝 고개를 끄덕였다.

“나야, 나. 막내 고모. 기억 안 나니?”

그제야 그는 논산 시골집에서 딸기를 씻어서 내오던 막내 고모를 떠올렸다. 두 살 터울 누나로, 아버지가 입행해 서울에 올라왔을 때 일 년쯤 같이 살았다는 이야기를 들은 적이 있었다. 아버지 남매들

중에 그나마 승호에게 살갑게 대해 준 기억이 났다.

"아, 네. 기억나요. 오랜만이에요, 고모."

"너 서울대 입학했다는 얘기 듣고 이 근방 지날 때마다 생각했으니 망정이지, 안 그랬으면 조카도 못 알아볼 뻔했다야."

고모는 긴 생머리를 하고 있어 나이보다 젊어 보였다. 눈매는 큼직하고 코가 오뚝해서 새침해 보이는 인상이었는데 웃는 상이어서 그런 센 이미지가 조금 희석되었다. 이미숙이나 심혜진 같은 중년 여배우가 떠오르는 인상이었다. 세련된 베이지색 투피스에 명품으로 보이는 가방을 메고 있었다. 고모는 승호 아버지보다 한 해 뒤에 정형외과 의사와 결혼했다고 들었다. 자녀가 둘이었는데 형제였는지, 남매였는지 승호는 잘 기억나지 않았다.

거의 십 년 만에 만나는 반가움은 딱 일 분이었다. 부모님의 안부를 묻는 고모의 얼굴은 다시 굳어졌다.

"엄마 아빠는 여전히 침울하시니?"

"침울하다니요? 말씀이 많지 않아서 그렇지, 비관적인 분들은 아닌데……"

"애 하나를 가슴에 묻고도 비관주의자가 안 되는 부모가 어디 있겠니?"

깊은 한숨과 함께 나온 고모의 엉뚱한 소리에 승호의 눈이 커졌다. 놀라는 그의 표정을 본 고모의 눈빛에서 당혹함이 일었고, 조금 지나서는 체념과 각오의 뜻이 연달아 읽혔다.

"아, 그동안 엄마 아빠가 얘기 안 했던 모양이구나. 너도 이제 성인이니 알 때도 됐네. 지금 시간 좀 되니?"

학부모에게 전화를 걸어 30분만 늦겠다고 말하고, 고모가 이끄는 역 근처 커피숍에 앉았다. 그러는 사이 승호의 머릿속에는 여러 가지 상황들이 스쳐갔다.

'우리 집에 출생의 비밀이 있나? 설마 배다른?'

궁금했지만 다그칠 수도 없는 노릇이었다. 조바심을 내었다가는 고모가 입을 닫아 버릴 수도 있겠다 싶었다. 협상 심리를 배워서 알고 있었다. M&A와 같은 중요한 협상에서는 궁금함을 참는 것도 중요한 전략이다.

"아휴, 네 부모도 참 대단하다, 대단해. 지독하다고 해야 하나? 여태까지 그걸 감쪽같이 숨기고 살다니……"

승호가 고개를 갸웃거리자 고모가 커피를 한 모금 마신 뒤 이야기를 시작했다.

원래 승호는 쌍둥이였다고 했다. 다른 하나는 죽었다. 샴쌍둥이였기 때문이다. 제왕절개로 형제가 태어나기 전까지 아무도 그 사실을 몰랐다. 당시엔 태아 초음파 검사가 일반화되기 전이었고, 설령 검사를 받았다고 해도 머리가 붙은 사실을 의료진이 알아차리기 어려웠을 것이다. 배가 많이 불러서 쌍둥이라는 것만 각오하고 있었을 뿐이었다.

"20만 분의 1의 확률이란다. 너 우리 명진이랑 동갑이지? 87년생? 그 즈음에는 60만 명쯤 태어났다니까 그중에 3건인 셈이지, 확률상으로는. 네 부모뿐만 아니라 집안 식구 모두가 얼마나 놀랐는지 짐작도 못할 거다. 나도 명진이 임신 넉달 째였는데 얼마나 놀라고 겁이 나던지…… 신문에까지 났어야."

고모의 말에 승호는 머리가 멍해졌다. 그날 고모와 어떻게 헤어졌는지 기억나지 않는다. 과외 수업을 정신없이 해치우고, 승호는 근처 PC방으로 가서 기사를 검색했다. 아니나 다를까 고모의 진술을 확인해 주는 기사가 디지털 변환되어 검색되었다.

<서울 노원구에서 샴쌍둥이 출생>

지난 19일 서울특별시 노원구의 한 산부인과 병원에서 샴(siam) 쌍둥이가 태어났다. 샴쌍둥이란 신체의 일부가 붙어서 태어난 다태아를 뜻한다. 출생한 쌍둥이는 남아 형제로 머리 뒤쪽이 서로 붙은 채로 태어났으며 다행히 아직까지 생명에는 지장이 없는 것으로 알려졌다.

산부인과에 따르면 19일 새벽 5시경 산모 허모씨(중계동, 26세)의 양수가 터져 예정일보다 30일 가까이 일찍 제왕절개술을 시술했다. 의료진은 분만 직후 샴쌍둥이라는 사실을 확인해 보건사회부에 신고했으며 정부는 가족과의 협의를 거쳐 현재는 국립 서울대병원으로 이송된 상태다.

샴쌍둥이는 20만 분의 1 꼴로 나타나는 희귀 분만 사례로서 우리나라에서는 1985년 대구직할시에서 한 건이 보고된 이후 이번이 처음이다.

서울대병원 산부인과 한경석 과장은 본지와의 통화에서 "태어난 쌍둥이의 건상 상태를 유심히 지켜보고 있다"며 "국내외 사례를 조사하여 분리 수술 여부를 1개월 이내에 결정하겠다"고 말했다.

샴쌍둥이의 경우, 같은 신체기관을 공유하며 에너지를 쓰기 때문에 영아 사망률이 매우 높고, 생존한다고 해도 수명이 길지 않은 것으로 알려져 있다. 특히 이 사례와 같이 머리가 붙은 쌍둥이의 경우 적절한 시기에 분리 수술을 하지 않으면 두 아이의 생명 모두 위태로울 수 있다고 전문가들은 말한다. 4년 전 대구에서 태어난 샴쌍둥이 자매 중 한 명은 분리 수술 중 사망했고, 다른 여아 역시 지난해 사망한 것으로 파악되었다고 보건사회부는 밝혔다.

한편, 아이들의 아버지인 경모 씨는 의료진 및 가족과 의논하여 분리수술을 결정하겠다고 말했는데 두 아이 모두를 살린 사례가 없어 안타까움을 사고 있다. [사회부=박수찬 기자]

기사의 아래쪽에는 영아 한 쌍의 사진이 있었는데 기사의 설명대로 후두부가 붙은 채 서로 등지고 누워있는 모습이었다. 기사는 동아일보 것이었는데 스크롤로 내리자 한국일보의 기사도 보였다. 출생한 지 한 달 정도 지난 기사였다. 승호는 점점 복잡해지는 감정을 느끼며 마우스를 눌렀다.

<샴쌍둥이 형제 22일 분리수술 받는다>

지난달 머리가 붙은 채로 태어나 충격과 관심을 불러일으킨 형제가 분리수술을 받게 됐다. 서울대병원과 가족에 따르면 오는 22일 경모(성명 미정) 형제의 후두부 분리를 위한 수술이 진행될 것으로 전망된다. 샴쌍둥이의 분리수술은 어려운 데다 특히 머리가 붙

은 경우는 매우 복잡한 신경망을 절단 및 접합하므로 두 아이를 모두 살리기는 사실상 불가능할 것으로 보인다.

수술비는 5천여만 원으로 예상되는데 서울 시내 평균 주택 매매가에 맞먹는다. 아이들의 아버지인 경모 씨는 조흥은행 중랑지점의 직원이지만 천문학적인 금액의 수술비 마련에 애를 먹고 있는 것으로 알려졌다. 샴쌍둥이 분리수술은 희귀 사례로 의료보험이 일절 적용되지 않는다.

이 같은 안타까운 사연이 알려지면서 해당 은행을 중심으로 모금운동이 펼쳐지고 있다. 동정 여론에 정부도 해법을 찾고 있다. 대한적십자사는 보도자료를 통해 17일 현재까지 쌍둥이 수술비 돕기 성금을 250여만 원을 모금했다고 밝혔다. 온정의 손길을 보태고 싶으면 대한적십자사 또는 조흥은행 각 지점으로 방문하면 된다. [사회부=오홍길 기자]

어안이 벙벙했다. 고모의 증언과 기사 검색 결과는 승호가 20년 전 태어났을 때 형인지 동생인지 쌍둥이가 있었는데 수술 끝에 죽었고 자신만 살아남았다는 걸 말해주고 있었다. 그것도 전국적으로 이슈가 되면서 수술비 모금운동까지 벌어졌다니 놀라울 따름이었다.

승호는 왼손을 머리카락 깊숙이 넣어 뒤통수를 만져 보았다. 두피 사이로 까칠거리는 경계선이 만져졌다. 전에도 이 흔적이 만져지긴 했으나 수술 자국이라는 것은 생각조차 하지 못했었다. 사실을 알고나서 보니 그 흔적은 쌍둥이 형제와의 접선이자 삶과 죽음의 경계선이었다.

PC방을 나와 집으로 돌아오는 길에 승호는 감정을 추스르려고 노력했다. 지하철역 가판에서 산 신문을 펼치기도 했지만 눈에 들어오지 않았다. 생각은 자꾸 죽은 쌍둥이에게로 향했다.

그렇게 태어날 확률이 20만 분의 1, 0.0005%이었다. 수술 전 의료진이 밝힌 그 애의 사망 확률은 99%, 승호의 생존 확률은 40%였다. 그 애는 예상대로 죽었고, 승호는 죽음보다 낮은 확률을 선택해 살았다. 결과적으로 그렇게 된 것이다. 벌어진 일에 확률은 의미가 없다고 승호는 생각했다.

이름은커녕 태명도 없었을 것이다. 애가 귀한 지금이야 뱃속 아이에게 이름도 붙여 부르지만 애가 흔했던 당시에는 그런 정성이 없었을 것이다. 애들이 발치에 치이던 아버지 시대에는 더했다. 태어나고도 이삼 년 동안 출생신고조차 하지 않는 것이 다반사였다. 들꽃처럼 많이 생겼고 또 많이 죽었다. 다행인지 불행인지, 한탄할 일인지 박수칠 일인지 승호는 몰랐다. 모르겠다고 되뇌었다.

그의 생각 속에서 형제의 존재는 가늠되지 않아 답답했다. 여덟 달을 같이 살았다가 생후 한 달 만에 죽은 인생 파트너…… 그것도 모른 채 지냈던 이십 년의 세월이 허망했다. 그 애가 불쌍하다거나 자신이 운이 좋다는 생각이 든 것은 아니었다. 단지 그 요란한 탄생과 생존 과정에서 오로지 자기만 소외되었다는 사실이 억울했다. 그제야 가뭄에 콩 나듯 만났던 사촌들마저 왜 승호를 흘깃거리며 거리를 두었는지 이해가 되었다. 영화 트루먼쇼의 주인공이 된 것 같았다. 일가, 아니 외가를 포함하면 이가친척 수십 명이 자신을 따돌려 왔던 것이다.

하지만 승호가 느낀 충격과 답답함은 자신을 속인—말하지 않았을 뿐이라고 변명할 것이 분명한—부모에 대한 원망으로 번지지는 않았다. 모르고 살았으면 모를까, 알게 된 지금에서야 아쉬운 일이지만 쌍둥이 형제의 존재를 알리지 않는 부모의 결정과 친척들의 동조를 승호는 원망하고 싶지 않았다.

그날 그는 집에 돌아가서도 아무 말을 하지 않았다. 대신, 헤어질 때 받은 연락처로 막내 고모와 몇 번 더 통화했다. 궁금한 것을 물었고, 고모는 묵혀왔던 말들을 막힌 논에 물꼬 터지듯 길게 대답했다. 묻지 않은 것들까지 말해 주었다.

"네 아버지 성격이 바뀐 것도 그때부터였어. 그전에는 남자였는데도 살갑고 다정해서 네 할머니가 딸 같다고 할 정도였었어. 근데 웬걸. 그 일이 있고 난 이후에 과묵해지더구나. 시골 왕래도 뜸해지고. 분리수술이 성공인지, 실패인지…… 널 구했으니 성공이라고 해야 되나? 아무튼 하나를 잃었으니 충격이 컸겠지. 우리는 그것 때문인 줄로만 알고 있었다."

막내 고모는 처음으로 말을 멈췄다.

"뭐가요? 아버지 성격 바뀐 거요?"

고모는 한숨을 내쉬며 체념한 듯 말을 이었다.

"네 아버지는 할아버지와 거의 연을 끊다시피 했어. 명절이나 제사 때 시골에 와서 만나도 부자 사이에 냉기가 흘렀지. 돌아가실 때까지 그랬단다."

아버지가 할아버지와 사이가 틀어진 이유는 말 때문이라고 했다. 수술이 끝나고 아버지는 빚과 죄책감에 시달려 식음을 전폐할 정도였다. 매스컴에 알려진 후 모금된 금액은 수술비의 절반조차 되지 않았다. 나머지는 다니던 은행이 배려해 주어 특별저리—그래봐야 7%였다고, 가혹한 고금리의 시대였다고 고모는 말했다—로 충당했다.

휴가를 내고 열흘째 두문불출하던 아버지 소식은 출산 후 몸조리도 제대로 못한 어머니에 의해 시골의 할머니에게로 푸념 섞여 전달되었다. 상실감은 아버지 쪽이 확실히 컸던 모양이었다. 아버지가 전화조차 받지 않자 할머니는 남편에게 말했다.

"서울 녀석, 출근도 안 하고 방에서도 안 나온답디다. 전화도 안 받고요."

몇 차례 전화 통화를 거부당한 할아버지는 그 길로 상경해 아들 집으로 찾아왔다. 여전히 굳게 닫힌 문을 두드리며 처음에 할아버지는 읍소를 했다.

"야야, 막내야. 살 사람은 살아야지 않겠냐? 너 이런다고 죽은 애가 다시 살아온다냐? 네 처랑 살아남은 저 녀석도 건사해야지 이게 뭐 하는 짓이냐?"

"……"

아버지의 침묵은 할아버지의 분노를 자극했다. 문을 통과해 전달되는 말은 설득과 읍소에서 고함으로 바뀌어 갔다. 답답한 마음에 질책의 말을 했는데 그게 화근이었다.

"그까짓 애 하나 죽었다고 유세 떠는 거야 뭐야? 못난 놈 같은이라고…… 그렇게 아쉬우면 때 봐서 하나를 더 낳으면 됐지. 이름도 없던 녀석한테 뭘 그리 정이 들었다고 이 모양으로 망가지냔 말이냐? 그래, 그 애 따라 너도 같이 뒈져라, 뒈져."

할아버지는 저주를 퍼붓고 며느리가 주는 차 한 잔도 거부한 채 내려가 버렸다. 속상함의 끝에 문틈으로 퍼부은 할아버지의 저주의 말을, 아버지는 흘려들을 수 없었다. 아들을 잃은 상실감은 점점 할아버지에 대한 분노로 번져갔다. 며칠 후 아버지는 일상으로 돌아왔지만 예전의 아버지가 아니었다고 고모는 진술했다. 과묵해졌고 일만 했다. 가족과의 왕래는커녕 친구들과의 교제도 모두 끊었다.

"나중에 네 엄마 말을 듣고 알았지. 그때 네 할아버지가 아빠한테 한 말이 큰 상처가 됐다는 걸 말이야. 너한테는 어떻게 대했는지 모르겠다만 아마 상냥한 아버지는 아니었을 거다. 네 엄마도 그런 말을 한 적이 있거든. 승호를 보면 죽은 애가 자꾸 떠올라서 잘 웃을 수가 없다고…… 아버지는 더 했겠지."

칭찬은커녕 관심조차 없는 듯한 부모의 태도에는 그런 내막이 있었다. 그저 목숨과 건강만 지키며 살면 그만이라는 식이었다. 승호가 아무리 훌륭한 성적을 받아와도 부모의 반응은 시답잖았다. 여느 집안 같았으면 동네 잔치를 했어도 몇 번은 했을 터였다. 승호의 성취가 돋보일수록 부모는 이름도 없이 잘려나간 그 애를 떠올렸던 걸까?

스무 살에 알게 된 사실을 승호는 부모에게 한 번도 말하지 않았다. 아들이 아는지 모르는지, 눈치챘는지 짐작하는지 관심이 없었다. 말해도 놀라지 않으실 것 같았다. 어떤 뉘앙스로 말해야 하는지도 애매했다. 그 애가 아니라 나를 살려준 것에 대한 감사? 그 애를 죽게 한 것에 대한 원망? 어떤 과정으로 삶과 죽음이 갈린 건지에 대한 질문? 그동안 말하지 않은 이유에 대한 항의? 모든 것이 부적절하다고 느꼈다. 입을 다무는 쪽으로 승호는 결정했다.

다시 상처 주고 싶지 않은 마음도 있었다. 그야말로 긁어 부스럼인 것이다. 지난 일이고 돌이킬 수 없다. 반성할 일도 아니고 대비할 미래가 있는 것도 아니다. 두 분 사이에도 전혀 그때 일은 언급되지 않을 거라고 승호는 짐작했다. 잊을 수 없지만 잊힌 것처럼 사는 것이다. 그렇게 십수 년이 또 흘렀다. 의식하지 않으려고 애썼다. 하지만 가끔 승호의 꿈에 얼굴도 모르는 아기가 나타나 호두알갱이 같은 머리를 긁적이곤 하는 것은 어쩔 수 없었다.

7

가치 있는 것이 가치를 지닌 이유가 뭔지 알아?
사라질 가능성 때문이지
영원한 것은 그 가능성이 없어서 무가치한 거야
- 한이슬의 일기

"아내분 사진 가지고 계시죠?"

홍진기 형사의 말이 포돌이 캐릭터의 마스크를 뚫고 건너온다. 승호는 고개를 흔들어 정신을 차렸다.

"네에, 뭐, 결혼사진도 있고 핸드폰에도……"

"하나 보여주시겠습니까?"

승호는 아내의 사진을 고르려고 스마트폰 갤러리를 열었다. 사진은 많지 않았다. 유화는 사진 찍히는 걸 싫어했다. 그만한 미모를 가지고 있으면서도 도통 관심이 없었다. 연애가 시작된 지 한 달 조금 넘었을 때 승호가 물었다.

"윤화 씨는 또래의 다른 여자들하고는 좀 다른 것 같아요. 요새 핫하다는 인스타그램도 안 하고, 카톡 프로필에 사진도 안 남기고……"

"관심이 안 가요. 남들 다 한다고 그걸 좇아서 하는 걸 싫어해요. 내 관심 충족시키며 살기에도 짧은 인생이니까."

"그럼 뭐에 가장 관심이 있는데?"

그 즈음 승호는 존대말과 반말을 섞어서 말하기 시작했다.

"당신, 뇌섹남 경승호 씨. 당신의 전두엽."

기다렸다는 듯이 윤화가 대답했다. 꾸미거나 과장의 멘트가 아니었다. 농담도 아니었다. 승호는 또 한 번 놀랐다. 대화 상황이나 내용만 놓고 보면 달달한 사랑 고백 같지만 윤화의 어투는 전혀 그렇지 않았다. 점심으로 무얼 먹었느냐는 질문에 '김치찌개'라고 답하는 무미건조한 뉘앙스였다.

특이한 것은 그뿐만이 아니었다. 직업적인 관심 때문이었는지 윤화는 잠에 대해서 유난히 관심이 많았다.

"승호 씨는 잠 잘 자요?"

"뭐, 그냥 그래요. 왜, 윤화 씨는 불면증 있나?"

"불면증은 아니고, 난 밤잠이 원래 없는 타입이라…… 그래서, 중간에 깨는 편? 아니면 아침까지 푹 자는 편?"

"잠드는 데 시간이 걸리는 편이지만 한 번 자면 누가 업어가도 몰라요. 초등학교 때 이런 적도 있었어요. 밤에 우리 집 옆 상가에서 누전으로 큰불이 났는데 소방차가 대여섯 대씩 오고, 난리가 났었지. 어머니 얘기로는 온 동네 사람들이 다 깼다는데 나만 천하태평 잘 잤대요. 다음날 학교 갔더니 친구들은 다 간밤의 불구경 얘기인데 나만 구경을 못 했더라고. 우리 집이 제일 가까웠는데……"

"오호, 잠 깊이 잘 자는 사람 딱 내 스타일인데."

윤화가 눈을 반짝였다. 그때는 서로 호감이 컸을 때라 승호는 그럴 수 있겠다 싶었다. 코골이마저 사랑할 수도 있는 상태인 것이다. 게다가 상대는 뇌과학자 아닌가?

"잠은 뇌가 충전하는 시간이라고 하잖아요. 승호 씨는 매일 밤 충전이 잘 되니까 깨 있을 때 퍼포먼스가 좋은 거구나."

승호는 멋쩍어 웃기만 했다.

"가위도 눌려 봤어요?"

"아뇨. 내가 그 정도로 심약하진 않지."

"가위눌리는 건 정신은 깼는데 몸이 안 깼기 때문이에요. 그 반대가 몽유. 꿈 몽, 떠돌 유. 정신은 잠든 상태에서 몸만 깨는 거죠. 멀쩡하게 돌아다니지만 두뇌는 자고 있는 상태. 냉장고에서 물도 따라 먹고, 심지어는 운동을 하거나 책도 읽을 수도 있어요. 물론 의식도 없고, 깬 뒤에 기억도 못 하지만요. 섬뜩하지 않아요?"

그녀는 뇌와 관련된 이야기를 할 때마다 눈이 반짝거렸다.

"가위눌리는 쪽이 더 섬뜩한 것 아닌가? 몽유병은 그냥 해프닝이잖아요. 스스로는 모르니까."

"아닐 수도 있죠. 지킬 앤 하이드 몰라요? 깨 있을 때는 똘똘한 박사님인데 밤에 살인마가 될 수도 있다고요."

이 여자, 과학자가 아니라 가끔은 상상력 넘치는 문학 소녀 같기도 했다. 그것 또한 매력적이어서 승호는 장단을 맞춰 주곤 했다.

"그러면 정말 몽유 상태에서 사람을 해치는 것도 가능해요? 뇌과학적으로?"

의자를 당겨 바짝 다가앉는 윤화.

"실제로 그런 연구를 하는 사람들도 있어요. 몽유병 환자의 뇌파를 측정해 분석하면서 행동을 통제하거나 어떤 행동을 하도록 유도하는 게 가능한지. 뇌전증, 그러니까 간질 연구 케이스가 그쪽으로 가는 경우가 있거든요. 두뇌의 작동을 분석하는 걸 브레인 리딩이라고 하고, 어떤 자극을 줘서 특정한 행동을 하도록 유도하는 걸 브레인 라이팅이라고 해요. 읽고 쓰는 거죠. 지난 10년 동안 뇌과학이 급속도로 발전했어요. 조만간 지킬 박사를 하이드로 만드는 것이 현실이 될지도 몰라요."

상대가 사랑스러운 여자가 아니었다면 흘려듣고 말았을 이야기였다. 윤화에게 잘 보이고 싶은 마음에 승호는 자꾸 흥미를 보였다.

"재밌네. 공부 따위는 하지 않아도 되는 세상이 올 수도 있겠구나."

그의 중얼거림에 윤화는 반색을 하며 말을 받았다.

"이그잭틀리. 아직 인간의 뇌는 발견 초기의 신대륙이지만 그래서 가능성은 무한하죠. 뇌의 어느 부위가 어떤 역할을 하는지, 어떤 정보를 저장하고 있는지를 파악해서 신대륙의 지도를 정교하게 만들 수 있다면 많은 일들이 벌어질 거예요. 외국어 패키지를 전두엽에 새겨 넣는다거나 어린 시절 아버지가 때렸던 기억을 지우는 치료도 가능하죠."

아직은 공상과학 소설 같은 이야기라고 승호는 생각했다. 한편으로는 미래를 과장하고 싶은 연구자의 입장도 이해가 됐다. 기대는 어느 순간 확신으로 변하고, 사실과 희망의 구분이 없어지기도 하는 것이다. 황우석 박사의 줄기세포 연구가 그랬듯이……

잠뿐만 아니라 윤화는 승호의 두뇌에 대해 정말 궁금한 것이 많았다. 암기는 어떻게 하는지, 분류와 추론 과정은 어떤지, 어린 시절 멘사 시험을 치렀던 이야기를 묻기도 했다. 머리가 좋다는 말은 승호를 우쭐하게도 하고, 부담스럽게도 했지만 이런 방식으로 좋은 머리를 분석하려고 드는 사람은 없었다. 윤화의 관심은 정말 우수한 두뇌에 대한 학문적 호기심이었다.

처음에는 그런 그녀의 태도가 싫지 않았다. 자기에 대한 관심의 표현이었고, 무엇보다 그 반짝이는 눈동자가 아름다웠다. 자기 영역에서 열정과 호기심을 가지고 있는 여자는 흔치 않다. 윤화는 흔치 않게 아름다웠고, 흔치 않게 이지적이었다.

"승호 씨, 일기 써요?"

네 번째 데이트의 화제는 자아성찰이었다.

"오늘은 성실성 검증인가? 어떨 거 같은데요?"

"나는 일기를 거의 매일 쓰거든요. 기록용으로.. 뭐랄까? 삶이 풍성해진다고 느껴지는 장점이 있어요."

로마 시내의 야외 카페에서 오드리 헵번이 맑은 하늘을 보며 말하고 있는 것 같았다. 스스로의 상상에 도취된 빨강머리 앤이 친구에게 떠드는 말 같기도 했다. 승호의 눈에 윤희는 아직 때묻지 않은 소녀의 순수함이 보였다.

"글쎄, 난 그다지 성실한 편은 아니어서 일기 따위는 안 쓰는데…… 초등학교 때 숙제하는 것에 질려서 그런가?"

"에이, 거짓말. 대한민국 사회에서 승호 씨만한 성취를 이뤘다면 아무리 천재의 두뇌를 가지고 태어났어도 성실함은 기본이었겠죠."

승호는 그녀의 말에 대한 반박으로 자신의 처지를 한탄하려다 말았다. 상대가 좋게 보고 있는 착각을 굳이 교정해서 호감을 잃고 싶지는 않았다. 윤화가 다시 의자를 바짝 당겨 앉으며 말했다.

"숙제 트라우마, 그건 맞는 분석이에요. 우리나라 모든 어린이들이 다 가지고 있을걸요. 생각해 보면 일기란 게 일상과 생각의 기록인데 그걸 왜 교사가 들춰 보냐고요? 말이 안 되지 않아요?"

승호가 어깨를 으쓱하자 윤화가 더 바짝 다가왔다.

"선생님 말고 나한테 보여주는 건 어때요? 굳이 말하자면 우리 둘만의 교환일기 같은 거……"

나이 삼십 넘은 남녀가 교환일기라니, 승호는 하마터면 웃음이 터질 뻔했다. 하지만 사춘기 소녀처럼 눈망울을 반짝이는 윤화의 얼굴을 보자 생각이 달라졌다. 실망시키고 싶지 않았다. 그녀의 순수한 제안을 거절했다가는 승호 자신이 거절당할지도 모를 일이었다.

두 사람이 일기를 교환하기 시작한 건 그날 밤부터였다. 말이 일기지, 모바일 메신저인 텔레그램에서 각자 끄적인 몇 문장을 올리는 수준이었다. 본보기를 보여주려는 듯 윤화는 초기에 적극적으로 일기를 써 올렸지만 어느 순간부터는 승호의 글을 평가하거나 독려하는 교사처럼 굴었다. 그래도 승호는 좋았다. 담임이 아니라 사랑하는 사람과 공유하는 일상과 생각은 억울하지 않았다. 주말마다 돌아오는 데이트라는 보상도 달콤했다.

그녀는 승호를 뇌가 섹시한 남자라는 뜻의 '뇌섹남'이라 불렀고, 그는 윤화를 뇌색녀라고 불렀다.

"뇌를 수색하는 여자, 뇌색녀. 가끔 나는 윤화 씨의 연구 대상이 된 것 같아. 실험실의 생쥐처럼……"

지나치다 싶을 정도로 뇌과학에 편중되면 볼멘소리로 승호가 투덜거렸다. 그러면 윤화는 씩 멋쩍게 웃은 뒤에 그의 입에 뽀뽀를 하곤 했다. 결혼까지 하게 된 것은 그녀의 매력이 승호의 이성을 압도했기 때문이었다.

"여기요. 그다지 잘 나온 건 아니지만."

승호는 형사에게 핸드폰을 건넨다. 반 년의 연애, 일 년의 결혼생활. 둘이 같이 나오는 셀카는 종종 찍었지만 윤화의 독사진은 없다시피 했다. 승호는 하와이 신혼여행에서 거의 몰카 수준으로 찍은 그녀의 독사진 하나를 겨우 찾아냈다. 식당 테이블에서 바깥 풍경을 바라보고 있는 옆모습이다.

스마트폰을 받아 들여다보는 형사.

"워낙 사진 찍히는 걸 싫어해서요. 웨딩촬영 빼면 독사진이 몇 장 없네요."

승호의 말이 다시 변명조가 된다. 형사는 여전히 반응 없이 폰만 집요하게 들여다보고 있다.

"얼굴이 정면으로 나온 사진은 없습니까?"

핸드폰을 돌려주며 홍진기 형사가 묻는다. 그제야 승호는 지금 보여주는 사진이 어쩌면 실종자 수배 전단에 들어갈 수도 있음을 깨달았다. 다시 스마트폰 갤러리 검색.

"미인이신데도 사진을 많이 안 찍어 주셨나 봐요?"

형사의 질문에 승호는 짜증이 났다. 상대를 떠보는 듯한 눈빛이었다. 그래도 화를 낼 수는 없다.

'저 형사는 나와 윤화의 관계를 의심하고 있다.'

승호는 직관적으로 깨달았다. 손가락을 더 빨리 움직였다. 그리고 환하게 웃고 있는 아내의 사진 한 장을 찾아내 형사 쪽으로 보였다. 역시 하와이에서 억지로 찍은 사진이다. 홍 형사가 고개를 앞쪽으로 내밀어 들여다본다.

밝게 웃는 사진이라니…… 저렇게 행복했다면 윤희는 사라졌을까? 다시 발견될 아내의 얼굴이 저렇게 밝다면? 그녀는 나와 살면서 과연 행복을 느꼈을까? 알 수 없었다.

"이 사진을 이메일로 보내 주십시오. 주소는 여기 있습니다."

형사가 이메일 주소가 적힌 종이쪽지를 내민다. 승호가 스마트폰에서 메일을 열어 사진을 첨부하는 동안 형사가 말했다.

"경승호 씨. 이런 말씀 다소 언짢으실 수도 있겠습니다만 이성적으로 냉정하게 들어 주십시오. 아까도 드린 말씀이지만 CCTV로 봤을 때 이 건은 아내분의 단순 가출일 가능성이 크고요, 만약에 어떤 다른 범죄의 여지가 있다고 하면 그걸 추적할 수 있게 최대한 협조해 주셔야 합니다."

'네, 지금 그러고 있지 않습니까?'

승호는 따지듯 반문하고 싶은 말을 삼켰다.

"경승호 씨 본인도 범죄 정황에서 자유로운 건 아닐 수도 있고요."

"네? 그게 무슨 말이죠?"

"피의자가 되실 수도 있다는 말씀입니다. 실종 이후의 범죄뿐만 아니라 가정 폭력이라든가, 가출의 원인이 되는 다른 범죄도 있었을 수 있고요. 실제로 배우자가 신고하는 실종 신고의 70% 이상이 그런 유입니다. 더구나 지금 저희가 파악할 수 있는 다른 단서는 전혀 없는 상태입니다."

이제 경찰은 대놓고 승호를 의심한다.

"이 종이에 아내분 핸드폰 번호와 시댁, 친정할 것 없이 가족들 연락처와 주소, 도윤화 씨의 직장동료와 친구들 연락처 등등 행방 추적에 도움이 될 만한 정보들을 최대한 많이 적어 주십시오."

승호는 고분고분할 수밖에 없다. 경찰을 자극해서는 윤화를 찾을 수도 없고, 자칫 실종에 대한 책임을 뒤집어쓸 수도 있다. 그는 하얀 A4 용지를 물끄러미 바라보다가 작심한 듯 글씨와 숫자를 써내려가기 시작했다.

"도윤화 씨 직장이 어디라고 하셨죠?"

스마트폰과 종이를 번갈아 보며 연락처를 작성하고 있는 승호의 정수리에 대고 형사가 묻는다.

"카이스트 뇌과학 연구소입니다."

승호는 고개를 들지도 않은 채 대답했다.

8

일기예보에 나온다
너울성 파도
국지성 호우
널 생각하며 따라해 본다
간헐성 추억
중독성 당신
- 한이슬의 블로그

“카이스트에 다니시는 거 맞아요?”

형사가 묻는다.

“네? 무슨 말씀이세요?”

승호가 되물었다.

“카이스트 뇌과학 연구소에는 도윤화라는 연구원이 없다는데요?”

“그럴 리가요?”

승호는 갑자기 복잡한 미로 속에 빠진 생쥐의 심정이 되었다. 양옆 머리에 쑤시는 듯한 통증이 일었다. 무언가 잘못됐다는 생각이 들었다. 처음엔 경찰 조사가 잘못이라고 생각했다가 잠시 후에는 승호 자신의 머리에 오류가 있음을 느꼈다.

‘내가 도윤화에 대해 알고 있는 건 뭐지?’

자책감과 낭패감에 얼이 빠질 지경이었다. 차분해지자고 스스로 다짐했지만 승호는 마음을 추스르기 어려웠다.

지난해 3월, 윤화는 분명히 직장을 카이스트로 옮겼다. 처음 만났을 때 서울 성북구에 있는 사립대 연구소에서 3년째 근무한다고 했었다. 그 대학에서 석사까지 마치고, 영국으로 유학을 가 박사 학위를 딴 뒤 다시 모교에 자리를 잡은 것이었다.

"정재승, 김대식 교수 같은 젊고 패기 있는 뇌과학자들이 카이스트에 있더라고요. 더 많이 배울 것 같고, 제 커리어에도 도움이 될 것 같아요. 여기 학교는 사실 좀 지겹거든요. 스무 살부터 지내와서…… 두 달 전에 연구원 모집 공고를 보고 바로 지원했어요. 낯선 도시에서 살아보고 싶은 생각도 있고……"

윤화는 대전과 카이스트에 대한 기대감을 숨기지 않았다. 그런데 모든 것이 거짓말이었다니 승호는 믿을 수가 없었다. 2월 말 승호는 자신의 BMW로 윤화의 이사를 도왔다. 그녀의 자취방은 카이스트까지 걸어 다닐 수 있는 거리였다. 이삿짐이 많지 않은 것에 승호는 놀랐다. 짐의 대부분은 전공 서적이었고, 옷가지는 거의 없다시피 했다.

윤화의 원룸은 충남대와 카이스트 중간에 있었다. 6~7평쯤 되는 작지 않은 원룸이었는데 에어컨이나 벽걸이 TV, 가구, 냉장고 같은 것들이 모두 구비돼 있는 풀옵션이었다. 짐을 옮겨 주면서 승호는 신혼집으로 들어오는 것 같은 설렘을 느꼈다.

"우리 만난 지도 두 달이 넘었고, 이제 같은 대전시민이 됐으니까 앞으로 더 친하게 지내 봅시다."

이사한 집에서 첫 섹스를 마치고 승호가 말했다. 윤화가 자세를 바꿔 승호를 자기 가슴께에 품었다. 그녀는 안기는 것을 답답해했고, 대신 승호의 머리통을 안아 내려다보는 걸 좋아했다.

"네, 좋아요. 미지의 도시, 미지의 두뇌. 탐험할 것들이 많아져서 좋아요."

둘은 주로 봉명동 대학가나 장대동에서 만나 데이트를 했다. 식사 후에는 양쪽 원룸을 번갈아 가며 맥주를 마시면서 TV를 보고 섹스를 한 뒤 귀찮으면 그냥 잤다. 자연스럽게 승호의 집에는 윤화의 칫솔과 화장품이, 윤화의 원룸에는 승호의 면도기와 콘돔이 비치되었다.

거의 매일 만나다시피 했지만 승호 입장에서는 두 계절이 지나도록 상대에 대한 궁금증을 풀지 못했다. 윤화가 스스로에 대해 말하는 것을 여전히 꺼려했고, 승호는 답답했다. 어떻게 자랐는지, 가족관계는 어떤지, 친구들은 그녀를 어떻게 생각하는지 궁금했지만 윤화는 웃으며 "안단테, 안단테"라고만 할 뿐 속시원히 대답하지 않았다. 그런데도 그녀의 매력은 여전히 강력했다. 승호는 조바심이 났다. 풀리지 않는 시험 문제를 두고 끙끙거리게 되는 느낌이었다.

한편으로는 사람이 사람을 제대로 안다는 것이 가능할까 하는 생각도 들었다. 애초부터 안다는 상태는 불가능하거나 부질없는 거라는 생각도 했다. 키가 자라지 않아 딸 수 없는 포도를 보며 여우가 자기합리화하는 식이었다.

답답한 마음에 승찬에게 고민을 털어놓기도 했다.

"너는 윤화 씨를 어떻게 알게 됐다고 했지?"

“그게 뭐 중요하냐? 너희 둘이 알콩달콩 연애를 잘만 하면 되지.”

승호의 조바심에도 승찬은 약 올리는 듯한 태도였다.

“아니, 아무리 그래도 그렇지, 윤화 씨가 너무 신비주의다. 개인사 얘기를 전혀 안 해. 게다가 인스타도 안 해, 너 빼고는 친구도 안 만나, 이게 정상이냐고?”

승호가 투덜거렸다.

“소개해 준 친구한테 감사합니다 하면서 넙죽 절은 못할망정 웬 구시렁이냐? 점점 짜증 나려고 하네.”

도움이 되지 않기는 승찬도 마찬가지였다.

3월의 어느 날, 승호는 승부수를 띄우기로 마음먹었다. 원룸 두 곳을 왔다 갔다 하며 지내는 일의 번거로움을 토로하면서였다. 마침 승호가 지내던 원룸의 계약 만기가 돌아왔고, 어떻게 하는 것이 좋을지를 의논하던 중에 승호가 집을 합치는 얘기를 꺼냈다. 그 말에 윤화는 정확한 찬성 입장을 드러낸 건 아니었지만 반대의 뉘앙스도 아니었다. 그때 승호는 프러포즈를 하더라도 거절당하지는 않겠다는 자신감이 들었다.

이후에 승호는 레스토랑을 예약하고 반지를 맞추고 서프라이즈를 위해 만우절을 택했다. 절대 고백하지 못할 날로 알고 있을 테니…… 역발상이었다. 그렇게 4월의 첫날, 승호는 프로포즈를 했다. 봉명동의 한 이탈리아 레스토랑이었다.

고백을 하는 승호의 마음속에는 결혼을 치러서라도 상대를 더 알아내야겠다는 오기 같은 것이 있었다. 결혼하기로 합의가 되면 그녀가 순순히 자신을 드러낼 거라고 기대했다. 웨딩드레스 베일을 들어올리기 전에 도윤화라는 베일을 벗기게 될 터였다.

"스테이크 다 먹고 대답해도 되죠?"

윤화가 건네받은 반지를 식탁 위에 내려놓더니 다시 칼질을 했다.

잠시 고민하는 것 같더니 그녀는 대뜸 결혼 안 한다고 말했다. 순간 승호의 가슴이 철렁했다.

"만우절 농담이에요. 히힛. 할게요, 결혼!"

"아, 깜짝이야."

"대신, 교환일기 거르면 파혼입니다."

윤화가 윙크하며 말했다. 쥐락펴락 농락당하면서도 승호는 사랑스러운 여자라고, 사랑할 수밖에 없는 여자라고 또 한 번 느꼈다.

승호는 형사의 말에 충격을 받았지만 곧 이성을 되찾고 곰곰이 생각해 봤다. 연애시절부터 지금껏 윤화의 연구실에 들어가 본 적은 없었다. 그는 혼자 점심 먹기가 민망하면 차를 운전해서 카이스트 쪽으로 갔다. 운전을 하지 않는 윤화는 늘 학교 후문에서 기다렸다. 뇌과학 연구소가 있는 건물은 궁동 식당가로 이어지는 후문과 가까웠다.

"여자친구 직장 근처까지 와서 밥을 샀는데 보답은 없나? '라면 먹고 갈래요'는 아니어도 연구실 커피 맛은 한번 보게 해줘야 되는 거 아닌가?"

언젠가 승호가 넌지시 말을 꺼낸 적이 있었다.

"연구실에 믹스 커피밖에 없어요. 승호 씨 맥심 안 좋아하잖아요. 합류한 지 얼마 되지도 않아서 사람들하고도 아직 안 친해요. 남자

친구를 데리고 가서 인사시키기도 좀 멋쩍고……"

승호는 곤란한 것도 싫고, 남을 곤란하게 하는 것도 싫었다. 지켜온 원칙과 더 알고 싶은 마음이 자꾸 충돌했다. 이 도시의 유일한 끈인 일터마저도 신비주의로 빠졌다. 판도라, 아니 도윤화의 상자는 도대체 언제쯤 열 수 있을까? 승호는 하릴없이 그녀가 이끄는 커피숍으로 따라갈 뿐이었다.

그때만 해도 윤화의 태도는 그에게 특이한 성격의 하나쯤으로 여겨졌다. 그런 케이스가 없지는 않다고 생각했다. 동거를 하면서도 치약을 따로 쓴다든가, 결혼 이후에도 각자의 경제는 독립적으로 운영한다든가 하는…… 더 많은 것을 공유하기를 바랐던 이전 여자 친구들의 태도가 떠올랐다. 그녀들에 대한 반감과 귀찮음이 윤화의 신비주의를 이해하려는 마음에 보탬이 된 것도 사실이었다.

승호가 겪은 여자들은 관계가 깊어지면 오지랖도 심해졌다. 밤에 무슨 꿈을 꾸었는지, 점심으로는 무얼 먹을 계획인지, 문자 확인이 늦어지는 이유가 뭔지 끊임없이 확인하고자 했다. 공유할 것을 찾으려 혈안이 됐고, 현재의 재료가 바닥나면 과거를 헤집었다. 과거를 모두 파악한 뒤에는 미래의 모습을 같이 그리려고 했다. 피곤한 몇 차례의 연애 끝에 승호는 결론 내렸다. 필요한 만큼만 알려주고 딱 그만큼만 알려고 하는 것이 최고의 연애 방식이라고……

그런데 윤화를 만나면서 입장이 바뀌었다. 상대에게 정보를 조르고 있거나 얻어내지 못해 속상해하는 승호 자신의 모습을 발견했다. 그녀는 능수능란한 조련사처럼 기다려, 참아, 잘했어 라고 자신을 다루는 것 같았다.

1월의 첫 만남, 2월 윤화의 대전 이주, 4월의 프러포즈까지…… 승호는 빠른 진도에 비해 습득한 정보가 빈약하다고 느꼈다. 관계를 정리하고 싶은 생각은 전혀 없었다. 일단 도전한 문제는 오기를 부려서라도 풀고야 만다는 심산이었다.

승호는 이 연애에서 자신이 명백한 약자라는 사실을 인정할 수밖에 없었다. 더 좋아하는 사람이 굴복하게 돼 있는 게임이었다. 아쉬워하는 마음이 큰 쪽이 지는 것이다.

I've played all my cards
난 내 카드를 다 썼어요
And that's what you've done too
그리고 당신도 그렇게 했죠
Nothing more to say
더 이상 할 말은 없어요
No more ace to play
에이스도 더 남은 게 없죠
The winner takes it all
승자가 다 갖는 거예요
The loser's standing small
패자는 초라하게 서 있을 뿐이죠

1년 반 전, 윤화를 처음 만났을 땐 승자라고 생각했는데 지금은 아바의 노래처럼 루저가 되었음을 인정해야 했다. 아내가 뭘 독차

지하고 사라졌는지는 모르겠지만 승호가 초라한 패배자로 남겨진 것만은 사실이었다.

I apologize

미안해요

If it makes you feel bad

당신 기분을 망쳤다면

Seeing me so tense

그렇게 굳어있는 날 보는 것

No self—confidence

자신감이 전혀 없는 날 보는 것

But you see

하지만 당신도 알죠

The winner takes it all

승자가 모든 것을 가진다는 것을

원망 대신 사과를 하는 비루함이 사랑의 본질일까? 승호는 자신을 숨 막히게 했던 여자들의 심정이 되어 윤화를 압박했다. 그녀의 매력에 빠질수록 조바심은 커졌다. 결혼하기로 해놓고 이대로는 결혼하지 못한다고 윽박지른 일도 있었다. 하지만 헛수고였다. 윤화는 걱정하지 말라는 말만 되풀이했다. 미안한 기색도 없었다.

헤어지고 싶지 않았지만 이별을 볼모로라도 윤화의 솔직한 마음을 알아내고 싶었다. 작년 4월 카이스트 앞에 만개한 벚꽃길에서 승호는 큰마음을 먹었었다. 이별을 선언한 것이다.

"음. 답답한 승호 씨 마음 알 것 같아요. 내가 평범하고 정상적이지 않아 승호 씨를 힘들게 하는 것 같아 미안해요. 그래도 헤어지자는 말이 나올 줄은 몰랐는데…… 당황스럽지만 정 그게 낫겠으면 여기서 멈추죠."

윤화의 냉랭한 반응에 그는 당황했다. 돌아서는 그녀를 붙잡았다. 조바심에 그랬다고 사과해야 했다. 승자독식의 게임에서 승호는 패배를 인정했고, 윤화의 페이스를 받아들이지 않을 수 없게 되었다. 단 한 번의 패배로 사랑의 역사는 다시 암울해졌다. 한이슬을 사랑하게 되기 전까지는 말이다.

한동안 소강상태가 이어졌다. 프러포즈에 성공했지만 주도권은 이미 윤화에게 넘어갔다. 벼랑 끝 전술도 통하지 않았다. 상대에 대한 매력과 아쉬움을 느낄수록 승호는 초조했다.

5월이 되자 야구장 데이트가 잦아졌다.

"대전이란 도시, 어때요? 세 달쯤 지났는데……"

대전 한밭야구장 외야석에서 치맥을 먹으며 승호가 물었다.

"뭐, 내가 워낙 둔감해서…… 잘 모르겠어요. 성심당 빵을 원할 때마다 먹을 수 있다는 건 엄청난 축복이고, 불만은 뭐, 딱히 없음. 난 승호 씨랑 같이라면 어디서든 잘 살 자신 있거든요."

초저녁의 봄바람만큼이나 윤화의 미소는 달콤했다.

"대전살이 몇 년 선배로서 내가 얘기해 줄게요. 대전에 두 가지 미스터리가 있는데 그게 성심당이랑 이글스야. 그 빵 쪼가리가 뭐라고 전국에서 몰려오는데, 대전 사람들이 성심당을 사랑하긴 해도 이해는 안 되는 거야. 둘째는 한화 이글스인데 거의 매해 꼴등이거든요? 그런데도 응원하는 팬들이 엄청 많아. 열혈 팬층도 두텁고…… 이 과한 팬덤의 공통점이 뭔지 알아요?"

"글쎄, 빵은 맛있고 플레이는 멋있어서 아닐까요?"

애초부터 승부에 관심이 없던 윤화가 승호 쪽으로 돌려 앉았다.

"희소가치! 대전에서만 살 수 있는 빵이라 너도나도 달려드는 거지. 다른 지역에서는 안 파니까."

"야구팀은?"

"이글스가 이기는 경기가 적어서 희소가치가 생기는 거예요. 이 팀을 응원해서 이기면 희귀 템을 얻는 셈이지."

"에이, 말도 안 돼."

윤화가 눈을 찡긋거린다. 주변 사람들이 아까부터 그녀의 돋보이는 미모를 힐끗거리고 있었다. 어딜 가든 받게 되는 사람들의 시선이 승호는 싫지 않았다. 남자들은 본능적으로, 여자들은 호기심에서 자꾸 윤화 쪽에 눈길을 빼앗겼다.

"오죽하면 한화 이글스가 '화나. 이기긴 글렀으'의 줄임말이래."

"하하, 다행히 오늘은 이기고 있네요. 아, 승찬 오빠는 자이언츠 팬이던데 같이 잠실 야구장도 가고 그랬다면서요?"

윤화의 질문에 승호는 갑자기 어드벤처 걸 송다연이 떠올랐다. 왠지 죄책감이 들어 그는 말을 흐렸다.

"어어, 몇 번 같이 간 적 있지."

"승찬 오빠가 그러는데 야구 선수들은 머리가 좋다면서요? 승호씨 생각은 어때요?"

몇 년 전 다연이 꺼냈던 질문이었다. 헤어진 지 한참 됐지만 승호는 자꾸 그녀가 연상되어 곤란한 심정이 되었다.

"음, 아무래도 판단력이 중요한 스포츠니까 그런 주장이 나오는 거겠죠."

또 얼버무리게 되는 승호.

"시각이 뛰어나야 하니까 후두엽이 발달했을 거고, 운동 신경이 좋아야 되니까 소뇌가 훌륭하겠죠, 저 사람들."

다연과 승찬과 함께 야구를 보며 자신이 했던 말이었다. 승호는 순간 당황했지만 윤화가 뇌과학 연구자라는 사실을 떠올렸다.

"역시 윤화 씨는 야구를 보면서도 뇌를 생각하는구나."

"승호 씨, 내가 왼손잡이잖아요. 그래서 생각해 봤는데 야구는 참 공평한 운동 같아요." 윤화가 다시 열을 올렸다. "왼손잡이는 치고 나서 1루까지 가는 거리가 짧아서 유리하죠. 그런데 수비할 때는 불리해요. 왼손잡이라면 몸을 돌려야 1루로 던질 수 있거든."

윤화는 손가락으로 그라운드를 가리키며 말했다. 역시 학구적인 여자친구, 라고 생각하며 승호는 맥주를 한 모금 마셨다.

"그야 야구팬이라면 다 아는 사실인데 뭐. 그래서 1루수를 빼면 모든 내야수가 다 오른손잡이지. 외야는 상관 없고.. 그런 이유로 요새 우투좌타, 오른손으로 던지고 왼손으로 치는 선수들이 많은 거예요."

"아, 그래요? 난 나만 떠올린 기발한 분석이라고 생각했는데…… 이미 다 알고 있구나."

윤화가 새침하게 몸을 돌려 맥주를 들이켰다. 승호는 생각했다. 예쁘고 귀엽고 똑똑하고…… 도무지 나쁜 구석이라고는 찾을 수 없는 여자인데 왜 결혼을 앞두고 마음이 심란한가. 더군다나 상대는 승호 자신을 무척 사랑한다. 이 여자와의 결혼은 역전 만루홈런 같은 일일 것이다. 지난 몇 년의 하향곡선의 끝에서 도윤화라는 전환점을 만났다. 삶의 의미도, 재미도 다시 돌아오는 느낌이었다. 결혼은 화룡점정이 될 것이다. 그런데 왜, 왜 자꾸 망설여지나?

며칠 후 승호는 승찬과 통화했다.

"축하한다. 번갯불에 굽는 콩은 내가 제공했으니 양복 한 벌 잊지 말고."

결혼 소식을 들은 승찬이 말했다.

"잘하는 짓인지 모르겠다."

승호의 걱정은 심각했다.

"야, 결혼하는 모든 남자는 다 그렇다더라. 의식주성, 먹고 입고 자고 섹스하고…… 그 모든 걸 공식적이고 합법적으로 공유하는 일인데 확신을 가지고 결혼하는 사람이 있겠냐? 딱 한 사람한테 올인하는 올가미가 반가운 남자가 있겠냔 말이다. 자연스러운 현상이니까 너무 걱정 말고 준비나 잘 해라."

수화기로 넘어오는 승찬의 말은 틀린 것이 없었다.

"게다가 윤화 씨가 어떤 신붓감이냐? 너한테 과분해, 이 녀석아. 그만한 미모에, 지성에, 성격에…… 전 세계를 다 돌아다녀도 그만한 여자 만날 수 있을 거 같아? 그니까 아주 잘하는 짓이다 생각하면서 준비해. 딴맘 먹지 말고."

둘의 인사를 받던 날, 승호의 부모는 늘 그랬듯이 쿨했다.

"두 사람이 좋고, 결혼까지 약속했다니 우리는 뭐, 응원할 뿐이다."

아버지의 멘트는 그게 전부였다.

"신혼여행 가면 엄마 선물 사오는 거 잊지 말고."

어머니는 한결같이 철부지 같았다. 그래도 까탈스럽게 구는 것보다는 나았다. 며느릿감에 대해 이런저런 불편한 질문을 한다거나 간섭을 하려고 드는 쪽이라면 최악일 거라고, 승호는 스스로 위안을 삼았다.

승호 부모와의 데면데면한 식사 자리를 마치고 승호는 본격적으로 윤화를 졸랐다.

"우리 부모님도 만났으니 이제 윤화 씨 집에 갑시다."

"얘기했잖아요. 이혼 후 아버지는 재혼했다고 하는데 잘 모르겠고, 엄마는 남동생이랑 인천에 살았어요. 하도 오랫동안 연락을 안 해서 지금도 거기 사는지는 모르겠지만……"

기다렸다는 듯, 각오했다는 듯 윤화가 털어놨다.

"대학 간 이후로 서너 번 봤을라나? 엄마도 동생도 내 얼굴 잊어버렸을걸요. 결혼한답시고 느닷없이 얼굴 들이대는 게 서먹하고 어색한데 그냥 우리끼리 하면 안 돼요?"

심각한 얘기인데도 윤화를 대수롭지 않게 생글거리면 말했다. 승호는 난감했다.

"그래도 결혼이란 게…… 가족들 없이…… 윤화 씨 친구들도 만난 적이 없는데 여러 가지로 좀 그러네."

"승호 씨 친구도 만난 적 없잖아요. 승찬 오빠야 원래 아니까.. 가족, 친구 그런 관계가 사람을 규정짓는다고 생각하지 않아요. 나는 그냥 나니까. 승호 씨를 사랑하고, 평생을 같이 하고 싶은 도윤화니까 그런 것쯤은 따지고 싶지 않아요."

꺼림칙했지만 윤화는 단호했다. 위축되거나 부끄러워하지도 않았다. 승호는 혼란스러웠지만 결정을 번복할 수도 없었다. 가족이나 친구에 대한 정보가 전혀 없는 여자와 결혼한다는 것은 누가 봐도 이상했다. 하지만 윤화의 말대로 그런 껍데기들이 사람의 본질을 설명해 주는 것은 아니다. 그녀는 충분히 아름답고 매력적이다. 어떤 면에서는 승호 자신에 비해 아까운 여자다. 똑똑하고 예쁘다. 모든 사람이 그녀의 아름다움에 감탄한다. 여자들은 윤화에게 동경어린 시선을 보냈고, 승호는 남자들의 부러움이 자신에게 쏟아지는 걸 느꼈다. 우쭐함을 드러내는 속물이 되긴 싫었지만 감추고 싶지도 않았다.

결혼식은 아직 더위가 씻기지 않은 8월 말의 토요일 오후였다. 둘은 북한산 자락 아래에 자리잡은 카페를 빌렸다. 널찍한 정원을 품은 2층짜리 하얀 찻집이었다. 어쩔 수 없이 스몰웨딩이었다. 신부쪽 하객의 규모를 알기 때문에 승호 입장에서는 많은 사람을 초대할 수 없었다. 일종의 배려였다. 친척들과의 관계가 소원했기 때문에 조촐한 결혼이 승호 부모에게도 덜 부담스러웠다.

양측을 합쳐 서른 명 남짓한 하객 중에 윤화의 지인이라고는 동료연구원이라는 사람들 대여섯이 전부였다. 그러거나 말거나 그녀는 역시 아름다웠고, 진심으로 행복한 모습이었다. 승호 쪽 친척들이 나타나지 않은 신부 가족에 대해 수군거렸다.

"가족들 도움 없이도 저렇게 예쁘고 바르게 자랐으면 됐지."

승호 어머니는 쿨한 멘트로 친지들의 뒷말을 간단히 정리했다. 긴장한 것은 오히려 신랑 승호 쪽이었다. 하객 없는 신부에 대해 사람들이 어떻게 생각할지 계속 신경 쓰였다. 고아라고 여기지는 않을지, 모든 인간관계를 끊었다고 생각할지, 성격이 못나 외톨이라고 평가할지 걱정됐다.

"너는 영락없는 범생이야. 주인공으로서 축하받고 파티를 즐기면 되지, 뭔 놈의 걱정이 그렇게 많냐?"

승호의 마음을 읽은 승찬이 빈정거렸다. 틀린 말이 아니었다. 범생이 근성은 어딜 가나 사사건건 승호의 발목을 잡았다. 즐겨야 할 곳에서 점잔을 뺐고, 가벼운 일탈조차 스스로 용납하지 못했다. 결혼식 날 찍은 사진을 보면 신부는 화사하게 웃고 있는데 신랑은 시종일관 근심 어린 표정이었다. 날씨가 덥기도 했고, 긴장한 탓에 승호는 땀을 많이 흘렸다.

"남자의 두뇌는 단순한데 그 단순한 두뇌가 가장 복잡해지는 때가 결혼식 날이래요. 자유의 종말이랄까? 종속의 시작이랄까?"

모든 식을 마치고 하와이로 가는 비행기 안에서 윤화가 말했다.

"승호 씨 불안한 마음 알 것 같아요. 가장 복잡한 이벤트를 무사히 치렀으니까 너무 걱정하지 말아요. 내가 당신을 잡아먹지는 않는다고요. 헤헷."

이렇게 사랑스럽고 예쁜 신부를 얻었는데 그만큼 좋지는 않았다.

엄밀히 말하자면 승호가 느낀 감정은 불안함이 아니라 불길함 쪽에 가까웠다. 결혼생활이 평탄치 않을 거라는 예감이 들었다. 윤화에 대한 정보가 없어서만은 아니었다. 매력으로 느껴졌던 그녀의 특이함과 특별함, 그것이 초래할 앞날을 예측하기 어려웠던 것이다. 증권사에 다닐 때라면 이런 경우를 '변동성이 크다'고 말했을 것이다. 대박과 쪽박의 가능성이 동시에 존재했다. 승호는 점점 쪽박의 공포가 더 커졌다. 햇빛을 받아 아름답게 빛나던 구름이 어느 순간 먹구름으로 변해 승호에게 다가와 비를 뿌릴 것만 같았다.

2부 너

You

9

장마가 와야 배수의 중요성을 안다
변비에 걸려봐야 배설의 소중함을 안다
- 한이슬의 시인(참)칭관찰자시점

"경승호 씨, 점심시간 됐으니까 일단 밥을 먹죠. 나갔다 오시겠어요, 아니면 뭘 같이 시켜 드실래요?"

형사의 식사 제안에 호의의 느낌은 없었다.

"바람도 쐴 겸 나갔다 오겠습니다. 1시까지 돌아오면 되죠?"

"그러십시오."

홍진기 형사가 짧게 말해놓고 먼저 나간다. 승호는 따라 나가면서 진술녹화실 바깥쪽 사무실에서 나오는 뉴스를 듣는다. 또 실종 여아 소식이다. 승호는 유리문을 밀어 복도로 나왔다. 후텁지근한 공기가 순식간에 목을 휘감는다. 바람을 쐬러 나간다는 말이 바보 같다는 생각이 든다. 그는 아까 졸았던 대기 의자에 털썩 주저앉았다. 무엇을 어떻게 해야 할지 알 수 없었다.

'한이슬을 만나자.'

터무니없는 생각이었다. 이 와중에 내연녀라니! 아내가 닷새째 실종 상태이고, 아내의 직장이 허위라는 사실을 알게 됐는데 다른 여자를 만날 생각을 하다니…… 제정신이 아니라고 생각하면서 고개를 흔들었지만 그럴수록 한이슬을 만나고 싶다는 마음은 더 강렬해졌다. 한번 그런 생각이 들자 저녁까지 기다릴 수가 없었다. 고민하고 있는 경승호가 있고, 이미 통화를 시도하고 있는 경승호가 따로 있었다.

"나야. 점심 먹었어?"

자신의 상태를 들키고 싶지 않아 승호는 애써 태연하게 물었다.

"지금 먹으러 나가려는 중이에요. 자기는?"

"뭐 먹게? 같이 먹을까?"

놀란 듯 잠시 침묵.

"지금 어딘데요?"

"북부 경찰서. 괜찮으면 내가 그쪽으로 갈게."

"그래요, 그럼. 잘됐다. 혼자 먹을 참이었는데."

맑고 고운 솔 톤의 목소리.

"정 국장한테 말하고 오후 반차 낼 수 있나? 같이 있고 싶네."

말하면서도 승호는 자기가 무슨 말을 하는지 알아채지 못한다. 이성의 거름망 없이 통과하는 강렬한 욕망이다.

"우잉? 정말요? 자기도 휴가인데 내가 갑자기 반차 내면 사람들이 의심하지 않을까?"

"괜찮아. 잘 둘러대고 나와. 택시 타고 겟로스트로 와. 먹을 건 내가 사갈게."

미쳤다. 미친 것이 분명하다. 하지만 더워서 사람을 죽인 ≪이방인≫의 주인공 뫼르소보다는 아니다. 상황이 나를 이렇게 만들고 있다. 견디려면 이성이 아니라 충동을 따라야 한다. 승호는 스스로를 합리화했다.

38도의 공기를 뚫고 차로 돌아왔다. 차 안은 더 뜨거웠다. 그는 찜통 속 만두의 심정이 되었다.

겟로스트는 북부 경찰서에서 2km 정도 떨어진 유성의 호텔촌 안에 있었다. 지역구 사무실은 북구 대현동의 번화가에 있었고, 유성까지는 5km 거리였다. 이슬이 사무실을 나와 택시를 잡고 오면 승호보다는 늦을 것이다. 그는 급하고 거칠게 BMW를 몰았다.

승호는 스스로의 돌발행동에 미묘한 쾌감을 느꼈다. 조금 후면 한이슬의 미소를 만날 수 있다. 그녀의 가슴에 극심한 스트레스를 묻어 버릴 수도 있다. 그러자 느닷없이 아랫도리가 불끈해졌다. 뙤약볕에 달궈진 애마 안에서 승호 역시 성욕에 달궈진 채 약속 장소로 돌진했다.

한이슬이 조기섭 의원의 지역구 사무실로 출근한 것은 2020년 10월부터였다. 말수가 적고 존재감이 없던 서무 담당 김민희가 어느 날 갑작스럽게 결근했다.

"요즘 애들 참.. 뭐가 마음에 안 들었는지 몰라도 문자 한 통만 남기고 잠수를 타버리다니…… 연락도 안 되고, 아휴 골치야."

정도완 국장이 김민희의 퇴사 사실을 전하면서 혀를 끌끌 찼다. 그러면서 채준식과 경승호 두 사람의 눈치를 슬슬 보는 것이 뭔가 꺼림칙한 내막이 있는 것 같았다. 승호는 궁금했지만 주제넘게 그걸 캐물을 계제는 아니었다.

"계속 조용하더니만 조용히 퇴장해 버리네요. 빨리 후임자를 구해야겠네. 선거도 몇 달 안 남았는데 아이고야."

채준식이 정 국장을 따라 이마를 짓누르며 상황을 매듭지었다.
며칠 후 면접 보러 와서 한이슬이 내민 이력서는 승호가 보기에 보잘것없었다. 채용 권한은 정도완 국장에게 있었지만 국장은 채와 승호에게 의견을 물었다. 면접 후 한이슬을 되돌려 보낸 직후였다.
"어때?"
"고졸까지는 뭐 괜찮을 수 있는데 중졸에 검정고시라…… 단순 업무가 많긴 해도 머리 쓰는 일이 아예 없지는 않은데 좀 불안한 구석이 있네요."
하고 싶은 말을 채준식이 대신해 줘 승호는 내심 고마웠다. '서울대 출신의 수재'라는 타이틀이 늘 특권인 것은 아니었다. 방심한 상태에서 솔직해지면 거만한 엘리트로 낙인찍히기 쉬웠다. 특히 학벌에 관한 대화에서는 조용히 입 다물고 있는 게 상책이었다.
"그렇지? 중졸에 검정고시라…… 내막이야 잘 모르겠지만 좀 내키진 않지?"
정 국장이 동의를 구하듯 말했고, 채준식이 고개를 까닥하면서 동의한다는 뜻을 보냈다. 그걸로 아웃인 줄 알았던 한이슬이 다음날 첫 출근을 했을 때, 승호는 놀랐다. 뭔가 또 다른 내막이 있는 모양이었다. 하지만 알 바 아니었다. 김민희의 퇴사도, 한이슬의 입사 과정에도 승호는 딱히 개입하지도 않았다. 어차피 2년짜리 파견직 아닌가 하는 생각도 있었다.
한이슬은 전임자인 김민희와는 딴판이었다. 한 마디로 분위기 메이커였다. 전화벨이 울리지 않으면 독서실처럼 조용했던 사무실이 이슬이 합류한 이후 180도 바뀌었다. 농담과 정보와 웃음이 생동감을 만들었다. 불과 한두 주 사이의 변화였다. 사람 하나 바뀌었을 뿐인데 신기할 정도였다. 일주일에 두어 번은 넷이 같이 점심을 먹기도 했다. 정 국장과 채준식의 인맥 관리는 그다지 중요하지 않게 된 모양이었다.

이슬의 업무 파악은 전광석화 같았다. 이틀 만에 전임자의 업무—그렇게 많거나 복잡한 것은 아니었지만—를 신속 정확하게 습득했다. 스물셋의 어린 나이라고는 믿기지 않았다. 여의도 사무실 뿐 아니라 중앙당과 소속 상임위, 다른 지역구 의원 사무실, 관련 기관들의 콘택트 포인트를 모두 섭렵했다. 대전시와 산하기관, 북구청, 지역 방송과 신문사 등 각 기관 사이의 업무가 어떤 경로와 프로세스로 진행되는지 금세 파악했다. 그녀의 업무 센스에 모두 놀랐고, 특히 책임자인 정도완 국장의 칭찬은 끝이 없었다.

"이슬 씨가 들어와서 우리 사무실이 아주 환해졌어. 생기도 팍팍 돌고 일도 스무스하게 잘 돌아가고…… 우리가 복덩어리를 얻었구만. 하핫."

"아휴, 국장님도…… 칭찬이 과하시면 저는 민망……하지 않고 감사합니다."

그러면서 히힛 웃는 것이었다. 이슬에게는 사람들을 유쾌하게 만드는 재주가 있었다. 발랄하면서도 가볍지 않았고, 빠릿빠릿하면서도 섣부르지 않았다. 몸의 움직임은 우아했고 말은 침착했다. 진중할 때와 헐거워져도 될 때를 구분했다. 무엇보다도 친근감을 주면서도 겉넘지 않아 특히 나이 든 사람들이 좋아했다.

성격과 업무능력에 비해 이슬의 외모는 그다지 빛나지 않았다. 미녀라고는 할 수 없었다. 예쁘다고 하기보다는 귀여운 쪽이었다. 승호는 몇 년 전 사귀었던 어드벤처 걸 송다연이 떠올랐다. 비슷한 둥근 얼굴에 입술은 도톰했고, 몸매는 통통한 편이었다. 어드벤처 걸의 고른 치열과는 달리 덧니가 있었는데 한이슬은 스스로 그것을 애교덧니라 불렀다.

"우리 엄마가 시키는 대로 이거 교정했으면 어쩔 뻔…… 제 매력의 팔 할은 애교인데 애교덧니 없으면 매력의 80%를 날려 먹는 거잖아요."

이슬의 눈은 쌍거풀 없이 작았고, 양볼에는 주근깨가 살짝 뿌려져 있었다. 평범한 외모였다. 키도 150 중반 정도로 작은 편이었다. 대한민국 모든 여자들의 외모를 평균 내면 그 정도 아닐까 승호는 생각했다.

"저의 가장 큰 장점은 예쁘지 않다는 사실을 정확히 알고 있다는 거예요. 제 또래 여자애들은 예쁘면서도 스스로 예쁘지 않다고 생각하고, 날씬하면서 뚱뚱하다고 생각하는 경우가 많은데 저는 예쁘지 않아서 마음이 편해요. 자기 외모에 불편해할 시간이 있다면 스스로를 아끼는 데 쓰는 것이 현명하다고 생각해요."

저녁 회식을 하면서 채 비서관이 스스로에 대해 어떻게 생각하느냐고 물었을 때 이슬은 이렇게 대답했다. 보통내기가 아니라고 승호는 생각했다.

"그 모지? 뭐라고 하죠? 건배 제안인가, 제의인가? 제가 그거 한번 해도 돼요? 난생처음이긴 하지만."

얼굴이 발그스레해진 한이슬이 정도완 국장을 보았다. 넷이 벌써 소주 일곱 병 째였다.

"그런 거 시키면 젊은 여자들한테 꼰대 소리 듣는다고 하던데 이슬 씨는 확실히 다른 것 같네. 아저씨들의 추태를 자발적으로 따라 하고 말이야. 하하."

거나하게 취한 정 국장이 기분 좋게 웃었다.

"에이, 국장님도. 꼰대 어쩌고 그런 거 따지기 시작하면 답답해서 못 살아요. 인생 다 고만고만한데…… 나이로 나누고, 성별로, 뭐 어디 출신으로 쪼개고…… 저는 그런 거 싫어해요. 안 그래요? 경 선배님?"

혀가 꼬부라지고 상체의 흔들거림이 커진다 싶었는데 어느새 한이슬이 취한 모양이었다. 승호는 그런 이슬이 밉지 않았다. 틀린 말도 아니었다.

"건배 제의 하고 싶은 게 뭐예요? 궁금하네."

빤히 자기를 바라보는 이슬의 눈매가 부담스러워 승호가 소주 잔을 들이키며 말했다.

"치사하게 혼자 마시기예요? 칫, 같이 건배할라구 했는데."

흔들리는 어깨로 이슬이 승호의 잔에 소주를 채웠다.

"제가 선창으로 뭐라뭐라 하면 세분은 들이키자! 라고 외치시면 됩니다. 아시겠죠? 아싸, 기분 좋아."

정 국장도, 채준식도 흐뭇하게 한이슬을 보며 잔을 들었다.

"돌이킬 순 없어도!" 이슬의 외침에 잠시 침묵. 서로 눈이 맞은 정 국장과 채 비서관이 웃으며 동시에 소리쳤다.

"들이키자아~!"

승호는 오랜만에 유쾌하다고 느꼈다.

선거가 다가오면 여의도보다 지역구 사무실이 더 바빠진다. 3년 반 동안 팽팽 놀고 반년 바짝 일한다는 말은 사실이었다. 여의도에 있을 때 승호는 지역이 얄미웠다. 하는 일도 없이 정보나 캐려고 귀찮게 하거나 기여한 것도 없이 생색을 내려는 식이었다. 승호가 조기섭 의원실에 합류했을 때는 2016년 봄 총선이 끝난 직후여서 더 그랬다. 여의도가 바빠지고 지역구는 한숨 돌리는 시기였다.

여의도에서 일할 때 승호는 대전을 대놓고 무시하기도 했고, 채비서관과는 전화로 두어 차례 언성을 높인 일도 있었다. 그런데 지금은 그런 지역구 사무실에서 밉상인 채준식 옆에서 일하고 있다. 승호에게는 자존심 상하는 일이지만 어쩔 수 없었다.

지역구 업무가 가소롭다고 생각했었는데 몇 달 지내다 보니 꼭 그렇지만도 않았다. 특히 민원인을 상대하는 건 피곤하고 힘든 일이었다. 여의도에서 만나는 민원인들은 거의 다 점잖은 사람들이었다. 피감 기관의 임직원이거나 이해관계가 얽힌 단체들이 대부분이었는데 조직을 대표하는 사람들이 으레 그렇듯 기본적인 예의는 갖췄다. 그들은 약속 시간을 정하고 요구사항을 서류로 정리해 전달하며 논리적으로 말했다.

그런데 이곳에는 막무가내 민원인들이 많았다. 특수임무수행동지회, 무슨 무슨 비상대책위원회, 어디 어디 전투 전우회, 월남 파병 동지회, 무슨 동 주민자치위원회 따위의 촌스러운 명함을 내밀었다. 그들은 지역 언론사들을 몰고 와 사무실 앞 도로변에서 기자회견을 하거나 피켓팅을 하곤 했다. 다짜고짜 의원을 만나겠다고 서너 명이 몰려오는 경우도 있었는데 취기나 욕설을 동반하기도 했다.

그렇다고 같은 방식으로 상대하는 건 금기였다. 그들도 유권자였고, 무엇보다도 좁은 지역사회에서 영향력이 큰, 소위 카더라 통신원들이었다. 등져서 좋을 게 하나도 없는 울보 왕자 같은 존재들이었다.

대부분의 민원 업무는 실체가 모호한 것들이었다. 문제를 들고 온 사람들이 다른 더 큰 문제를 일으키지 않게 하는 것이 가장 바람직한 대처였다. 민원과 청탁의 경계가 애매했고, 좋은 게 좋은 것이라는 식의 일처리가 권장됐다. 얼토당토 않은 요구가 조 의원에게 보고되어 해결되기도 했다. 승호가 느끼기에 합리적이고 절박한 요구들도 간혹 있었는데 민원 처리 대장에 '처리 불가' 도장과 함께 서랍에 들어가 버리기도 했다. 정답이 없는 영역에서는 힘이 정답이기도 하고, 운이 해결책이기도 했다.

서무 여직원은 민원인들과 엮이지 않을 방법이 있었다. '무슨 뜻인지 잘 알겠습니다, 의원님께 전해 드리겠습니다, 저한테는 권한이 없습니다'는 말만 되풀이하면 되었다. 누구도 젊은 여직원에게 민원 내용을 상담하거나 해결을 기대하지 않았다. 다른 남자 직원들을 불러 앉히고, 불만을 늘어놓는 일이 많았다. 지역구 민원 업무는 적당주의가 가장 적절했고, 특히 서무 담당에게는 더욱 그랬다.

그러나 한이슬은 달랐다. 출근한 지 한 달 남짓 되었을 때 이런 일도 있었다. 그날 승호는 아내 윤화와 점심을 먹고 사무실에 좀 늦게 복귀했다. 70대로 보이는 노인 두 명이 소파에 앉아 있었고,

한이슬이 노인 하나의 손을 두 손으로 꼭 감싸 잡고 있었다. 정 국장은 없었고, 채 비서관이 자기 자리에 앉아 그 광경을 지켜보고 있었다.

"손녀딸 같은 아가씨 앞에서 미안하구먼."

눈치껏 자리에 앉으며 승호가 흘깃 보니 노인은 눈물을 훔치고 있었다.

"죄송하기는요, 어르신. 얼마나 속상하셨겠어요? 저라도 그랬을 거예요. 충분히 노여워하실 만해요."

채준식 쪽을 보며 승호가 궁금하다는 듯 눈을 치켜뜨자 그가 크윽 하며 웃음 참는 시늉을 했다. 한이슬만의 노하우로 막무가내 노인 민원인을 무장해제시킨 것이었다. 다시 보니 이슬에게 손을 꼭 잡힌 노인은 블랙리스트에 1번으로 등재된 주민이었다. 소위 악성 민원인. 승호도 그 할아버지 때문에 몇 번 곤란한 적이 있었다. 눈이 왔는데 집 앞에 제설 가루를 안 뿌린다는 항의부터 대통령의 신년 기자회견에 대한 비난까지, 민원 내용은 각양각색인데 태도만큼은 똑같았다. 막.무.가.내…… 다른 노인 한 명은 늘 따라다니는 이웃이었다.

이슬은 두 노인의 사이에서 양쪽으로 팔짱을 끼고 엘리베이터까지 그들을 배웅했다. 사무실로 돌아와 채와 경의 감탄 어린 눈빛에 보답이라도 하듯 이슬은 씨익 웃으며 미션 컴플리트라고 중얼거렸다.

10

<월요일>

불쾌하게 튀어나와 물음표를 그리는 한숨의 그림자

— 한이슬의 시집 '설움의 효능'

그즈음 승호는 두통을 앓았다.

"우잉, 경 선배님. 또 머리 아프세요? 타이레놀 드려요?"

책상 앞에서 얼굴을 찡그린 채 머리를 쥐고 있자 이슬이 걱정했다.

"아니에요. 약도 안 들어. 시간이 약이에요. 곧 좋아질 거예요."

"그러게 아깝게 결혼은 왜 해가지고……"

컴퓨터 모니터에서 눈도 떼지 않고 이슬이 말했다. 사무실에는 승호와 이슬 둘뿐이었다. 승호는 이슬이 건넨 말에서 이상야릇한 감정을 느꼈다. 분명히 불쾌함을 느낄만한 말이었는데 기분이 나쁘지 않았다.

"내가 결혼한 거랑 두통이 무슨 상관이라고?"

심각한 티를 내지 않으려고 살짝 웃으며 승호가 되물었다. 이슬은 마시고 있던 머그잔을 들고서 슬쩍 승호 쪽으로 다가왔다.

"결혼 전에도 두통 있으셨어요?"

"아니, 그 전에는 없었어요."

"그죠, 그죠? 아내분한테 기가 빨려서 생긴 거예요, 그 두통."

"뭐라고요?"

승호는 살짝 화가 났다. 자기가 뭐라고 이제 갓 두 달 된 남의 결혼생활을 운운한단 말인가? 불쾌감을 짓누르려 승호는 회전의자를 좌우로 흔들었다.

"병원에 가서 검사받기 전에 잘 관찰해 보세요. 선배님 얼굴에 다 쓰여 있다고요. 결.혼.스.트.레.스.라고."

정말 얼굴에 쓰여 있는 글씨를 읽는 것처럼 이슬은 허공에 손가락을 짚었다. 커피를 한 모금 마신 뒤, 그녀는 당황해하는 승호를 내려다보며 다시 말했다.

"빠져나오기 힘든 미궁에 빠진 거예요. 탈출구를 찾으셔야 해요."

이슬의 느닷없는 오지랖에 불쾌감을 느꼈지만 승호는 뭐라 답을 하지 못했다. 그녀의 말은 자신을 불쾌하게 만들기 위해서가 아니었다. 오히려 정말 걱정하는 뉘앙스였다. 윤화와의 관계에서 스트레스를 받고 있는 것도 사실이었다.

"그래, 점쟁이 이슬 씨 보기엔 치료법이 뭔데?"

"약은 약쟁이에게, 치료는 돌팔이에게." 이슬이 웃으며 덧붙였다. "그리고 부적은 점쟁이에게!"

당혹스러워하는 승호의 표정을 내려다보면서도 이슬은 계속 싱긋 웃었다.

"선배님, 재즈 좋아해요?"

뚱딴지 같은 반문이 왔다. 치고 빠지는 아웃복서의 얄미움이었다. 두통 얘기로 시작해, 결혼과 스트레스를 운운하다가 갑자기 재즈라니!

"그다지. 들리면 듣지만 찾아서 듣는 편은 아니니까 좋아한다고는 못 하겠네."

"제가 선배님한테 처방해 드리는 부적은 재즈입니다."

엉뚱한 말의 연속이었다.

"그중에서도 쳇 베이커요."

승호가 되묻기도 전에 이슬은 자기 자리로 돌아가 스마트폰을 들고 왔다.

"재즈는요, 선배님처럼 답답 솥뚜껑 같은 사람한테 특효약이에요. 부드럽고 유연하거든요."

묻지도, 청하지도 않았는데 이슬은 음악을 틀었다. 승호는 난감했다. 말릴 틈도 없이 휴대전화에서 피아노 연주가 시작됐다.

"≪Everything happens to me≫라는 노래예요."

승호는 5분 전에 시작된 이슬과의 대화가 연극처럼 여겨졌다. 마치 자신이 통증에 시달려 머리를 감싸면 이슬 역을 맡은 배우가 말을 걸고, 재즈 노래가 흘러나오기로 되어 있지 싶었다. 하긴, 극적이라는 말은 비현실적이란 말과 같은 뜻이니까. 비현실감 속에서 그는 조용히 노래를 들었다.

"선배님. 이 노래 제목 어떻게 번역해요? 서울대 나오셨으니까 영어도 잘 하죠? 모든 일은 내게 일어난다? 내게는 무슨 일도 일어날 수 있다? 모든 것들이 내게만 나타난다? 내게는 어떤 일이든 벌어질 수 있다? 어떤 게 맞아요?"

"잘 모르겠네. 다 맞는 번역 아닌가?"

결혼생활에 대한 참견에 불쾌감을 드러낼 기회도 없이 승호는 이슬의 질문에 대답하고 말았다. 말은 확실히 여자의 것이라고, 그는 생각하곤 했다. 표면과 이면이 다르다. 같은 말도 상황에 따라 다르다. 남자가 언어능력이 떨어지는 것도 이런 이유다. 열 명의 여자에게서 '바보'라는 말을 들었다면 '바보'라는 낱말의 뜻은 열 개가 된다. 모두 다르다. 정답은 없다. 하나의 정답, 하나의 해결책을 찾는 데 익숙한 남자에게는 어려운 세상인 것이다.

그때 사무실 문이 열리고 채준식이 들어왔다.

"오호, 삭막한 국회의원 사무실에 음악이라.. 아주 좋아요."

처음에 놀란 표정이었던 채 비서관은 박수까지 치며 웃었다. 정말 좋아하는 것인지 비꼬는 것인지 알 수 없었다. 승호는 살짝 난감했다. 금지된 행동을 하다 들킨 것만 같았다.

"경 선배님 두통 치료 중이었어요. 아니지, 점쟁이라 했으니까 액막이에 가깝겠네요. 채 선배님도 들어 보세요. 쳇 베이커예요."

이슬은 경승호와 채준식을 선배라고 불렀다. 꼬박꼬박 비서관님이라고 부른 전임자 김민희와는 달랐다. 한이슬이 볼륨을 키웠다. 트럼펫 간주가 흘러나왔다. 승호는 답답 솥뚜껑이라는 이슬의 말이 신경 쓰였다. 어느새 노래 끝.

"이거 좋다. 사무실 분위기 처질 때 이슬 씨가 노래 한 곡씩 디제잉 해줘요. 단, 다음번에는 이렇게 끈적거리는 곡 말고 좀 신나는 걸로. 쿵따라 샤바라 같은 거……"

채가 어깨까지 들썩이며 말했다.

두통은 어때요?

자리에 돌아간 이슬의 메신저 문자.

없어졌네

그죠? 내 부적은 용하다니까

박수 치는 이모티콘까지. 이슬은 왜 자꾸 얼쩡거릴까?

두통은 사라졌는데 마음이 더 심란해짐

왜요? 내가 팩폭해서?

이슬의 당돌함에 승호는 또 한 번 당황했다.

내가 선배님 긁어 부끄럼 만들었으니까 확실히 치료해 드리죠. 언제 저녁에 시간 한번 내요. 한이슬이 참이슬로다가 위로주 한번 살게요.

승호는 '긁어 부끄럼'에서 피식 웃음이 났다. 실수라 생각했는데 알고 보니 이슬은 일부러 그런 장난을 많이 쳤다. 새가 짖는다고 하고 개는 지저귄다고 표현했다. 의사 아저씨, 경비 선생님처럼 일반적인 호칭을 바꿔 쓰기도 했다. 까마귀 날자 애 떨어지겠네, 백지장도 두들겨보고 건너라, 하늘이 무너져도 식후경 따위의 속담 말장난도 즐겼다.

한번은 정도완 국장이 치통을 호소하며 '이러다가 죄다 뽑고 틀니 끼우게 생겼네'라고 하자 이슬이 '그때는 맞고 지금은 틀니다'라고 농담을 해 좌중을 폭소케 한 일도 있었다.

여러 면에서 특이한 캐릭터였다. 스스로를 양심적 학위 거부자라고 표현했는데 틀린 말이 아니었다. 승호가 보기에 한이슬의 지적 수준은 보통이 아니었다. 중졸에 고교 검정고시 출신치고는 박식했고 센스가 넘쳤다. 정부 관료의 고지식함을 개탄하는 자리에서 홍길동전을 인용한다든가, AI 기술에 감탄하는 대화 중에는 ≪호모

데우스≫의 저자인 유발 하라리의 미래 예측을 소개하기도 했다.

어느 순간부터 승호는 이슬의 재기 발랄함에 매료되었다. 분명 자신에게는 없는 능력이기 때문이었다. 축구로 비유하자면 승호 자신은 페널티킥으로만 골을 잘 넣는 스트라이커였고, 이슬은 공을 자유자재로 가지고 노는 미드필더였다. 승호는 득점 성공률이 100%였지만 이슬은 득점이나 승부에는 관심도 없이 공놀이 자체를 즐기는 듯했다. 지식과 정보가 성공의 수단이었던(그 성공마저 이루지 못했지만) 자신과는 달리 한이슬은 지식을 삶의 즐거움으로 여기는 것 같았다. 인정하고 싶지 않았지만 승호는 이슬의 자유분방함이 부러웠다.

이슬은 아내 윤화와도 달랐다. 아내를 다른 여자와 비교하는 것에 처음엔 죄책감이 들기도 했다. 하지만 어쩔 수 없었다. 결혼 후에도 윤화는 자신의 영역을 승호와 공유하기를 거부했고, 그는 점점 지쳐갔다. 그 때문인지 되려 이슬에 대한 관심과 호감은 늘어갔고, 집보다 사무실이 더 즐겁고 편하다는 생각마저 들었다.

"승호 씨, 쳇 베이커도 들어요?"

어느 날 저녁, 윤화가 물었다. 승호는 멜론에서 쳇의 노래를 검색하고 있었다.

"응, 자기도 아는 노래인가 보네. 근데 'Everything happens to me'를 어떻게 해석해야 맞지?"

승호가 윤화에게 스마트폰을 건네주며 물었다.

"별일이네요. 얼마 전에도 누가 똑같은 질문을 했는데……"

아내는 대수롭지 않게 말했지만 승호는 눈이 커졌다.

"그래? 누군데?"

"글쎄, 누구였더라. 연구실 사람이었던가? 잘 기억은 안 나요. 아무튼 쳇 베이커의 그 노래 제목을 어떻게 번역해야 맞는지 궁금해 했는데…… 승호 씨는 왜 묻는데요? 영어 못하는 것도 아니면서……"

승호는 윤화가 더 캐물을까 걱정됐다. 쳇 베이커 노래를 어떻게 알게 됐으며 누가 제목에 대해 물어봤는가 하는 질문이 오면 이슬에 대해 말해야 하나 싶었다. 아무 사이도 아니지만 그는 이슬과의 관계를 아내에게 말하고 싶지 않았다.

"아니, 그냥…… 여러 가지 뜻이 있을 수 있잖아. 강조하는 내용에 따라서…… 우리 말도 그렇지만 말이야."

아내는 스마트폰을 돌려준 뒤 싱겁다는 듯 시큰둥한 표정을 지으며 서재를 나갔다. 승호는 곰곰 생각했다. 이슬은 승호에게 아무런 존재도 아니다. 그런데도 아내에게 이슬에 대해 말하는 것이 꺼려진다. 그러므로 이슬은 그에게 아무 존재도 아닌 것은 아니다. 대전제와 결론이 완전히 상반되는 삼단논법이다.

내친김에 승호는 한 번 더 해 봤다. 아내는 내게 뭔가를 숨긴다. 사랑하는 사이에 비밀은 없어야 한다. 그러므로 아내는 나를 사랑하지 않는다. 대전제는 맞고 소전제는 애매하지만 결론은 그럴싸하다. 승호는 다시 머리가 아팠다.

윤화와의 결혼생활은 겉으로 보기엔 큰 문제가 없었다. 신혼집은 유성구청 근처의 한꿈 아파트에 차렸다. 결혼 전, 승호는 둔산동 원룸 보증금을 빼고 모아둔 돈을 계산해 보니 아파트 전세 보증금 정도는 되었다. 상대 쪽 자산을 묻지 않을 수 없었는데 윤화는 부끄러움도, 자랑도 아닌 뉘앙스로 '1억 원'이라고 말했다. 마치 대출 창구에서 은행원이 대답하는 말 같았다. 승호가 전셋집을 마련하고, 윤화의 1억 원은 결혼식 비용과 각종 살림살이 쇼핑, 신혼여행에 썼다. 신부 측 부모가 없으니 예물이니 예단이니 하는 요식을 치르지 않아도 된다는 점이 승호를 안심시켰다. 한편으로는 어떻게든 윤화의 어머니와 동생을 만나야 하는 것 아닌가 싶은 생각도 들었다.

둘은 밀키트를 이용해 저녁을 만들어 먹었다. 승호와 윤화 모두 요리에 재능도 없었고 시간도 없었다. 간단히 씻어 넣어 끓이거나 덥히기만 하면 완성되는 간편 요리가 여러모로 경제적이었다. 주로 먼저 퇴근한 쪽이 주말에 사다 놓은 밀키트로 요리를 했다.

식사 후에는 TV 뉴스를 보거나 넷플릭스로 영화나 드라마를 봤다. 윤화는 항상 와인을 준비해 두었다. 11시가 넘으면 출출하기도 해서 치즈나 육포 따위의 주전부리도 내왔다. 와인 잔을 부딪히며 일상 얘기를 했는데 늘 그랬듯이 윤화가 묻고 승호가 대답하는 패턴이었다.

어느 순간부터 승호는 아내가 치는 쉴드에 지쳐 묻는 것이 두려워졌다. 대부분의 남자들이 느낀다는 거절 공포였다. 승호의 물음에 윤화는 애매모호하게 눙치는 경우가 잦았다. 더 깊이 물으면 불필요한 오지랖이 되는 분위기였다. 결혼하면 윤화에 대해 알게 될 것이라는 기대가 썰물처럼 빠져나갔다.

대답은 안 하면서도 윤화는 승호의 일상과 생각에 관심이 많았다.

무슨 일이 있었는지, 그때마다 무슨 느낌이 들었는지 물었다. 처음 만날 때처럼 여전히 눈은 초롱초롱했다. 아내의 집요한 관심이 단순한 사랑은 아니라는 느낌이 들기 시작했다. 직업병 같기도 했고, 정말 승호 자신의 두뇌를 연구하기 위해 결혼한 것 같다는 생각도 들었다.

윤화의 호기심은 섹스할 때도 이어졌다. 스스로 쾌감을 느끼기보다는 승호가 어떤 느낌인지를 관찰하는 듯했다. 자극과 반응의 차원에서 일반적인 남녀관계가 바뀐 것 같았다. 이상하긴 했지만 승호는 아내와의 잠자리가 싫지 않았다. 그녀의 적극성과 호기심은 성욕을 자극했고, 대체로 만족스러웠다. 가짜인지는 모르겠지만 윤화는 항상 절정에 이르렀다.

윤화는 몸매 역시 아름다웠다. 가느다란 목덜미와 움푹 패인 쇄골은 승호가 가장 먼저 애무하는 곳이었다. 둥근 어깨를 잡고 목덜미에 입을 맞추면 윤화의 입에서 작은 신음소리가 났다. 마른 몸에 비례해서 가슴은 작은 편이었지만 승호는 귀엽다고 생각했다. 잘록한 허리와 모델급 각선미는 볼 때마다 감탄을 자아냈다. 윤화가 미니스커트나 배꼽티를 입지 않아 아쉬운 마음이 들 정도였다. 심지어 신혼여행지인 하와이에서도 윤화는 수영복을 입지 않았다(수영복 자체가 없었다). 호텔에 딸린 비치에서 흰 반바지 차림으로 무릎까지 바닷물에 담근 것이 전부였다.

얼굴에 대해서도 그렇지만 윤화는 몸매에도 어떤 불만도 자부심도 없었다. 꾸밀 생각도 없는 듯했다.

"자기는 외모 콤플렉스 없나? 가령, 작은 가슴이라든가……"

언젠가 섹스 후에 누워 승호가 놀리듯 물었다.

"없는데요. 콤플렉스도 없고 관심도 없고."

"그런 것 같다. 보통의 여자라면 유방확대술을 꿈꾼다거나 적어도 브래지어에 뽕이라도 넣을 텐데 말이야. 가진 자의 여유로움인가? 윤화 씨는 그것만 빼면 누가 봐도 완벽한 외모에 가까우니까.. 친구들이 질투하지 않았나?"

승호가 윤화의 선홍색 젖꼭지를 만지작거리며 물었다.

"잘 모르겠어요. 그랬을지도 모르는데 내가 워낙 둔한 성격이어서……"

"나는 가끔 내가 승자의 저주에 빠진 거 아닐까 하는 생각이 들어."

"무슨 저주?"

윤화가 몸을 일으켜 앉으며 정색을 했다.

"이렇게 아름다운 당신과 결혼을 해서 같이 사는데 기대만큼 행복하지 않다는 생각이 들거든."

그녀가 얕은 한숨을 내쉬었다. 잠깐의 침묵 후에,

"우리 아기 가질까요?"

윤화가 눈을 반짝이며 물었다. 승호는 당황스러웠다. 전혀 예상하지 못한 제안이었다.

11

《관계》

밀었다 당겼다 하는 것

그래서 멀었다 가깝다 하는 것

지겨웠다 설레였다 하는 것

시들었다 꽃피었다 하는 것

그러나 아예 사라지진 않는 것

손잡는 범위 안에 있는 것

호명의 반경 안에 머무는 것

- 한이슬의 블로그

승호가 이슬의 술자리 제안에 응한 것은 쳇 베이커 노래를 들은 바로 다음날이었다. 오전 회의가 끝나자 그는 문자를 날렸다.

용한 점쟁이 아가씨, 참이슬에도 부적 기능이 있습니까?

슬며시 승호 쪽을 바라보고 씨익 웃고는 자기 컴퓨터에 타이핑하는 한이슬.

경우에 따라서는요. 오늘 저녁에 하실래요?

승호는 '하다'라는 동사에 느닷없이 묘한 흥분감이 일었다. 뭘 한다는 말인가? 이 당돌한 여직원은 뭘 제안하는 걸까? 동사의 목적어는 분명히 '음주'나 '식사', '술자리'일 거라고 생각하면서도 머릿속에 음란마귀가 작동하는 듯했다. 이슬과의 잠자리섹스 장면까지 떠올리고 나서야 승호는 고개를 가로저었다.

회식은 아니니까 다른 분들한테는 말하지 말고 6시 반에 봅시다. 봉명동에 맛있는 찜닭집 있음

불필요한 걱정까지 드러내고 났더니 비밀스러운 만남이 두드러져 승호는 이상한 감정이 들었다. 이슬은 이쪽으로 고개도 돌리지 않고 웃고 있었다.

롸저

'롸저(roger)'라니…… 롸저는 무선통신에서 알았다는 뜻이지만 성교하다는 뜻도 있음을 승호는 알고 있었다. 이슬이 그걸 아는지 모르는지 그는 알 길이 없었다. 약속을 하고 났더니 그녀와의 만남이 더 신비스러워진 느낌이었다.

11월로 접어드니 사무실이 더 바빠졌다. 국회의원 총선거가 반년도 남지 않은 상태였다. 업무가 많다기보다는 긴장감과 초조함이 커진다고 해야겠다. 사실 초선 지역구 국회의원의 '목줄'은 중앙에서 쥐고 있다. 공천관리위원회가 구성되고 시스템에 의해 공천을 한다고는 하지만 당대표와 원내대표가 어떤 사람을 공천위원장으로 선임하냐에 따라 본선 티켓이 좌우됐다. 나쁘게 말하자면 줄서기, 좋게 말하면 고도의 정치적 판단이 필요한 것이다. 위로는 공천권을 쥔 사람들에게 눈도장을 찍어야 했고, 아래쪽으로는 주민들의 표심을 사야 했다. 당원과 일반시민 여론조사를 합해 공천을 결정하기 때문에 선거 전 몇 달은 국회의원들이 지역구 사무실에 자주 내려오는 시기였다.

조기섭은 보수정당 소속이었다. 대전 출신으로(예전에는 충남 대덕군에 속해 있었다) 58년 개띠였고, 재수를 해 78학번이었다. 서울대 사회대 학생회장이었는데 1980년 소위 '서울의 봄'을 주도한 운동권 출신이었다. 2년의 수감생활 이후, 선배가 운영하는 출판사에서 일을 받아 교정이나 번역으로 근근이 생계를 유지했다. 김영삼 정부가 출범한 1993년에 특별복권이 되어 겨우 졸업장을 받았다.

"그때가 서른여섯이었지 아마."

직원들을 모아놓고 조기섭 의원이 가장 자주 하는 여담이 바로 그 당시의 회고였다. 승호는 여의도에서 듣던 스토리를 지역구 사무실에서 또 들어야 한다는 사실이 괴로웠다.

"그 별것 아닌 종이 한 장에 울컥 눈물이 나는 거야. 내 청춘이 그 종이 한 장으로 귀결된 것 같달까? 사람이 죽어서 몇 줌 유골로 남는 느낌이었어요. 졸업장을 들고 한참을 울었지. 그러고 나서 일하려고 원서 책을 보니 도저히 엄두가 안 나는 거야. 한 줄도 번역을 못하겠더라고. 그 길로 짐을 싸서 영등포역으로 갔지."

조기섭의 낙향은 패배 인정이었다. 천재 소리를 자랑스러워하던 부모는 그즈음 아들에 대한 모든 기대를 접은 상태였다. 서울대에 진학했을 때는 모든 사람들이 자식 농사 풍년이라며 부러워했고, 수배령이 떨어졌다는 소식에 불안감은 있었어도 나라의 큰 재목이 되기 위한 과정이라고, 부모는 여겼다. 그러나 아들이 군 대신에 감옥에 갔을 때 몇 번의 면회 끝에 부모는 그의 성공에 대한 기대를 접었다. 그저 보통의 생활인으로나마 지내주기를 바랐다.

"아버지한테 졸업장을 내밀었더니 반응이 어땠는지 알아요?"

벌써 네 번째 듣는 이야기였다. 승호가 둘러보니 정 국장과 채 비서관도 지겹다는 듯 고개를 숙이고 있었다. 여의도에서 따라 내려온 비서관과 수행원 둘은 무표정한 얼굴로 조 의원의 말에 가끔씩 고개를 끄덕일 뿐이었다. 이야기를 처음 듣는 건 한이슬 뿐이었다.

"찢어 버리셨죠?"

이슬의 느닷없는 질문에 모두가 깜짝 놀랐다. 아무도 예상치 못한 어린 여자의 등장이었다. 승호는 어디선가 읽은 문장이 생각났다.

꼰대는 궁금해서 질문하는 것이 아니라, 자기 말을 하려고 질문한다.

꼰대의 특성을 늘어놓은 리스트 중 하나였는데 이슬이 보기 좋게 되치기를 한 셈이었다. 승호는 새어 나오는 웃음을 겨우 참았다.

조금 전 한이슬은 자리마다 차를 내려놓고 귀퉁이 의자에 자리를 차지하고 앉아 있었다. 김민희 같았으면 자기 자리로 돌아갔을 텐데……

젊은 여직원의 예기치 않은 반응에 조 의원도 당황한 기색이었다. 잠시 멈칫하더니 무반응보다는 낫다고 생각하기로 작심했는지 당혹감을 추스르고 다시 말을 이었다.

"차마 찢지는 못하고 내던지시더라고. 이따위가 뭔 소용이라면서."

"알 것 같아요. 나를 차버리고 떠난 애인이 돌아왔을 때의 심정 같지 않았을까요? 좋긴 좋은데 야속하기도 하고, 그동안 낭비한 감정도 아깝고……"

이슬의 맹랑함에 모두가 다시 한번 놀랐다.

"아가씨 이름이 뭐라고 했지?"

조기섭이 불쾌감을 숨기지 못하고 물었다. 아가씨라니…… 승호는 자기도 모르게 얼굴이 일그러졌다.

"한이슬이라고 합니다."

전혀 주눅 들지 않는 기색이었다. 용감한 것인지, 철딱서니가 없는 것인지 승호는 헷갈렸다. 마음 한편에서는 통쾌한 마음도 들었다.

"의원님, 국회의원 당선증 보여드리셨을 때는 어떠셨어요? 아버님 반응이 궁금해요."

뭐라 말하려던 조기섭의 발언을 이슬이 가로챘다. 영감은 잠시 생각하더니 필요 이상으로 크게 웃었다. 승호는 생각했다. 상대가 녹록지 않다는 사실을 깨달은 꼰대가 민망함을 감추려고 할 때 보이는 반응이었다.

한이슬의 태도는 당돌했지만 겉으로 적대적이지는 않아 영감 입장에서 화를 낼만한 명분이 없었다. 오히려 다들 듣는 둥 마는 둥 하는 발언에 그녀가 유일하게 반응한 것이었다. 조 의원 입장에서는 불쾌해하면 지는 상황이었다. 다른 사람들도 승호와 같은 생각이었는지 당혹감 반, 호기심 반으로 조 의원을 지켜보았다.

"허허, 그때는 좋아하셨지. 그걸 들고 동네방네 돌아다니시면서 자랑도 하시고. 학력고사 통지표 이후로 그렇게 하시는 걸 처음 봤어요. 내심 뿌듯했지. 내년 봄에는 모르겠네. 좋아하실지, 다시 실망감을 드리게 될지."

의욕이 꺾였는지 조기섭은 적당히 말을 마치고, 자기 방으로 들어갔다. 잠시 후 그는 정도완 국장을 불러 이슬 쪽을 흘끔거리며 뭐라고 말하는 모습이 승호의 눈에 들어왔다.

그렇게 사무실 내에서 한이슬의 존재감은 점점 커져갔다. 좋은 쪽인지 나쁜 쪽인지 모르겠지만 조기섭의 눈에도 들었다. 승호 역시 업무적으로 부탁할 일이 늘었다. 이슬의 업무능력이 뛰어나서이기도 했지만 승호가 그런 건수를 일부러 만드는 경우도 있었다. 승호는 한이슬이 점점 신경 쓰였고, 여러 면에서 접점을 만들고 싶었다. 그러던 차에 회식도 아닌 둘만의 식사 자리가 만들어진 거였다.

저녁 메뉴는 승호가 고른 대로 찜닭이었다. 승호와 이슬은 정도완 국장과 채준식이 퇴근할 때를 기다린 뒤, 같이 나와 택시를 타고 이동했다. 봉명동은 젊은이들로 인산인해였다. 11월로 접어들어 밤공기가 차가워지긴 했지만 심하게 춥지는 않았다.

"찜닭 괜찮아? 일방적으로 정한 것 같아 미안하네."

택시 뒷자리에 나란히 앉은 것이 어색해서 승호가 말을 걸었다. 사무실에서는 존대를 했지만 자기도 모르게 반말이 나와 승호 스스로도 놀랐다.

"저 채식주의자예요."

이슬이 싱글거리며 대답했다.

"뭐라고? 정말?"

"아뇨. 농담이에요. 놀라는 표정하고는. 큭큭"

장난기 어린 미소를 지은 채 차창 밖을 보는 한이슬.

"윗사람을 그렇게 농락하면 재미있나? 지난번에 영감한테도 그러더니……"

승호가 볼멘소리로 말했다.

"선배님이 식탁 위 찜닭처럼 긴장하신 것 같아 풀어드린 거예요. 만약에 제가 '괜찮습니다. 저도 찜닭 좋아해요'라고 뻔한 말을 해놓고 가만히 앉아 있으면 선배님이 더 불편하지 않겠어요?"

틀린 말이 아니었다.

"진짜 농락이 뭔지 알아요? 마음을 쏙 빼놓고 거들떠도 안 보는 거예요."

"무슨 말인지 모르겠고, 찜닭 싫어하는 건 아니란 거지?"

"네, 좋아요. 선배님하고 먹는데 당연히 좋겠지."

훅 들어오는 이슬의 멘트에 승호는 또 한 번 당황했다. 헛기침이 나왔다.

"그리고 지난번 의원님도 농락한 거 아니에요. 모두 지루하게 속으로 하품만 하고 있길래 나라도 관심 있는 척해 드린 거예요. 농락이라니요, 배려에 가깝지. 그리고 그렇게 맞장구를 쳐드려야 어른들은 꼰대 습성을 버리게 된다고요. 예예 굽신거리기만 하고 제대로 반응을 안 하면 계속 그래도 되는 줄 안다니까. 권력자가 무반응과 굽신굽신을 만나면 꼰대가 되는 법이에요. 선배님도 조심해요."

이 똘똘함은 도대체 어디에서 나오는가? 중졸 학력의 이십 대 초반 여자가 엘리트로 살아온 승호 자신보다 훨씬 똑똑해 보였다.

"고백하자면 사실 제 병은 선천성 걱정 결핍증이랍니다. 아무리 나쁘게 생각하려고 해도 잘 안 돼요. 타고났나 봐요, 히힛."

선천성 걱정 결핍이라…… 이슬의 낙천성도 부러웠지만 그런 신기한 말들을 자유자재로 만들어내는 능력이 놀라웠다.

식당은 갑천 둔치가 보이는 먹자골목 안에 있었다. 찜닭집 앞 2차선 도로는 주차한 자동차들이 점령했고, 둔덕 아래로는 천변을 따라 산책하는 사람들이 보였다.

"흠잡기 어려운 저녁식사 조건이네요. 갑천 바람 상쾌하지, 디너 메이트 멋지지."

씩 웃으며 이슬이 외투를 벗어 의자에 걸었다.

"이슬 씨, 술도 안 먹고 벌써 취했나?"

민망해진 승호가 앉으며 구시렁거렸다.

외모 어디에서도 예쁘다고 할 만한 구석이 없는데 왠지 모를 매력이 느껴지는 여자였다. 지난 두 달 동안 점점 강하게 승호를 끌어당기고 있었다.

아내 윤화와 달리 이슬은 옷차림과 화장에 신경을 많이 쓰는 것 같았다. 명품으로 치장한 것은 아니지만 매우 세련되고 조화로운 패션 감각이었다. 생각 없이 유행을 쫓는 것도 아니었고, 엉뚱하게 튀지도 않았다. 머리띠부터 구두까지 전체적인 조화가 느껴지는 차림이었다. 그러면서도 매일 아이템에 포인트가 하나씩 있었는데 그날은 짙은 파란색의 귀걸이였다. 잔털이 몽롱하게 핀 하얀 스웨터에 대비되어 그녀의 귀걸이는 매우 청량한 느낌을 주었다. 찰랑거리는 파란 귀걸이가 명랑한 이슬의 캐릭터와 닮았다고 승호는 느꼈다.

둘의 대화는 편하고 유쾌했다. 책과 영화, 음악, 운동, 학창 시절과 가족 이야기 등 오랜만에 만난 친구와 나눌 만한 대화가 쉼 없이 오갔다.

"결혼하면 좋아요?"

이슬이 소주잔을 찰랑거리며 물었다.

"글쎄, 아직 잘 모르겠네. 아, 이슬 씨가 어제 얘기했잖아. 내가 결혼 스트레스 받아서 엉망이라고."

결혼이 좋은지 나쁜지 승호 입장에서는 모르겠는데 상대가 더 잘 아는 듯했다.

"기 빨리는 게 맞다니까. 시지푸스의 화살을 맞았다고 생각하겠지만, 사실은 큐피드의 바위를 굴리는 일이라고요, 결혼이란 거."

승호는 세 병째 참이슬을 따면서 웃었다.

"왜, 이카루스의 개랑 파블로프의 날개도 바꾸지 그래?"

한 번의 웃음과 한 잔의 음주가 오갔다.

"이슬 씨는 남자친구 없어?"

"왜, 없어 보여요? '있어'라고 안 묻고 '없어'라고 묻는 걸 보니 없었으면 좋겠구나?"

턱을 괸 이슬의 팔이 잠깐 주지앉았다. 승호 눈에는 약간 취해 보였다.

"이십 대 초반이면 한창때인데 연애도 부지런히 해야지."

"관심 없어요."

이슬이 리드미컬한 손동작으로 소주를 입에 털어 넣었다.

"남자한테 관심이 안 가요."

"또래 남자들이 단순하고 어려서 그런가? 왜, 여자에 비해 남자가 정신연령이 낮잖아. 이슬 씨는 나이에 비해 조숙한 것 같고."

승호도 한 잔을 비웠다.

"나 찜닭 처음 먹어 봐요."

승호의 잔에 소주를 채우며 이슬이 동문서답을 했다. 자기 잔도 채우려고 하자 승호가 그녀의 잔에 손을 대어줬다.

"정말? 몰랐네. 처음 먹은 소감이 어떤데? 맛있나?"

"처음인데 어떻게 알겠어요? 다섯 번은 먹어 봐야 좋은지 아닌지 알지."

"그렇게 신중한 사람인가, 이슬 씨?"

"신중하다기보다는 섣부르지 않으려고 노력하는 편이죠. 왜, 그런 말도 있잖아요. 돌다리도 맞들면 낫다."

닭고기 한 점이 당면과 함께 이슬의 작은 입안으로 들어간다. 승호는 이슬이 섹시하다고 느꼈다.

"신중한 거나 섣부르지 않은 거나 마찬가지 아닌가?"

"선배님. 마이너스 곱하기 마이너스는 플러스죠?"

"그렇지."

"섣부르지 않는 것이 신중한 건 아니에요. 수학 문제가 아니지. 달라요. 다른 지점이 있어요."

다시 이슬의 원샷.

"그래. 그렇다고 치자."

"그렇다고 친다고요? 난 그 말이 제일 싫더라. 이해 못하면서 더는 얘기하고 싶지 않다는 뜻이잖아요."

"그래? 그렇다면 미안."

"그렇다면 미안? 난 그 말도 제일 싫더라. 상대방 감정에 공감 못하면서 갈등은 피하고 싶은 비겁함."

이슬의 입이 뾰로통 튀어나왔다. 승호가 몸을 일으켜 그녀에게 입을 맞춘 것은 순식간의 일이었다. 그는 재빨리 다시 자리에 앉았다. 그제야 가슴이 쿵쾅거리기 시작했다. 그의 기습적인 행동에 놀란 한이슬은 눈만 껌벅이고 있었다. 놀라기는 승호 자신도 마찬가지였다.

"미안. 이번에는 진짜 미안. 나도 모르게……"

승호가 말끝을 흐린 뒤에 민망함을 감추려고 술잔을 비웠다. 건배도 하지 않고 이슬도 술잔을 비웠다. 그 이후로 둘 사이에는 거의 대화가 없었다. 승호는 속으로 자책했다.

얼마 간의 어색한 시간이 흐르고 이슬이 일어났다. 승호도 재빨리 옷을 챙겨 입고 먼저 카운터로 가 계산을 마쳤다. 바깥공기는 여전히 상쾌했다.

"선배님, 우리 좀 걸을래요?"

둘은 이 차선 도로를 건너 갑천을 따라 산책로에 들어섰다. 9시가 조금 넘은 시각이었는데, 식후 산책을 하는 사람들이 제법 많았다.

"타이타닉 영화 봤어요?"

코트에 두 손을 찔러 넣은 채 이슬이 오랜만에 말을 걸었다.

"봤지. 여러 번 봤지. 케이블 채널 돌리다가 우연히 본 걸 합치면 일곱 번은 될걸?"

"배 위에서 침 뱉는 장면 기억해요?"

영화 초반부였다. 모험을 좋아하는 날라리 디카프리오가 부잣집 약혼녀 케이트 윈슬릿에게 자유분방함을 알려주는 장면이었다.

"기억하지. 여자 주인공이 난감해하다가 나중에는 깔깔대면서 같이 침을 뱉었지."

"선배님은요, 아무리 꼬셔도 영원히 침 못 뱉을 사람 같았어요."

가로등 윤슬이 비친 갑천을 보며 한이슬이 말했다. 하얀 입김이 허공에 퍼졌다.

"아까 나한테 뽀뽀했을 때" 그녀가 말했다. "아니란 걸 알았어요. 선배님도 본능이 있구나. 끌리는 걸 묵살하며 살기만 하는 건 아니구나 싶어서……"

"그래서?"

"다행이라고 생각했어요. 범생이어도 꽉 막힌 사람은 아니구나 싶어서."

"나한테 원하는 게 있어? 솔직히 말해봐."

승호는 걸음을 멈추고, 이슬 쪽으로 몸을 돌렸다. 따라서 멈출 줄 알았는데 그녀는 멈추지 않고 계속 걸었다.

"나중에 말해 줄게요. 아주 나중에. 시간이 몹시 흐른 뒤에."

고개를 한껏 젖혀 하늘을 향해 긴 숨을 내뿜으며, 이슬이 걸었다. 승호는 종종 걸음으로 그녀를 따라갈 수밖에 없었다. 둘은 다시 한동안 말없이 걸었고, 계단을 올라 다시 이 차선 도로로 나왔다.

"대신 오늘은 다른 비밀 세 가지를 말해 줄게요."

"세 가지나? 듣고 나면 많이 가까워질 것 같은 느낌인데?"

심각해지지 않으려고 승호가 일부러 가볍게 말했다.

"첫째, 나 여자 좋아하는 여자예요."

전혀 예상하지 못한 말에 승호는 놀라 걸음을 멈췄다. 이번에도 이슬은 걸음도 말도 멈추지 않았다.

"둘째, 오늘 처음으로 여자 아닌 사람하고 섹스하고 싶어졌어요."

승호는 조용히 따라가며 듣기만 했다. 당혹감을 감추려고 했지만 쉽지 않았다.

"셋째는?"

"오늘 나 한이슬은 양심적 섹스 거부자입니다."

그 말을 끝으로 이슬은 정차되어 있던 택시 안으로 들어갔다. 약간 뒤쪽에서 걷던 승호가 붙잡을 틈도 없이 택시는 출발했다. 5초도 걸리지 않았다.

천변 가로수길에 남겨진 승호는 정신이 얼떨떨했다. 현실감이 없었다. 이슬이 남긴 말도 충격이었지만, 방금 전까지 누가 곁에 있었던가 싶게 비현실적이었다. 잠시 후 겨우 정신을 차린 것은 핸드폰이 울렸기 때문이었다. 아내 윤화였다.

"회식 끝났어요?"

"어어, 응. 얼추. 안 잤어?"

당황할 때마다 디듬게 되는 말.

"지금이 몇 시인데 벌써 자요? 그리고 나 밤잠 별로 없잖아요."

"어. 조금 전에 이차 끝났는데 채 비서관이 한 잔 더 먹자고 하네. 따로 할 말이 있나 봐."

거짓말이 유창해지는 자신의 모습에 승호는 놀랐다.

"알았어요. 오늘은 할 수 없겠네요. 과음은 두뇌 건강에 안 좋으니까 적당히 먹고요. 안녕."

'오늘은 할 수 없겠다는 말이 무슨 말이지?'

전화를 끊고 승호는 생각했다.

'윤화가 잠자리를 기대하고 있었나?'

느닷없이 아내의 벗은 모습이 홀로그램처럼 아른거렸다. 그녀의 완벽한 몸매가 눈앞에 그려졌다. 발치에서부터 무릎으로 올라와 허리와 가슴이 보였다. 목덜미를 지나 올라와 보이는 얼굴은…… 한이슬이었다! 자신의 상상에 스스로 놀랄 수 있다는 것이 또 놀라워 승호는 그 자리에 맥없이 쪼그려 앉고 말았다. 다시 두통이 일었다.

12

나를 헝클고 간 바람이 잘 지낸대
야속이란 말, 이때 쓰라고 있는 거, 맞지?
— 한이슬의 일기

승호는 도저히 집에 들어갈 수 없었다. 술은 이미 다 깼다. 불과 20분 전에 충동적으로 이슬에게 입을 맞췄고, 불과 5분 전에 그녀에게서 동성애 커밍아웃과 자신에 대한 고백을 동시에 들었다. 그리고 사라졌다.

갑자기 한기가 느껴졌다. 승호는 일단 정신을 추슬러야겠다고 생각했다. 조금 전의 상황을 정리하지 않은 채 집에 돌아가고 싶지는 않았다. 충동적으로 길을 건너 가장 먼저 보이는 술집에 들어갔고, 들어가 보니 바였다. 출입문을 열지 네온 불빛으로 장식된 상호가 보였다.

네가 원하는 바

실내는 어두웠고, 스무 평쯤 되는 공간에 디귿 자로 테이블이 둘러져 있었다. 남자 손님들 대여섯 명의 뒷모습과 옆모습이 보였고, 그들을 상대하는 여자들 서넛의 웃음소리가 들렸다.

승호가 빈자리를 찾아가 앉자 30대 중반으로 보이는 여자 한 명이 다가와 마주 앉았다. 향수 냄새가 훅 끼쳐왔다.

"어머, 오빠 오랜만."

"처음 왔는데?"

"아잉, 그러니까 오랜만이지" 여자가 훑어본다. "28년 만에 처음 왔네. 맞지?"

여자의 수작에 어이없는 웃음이 새어 나왔다.

"오빠, 어떤 술 줄까? 내 입술은 안 돼요. 전생에 키핑해 두고 간 30년산?"

여자가 메뉴판을 내밀며 윙크를 했다.

"그냥, 음…… 잭 다니엘. 작은 걸로. 안주는 필요 없어."

"오빠, 우리는 제철 과일이 기본으로 나가요. 독한 술만 먹으면 속 버려. 그리고 주방 찬모도 일이 있어야지."

또 한번 윙크하고 사라지는 독한 향수.

승호는 핸드폰을 꺼냈다. 한이슬의 카톡 프로필을 찾아보았다. 아까 차고 있던 파란 귀걸이 한 쌍이 손 위에 올려져 있는 사진이었다. 배경 화면은 누군지 알 수 없는 (여자로 추정되는) 얼굴 사진이었는데, 턱과 목, 쇄골의 일부가 드러나 있었다. 지나치게 클로즈업되어 자세히 관찰하지 않으면 신체 일부인지조차 알기 어려웠다.

'한이슬의 여자친구일까?'

한 시간 전의 대화가 다시 떠올랐다. 남자친구 있느냐는 질문에 이슬은 대답하지 않았다. 대신, 없으면 좋겠는지 되물었다.

'솔직히 없었으면 좋겠지. 매력을 느끼기 시작한 여자에게 이미 사랑하는 사람이 있으면 누구나 안타깝겠지. 그런데 남친이 아니라 여친이라니……' 승호는 믿기지 않았다.

Post coitum omne animal triste est

한이슬의 카톡 인사말이었는데, 라틴어 같았다. 승호는 문장을 복사해 포털에 검색해 보았다. 검색 결과는 '섹스 후에 모든 동물은 우울하다'였다.

잭 다니엘 한 병을 들고 와 다시 앞자리에 앉은 여자가 능숙한 솜씨로 얼음을 옮겼다.

"오빠, 한 잔 받아. 전생 이후로 정말 오랜만에 나타난 오빠. 완샷."

이 여자의 매뉴얼인 듯했다. 무조건 오랜만이라고 해놓고 처음이라면 전생 운운하는…… 나이도 몇 살은 깎아서 기분 좋게 만드는 수작이 훤히 보였다.

"난 샛별이라고 해. 반가워요, 오빠."

여자가 잔을 부딪히더니 단숨에 들이켰다. 따라놓은 물컵을 든다. 저렇게 해서 입안에 있던 양주를 다시 내뱉는다는 사실을 승호는 알고 있었다. 여의도 증권맨 시절에 많이 봤던 행태였다. 술에 취하지 않으면서 많이 팔려는 속셈이었다.

승호는 귀찮았다. 이렇게 들러붙는 여자가 있는 줄 알았다면 들어오지 않았을 것이다. 조용히 감정을 추스르기엔 평범한 맥줏집이 나을 뻔했다.

"나 좀 생각할 게 있어서."

손을 두 번 흔들어 가라는 표시를 했다. 뾰로통해진 샛별이 향수 냄새를 걷어 다른 테이블로 옮겨갔다. 승호는 이슬에게 카톡 문자를 썼다.

잘 들어갔어? 갑자기 사라져서 놀랐네

메시지 옆 숫자 1이 뜨기가 무섭게 사라졌다. 톡을 열어놓고 있는 거였다.

내 말에는 안 놀랐고요?

곧바로 인쇄되는 답장.

놀랐지, 물론. 정신이 없네

다시 말하지만 나는 오늘 양심적 섹스 거부자예요. 선배님이랑 섹스하고 싶지만 오늘은 아니에요

누가 뭐래? 누가 하재? ㅋㅋㅋㅋㅋ

그리고 한 시간 후에 오늘이 끝나요

겨우 진정되었던 승호의 심장이 갑자기 두근거리기 시작했다.

'이 여자 도대체 뭐지? 한 시간 후에는 양심이 사라지나?'

나 떨려요

왜

이따 선배님 다시 만날 생각에

간다고 안 했는데

오게 될 거예요. 아까 거기서 멀지 않아요. 택시로 5분. 겟로스트라는 호텔이에요. 길 잃어버리지 말고 와요. 504호임

정신을 차리려고 들어온 곳에서 승호는 다시 정신줄을 놓게 되었다. 시계를 보았다. 11시가 조금 지났다. 당장이라도 호텔로 가고 싶었지만 자존심이 발목을 잡았다. 이슬이 '오늘'은 아니라고 했다. 가능하다면 아예 안 가고 싶었다. 그러면서도 당장 달려가고 싶었다. 덫에 걸린 기분이었다. 빠져들고 싶은 매력적인 덫. 고민 끝에 승호는 최대한 늦게 자정에 맞춰 가는 걸로 마음을 굳혔다. 한숨과

설렘이 동시에 작동할 수 있다는 사실에 놀라며 체념한 듯 문자를 썼다.

알았어. 이따 봐

샛별이 과일 접시를 들고 다가왔다. 여기서 한 시간은 머물러야 한다.

“오빠, 배 잡숴봐. 달고 시원해. 찬모가 시아시 제대로 해놨어요.”

“시아시가 뭐냐? 요새 반일 정서도 몰라?”

승호가 타박했다.

“어머머. 시아시가 일본말이었어? 난 몰랐네. 이놈의 싸구려 구찌, 혼나야겄다.”

여자가 자기 입을 때리는 시늉을 했다.

“아이구, 구찌는 또……” 그가 다시 핀잔을 주었다.

술집 여자들이 으레 그렇듯이 샛별—이름도 가짜일 것이다—도 짙은 향수와 화장 속에 숨어 있었다. 남자 손님들을 홀리기 위한 것이지만 한편으로는 자기 자신을 감추려는 의도도 있을 거라고 승호는 생각했다.

“샛별? 예쁜 이름이다. 오늘 예쁜 이름을 가진 여자를 자주 만나네. 아까는 이슬이라는 애한테 당했는데.”

“당해? 왜요? 바가지 썼어? 어느 술집인데?”

술집 여자가 찾아낸 화제는 매상과 직결된다.

“아니면, 꽃뱀인가? 돈 달래요?”

“그런 거 아니고” 승호가 말했다. “레즈비언인데 나랑 자고 싶대.”

“어머머머. 뭐야 뭐야. 그럼 양성애자인가? 얼마 전에 그 뭐지, 영화 봤는데. 아, 보헤미안 랩소디! 퀸의 프레디 머큐리가 양성애자였두만.”

승호의 잔에 얼음을 추가하며 여자가 호들갑스럽게 말했다. 모든 남자 손님들이 그렇듯 승호의 말도 여자는 허풍이라고 여기고 있을 것이다. 그러면서도 들어주고 이해해 주는 것이 술집 여자의 의무요, 남자 손님의 권리다. 돈을 내고 사는 것은 술뿐만이 아니다. 과장과 허풍, 농지거리, 험담 등 온갖 불필요한 말을 배설할 권리도 사는 것이다.

어쩌면 남자는 그런 동물인지도 모른다. 자의로든 자동으로든 일정 주기로 정액을 배출해야 하는 것처럼, 머릿속의 불편한 찌꺼기들을 배설하지 않으면 안 되는 존재. 그 배설을 맨정신에는 못하는 나약한 존재. 그래서 술에 의존하는 존재……

“그건 모르겠고. 호텔에서 기다리고 있는데 오늘은 안 되고 내일은 되니까 자정 넘어서 오래.”

“별 이상한 여자도 다 있네. 한 시간을 왜 기다리라고 해. 하고 싶으면 당장 할 것이지.”

다시 잭 다니엘 온더록스 건배.

“오빠, 아니다. 그럴 수도 있겠다. 여자들은 뭐랄까, 약간 그런 거 있거든. 자존심이라고 해야 되나? 징크스라고 해야 되나?”

승호는 귀가 솔깃해졌다. 승찬이 타박하듯 여자의 심리는 자신의 취약과목이었다.

“뭐 하나라도 내가 원하는 대로 세팅되는 거, 여자한테는 그런 로

망이 있어요. 그게 시간이든, 조명이든, 콘돔 색깔이든 간에……"
우연히 처음 만난 술집 여자한테서 취약과목 족집게 강의를 듣는 느낌이었다. 승호는 의자를 당겨 앉았다.
"아, 그래? 내가 여자를 잘 몰라서 말이야."
"에이, 오빠 겸손도 참…… 여자들 엄청 후리게 생겼구먼."
술 더 많이 팔 속셈은 알겠고, 승호는 과외나 더 받아보자는 심정이 되었다.
"잘 모른다니까. 어떻게 하면 여자들이 좋아하는데?"
샛별이 상체를 숙여 승호 쪽으로 다가오자 향수 냄새가 짙어졌다.
"잘 들어요, 오빠. 내가 비싼 수업 공짜로 해준다. 아니다. 주방 찬모 팁 좀 챙겨줘. 3만 원만."
"알았어."
승호는 지갑에서 만 원짜리 세 장을 꺼내 테이블에 올려놨다.
"잘 생겼지만 숙맥인 오빠, 잘 들어요. 아, 잠깐만."
여자는 주방 쪽으로 사라졌다가 잠시 후에 나타났다. 손에는 하얀 박하사탕 두 개를 쥐고 있었다.
"보아하니 엄친아 비슷하게 자란 것 같고, 결혼을 했는지 아닌지는 모르지만, 여자를 어려워하네. 눈에 쓰여 있어."
"보살님 용하시네."
"오빠, 아 해봐."
무슨 수작인지는 몰라도 승호는 시키는 대로 했다. 샛별이 사탕을 그의 입안에 넣었다.
"술 먹다가 왜 사탕을 안주로 먹여?"

승호가 사탕을 우두둑 씹으며 물었다.

"이거 봐, 이거 봐. 이럴 줄 알았어."

여자가 혀를 끌끌 찼다.

"오빠, 하나 더 먹어봐. 그런데 이번에는 씹지 말고 끝까지 빨아 먹어."

입안의 박하사탕을 다 넘기지도 않았는데 하나가 더 들어왔다.

"이건 무슨 뚱딴지같은 실험?"

그러면서도 승호는 여자가 시키는 대로 씹지 않고 빨기만 했다. 호기심 어린 눈빛으로 샛별이 바라본다.

"오빠, 잘 봐요. 지금 입안에 있는 사탕 달지?"

쪽쪽거리며 고개를 끄덕이는 승호.

"그 달콤함을 길게 늘려야 돼. 엿가락처럼. 그걸 씹어서 없애 버리지 말구."

그러고 보니 사탕이 작아질수록 깨물고 싶은 충동을 참기 어려웠다.

"그게 여자 다루는 방식의 정답이야. 참을성을 가지고 천천히 오래 버티기. 그러면서 이런저런 것을 공유하기. 당장 어쩌자는 생각을 버리고 천천히, 아주 천천히."

승호는 박하사탕이 아주 작아지도록 입에 넣고 있었다.

'오늘 처음 만나는 술집 여자에게서도 배우게 되는 것이 있구나.'

네가 원하는 바에서 여자가 원하는 바를 알게 되었다. 샛별의 이야기를 들으며 승호는 생각했다. 오지선다의 모든 보기가 정답일 수 있다는 생각, 왜라고 따지지 않는 노력, 섣불리 결론 내지 않는

훈련, 그런 것이 필요하겠다고 생각했다. 인생에는 정답이 없는 것인지도 모른다고, 그는 생각했다.

한 시간 후, 승호는 호텔 겟로스트 504호 문 앞에 있었다. 객실 문은 살짝 열려 있었다. 티슈 상자가 문을 받쳐 놓았다. 승호는 다시 취기가 올라온 상태였다. 온더록스로 마시긴 했지만, 한 시간도 안 되는 시간 동안 8잔을 연거푸 들이켠 탓이었다. 그는 심호흡을 크게 한번 하고나서 문을 열었다. 알코올로도 제어되지 않는 심장의 쿵쾅거림이 느껴졌다.

"이슬 씨, 안에 있어?"

인기척이 없었다. 왼편의 욕실 유리문을 열어 보았다. 아무도 없었다. 방금 샤워를 한 것처럼 김이 나고 바닥은 젖어 있었다. 승호는 객실 안쪽으로 들어갔다. 화이트톤의 객실은 크지도 작지도 않았다.

퀸 사이즈 침대 위에 메모가 남겨져 있었다. 스타벅스의 누런 냅킨 위에 급히 휘갈겨 쓴 볼펜 글씨였다.

선배님, 미안해요. 자정이 지나도 양심이 사라지지 않아요. 정말 미안해요

낭패감이 또 한 번 승호를 덮쳤다.

13

《사랑의 비애》
엇나가 잊혀지거나
알맞아 익숙해지거나
사라지는 건 매한가지
- 한이슬의 인스타그램

다음날 이슬은 승호의 눈총을 피했다. 정 국장이나 채준식이 같이 있을 때는 예전과 다르지 않았지만, 승호와 단둘이 있을 때는 말을 걸지 않았다. 카톡 문자도 업무와 관련된 것만 주고받았다. 승호가 참지 못하고 말했다. 둘만 있게 된 오후 시간이었다.

"이슬 씨, 너무한다고 생각하지 않아?"

불쾌함을 숨기지 않고 승호가 큰 소리로 말했다.

"사람을 약 올려도 유분수지, 나랑 장난하자는 거야?"

"미안해요. 길을 잃었어요."

"지금 그걸 변명이라고 해? 내가 아니라 그 누구라고 해도 어젯밤 상황이 납득이 되겠냐고?"

말을 꺼내놓고 보니 승호는 더 감정이 격해졌다.

"선배님이 입맞춤만 안 했어도 그런 일은 없었을 거예요."

단호한 말투였다. 원망하는 뉘앙스는 아니었지만 반격이 분명했다. 승호는 당황스러웠다.

"그래, 맞아. 그래도 그 일은 내가 사과했잖아."

"나도 사과했어요. 다그치지 말아요. 가던 길을 다시 겨우 찾았으니까."

힐난이 아니라 부탁 조였다. 승호는 다시 풀이 죽었고 냉랭한 침묵이 흘렀다. 외근 나갔던 정도완 국장과 채준식 비서관이 들어왔다.

"자자, 붕어빵 먹고 합시다."

준식이 회의 테이블에 검은 비닐봉지를 내려놓으며 말했다.

"어머, 웬 거예요? 올해 나 아직 붕어빵 한 번도 못 먹었는데."

이슬은 사람들 앞에서 변함없이 발랄했다. 승호는 그 모습이 낯설고 불편했다. 어쩌면 저렇게 상황에 따라 분위기가 180도 바뀔 수 있는지…… 핸드폰의 벨 소리를 바꾸듯 머릿속에 보이지 않는 단추 하나만 눌러 편리하게 감정 모드를 교체하는 것 같았다.

"제가 맞혀 볼까요? 정 국장님은 꼬리부터 드시죠?"

이슬의 말에 어깨를 으쓱하며 정도완 국장이 다가와 앉았다. 그리고는 붕어빵 하나를 집더니 반으로 접어 입안에 통째로 욱여 넣었다. 나머지 세 사람의 얼굴이 일그러졌다.

"나는 말이야, 이렇게, 먹어야지, 맛있더라."

우적우적 씹느라 정 국장은 여러 번에 나눠서 겨우 말을 끝마쳤다. 나머지 셋도 하나씩 집어 들었다.

"날씨가 쌀쌀해지면 꼭 이게 생각나더라고. 마침 오늘, 딱, 요 앞 사거리에 오픈! 정 국장님이 돈 내고 낚아 오신 거니까 맛있게들 먹도록."

채가 굳이 생색을 냈다. 저런 말만 안 하면 그렇게 밉상은 아닐 캐릭터라고 승호는 생각했다. 이슬은 뜨거운 걸 달래며 먹느라 말은 못하고 연신 꾸벅거리기만 했다.

"우리 주말에 놀러 가요."

두 마리 째를 집으며 이슬이 말을 꺼냈다.

"단풍이 멋지잖아요. 이번 주말이 절정이래요. 게다가 올해 일교차가 섹시해서 단풍이 예쁘게 들었다는데."

이슬의 제안에 정도완과 채준식이 흔쾌히 응한 것은 이례적인 일이었다. 영감이 참석하는 지역 행사가 잦아 주말 근무는 많이 했어도 직원들끼리 야유회를 가는 일은 없었다. 사무실은 사무적이어야 한다는 말을 모범적으로 실천하던 곳이었다. 그런데 한이슬의 제안에 갑자기 가족적이 되어 버렸다. 이미 두 달 전 이슬이 출근할 때부터 분위기는 바뀌고 있었다.

"나야 뭐, 애들도 다 커서 나갔고, 주말에 남는 게 시간뿐인 사람이라 상관없지만 어린 딸을 둔 준식 씨나 이제 겨우 세 달째 신혼인 승호 씨가 괜찮겠어? 집에서 눈치 주지 않을까?"

좋은 생각이라며 반색한 뒤에 정 국장이 걱정했다.

"그럼 가족 동반으로 해요. 원하시는 가족들에게 오픈! 완전 오픈. 쩍벌, 대환영!"

먹던 붕어빵 반쪽을 입에 문 채, 이슬이 두 팔을 크게 벌렸다. 승호는 내키지 않았지만 저녁에 아내의 의향을 물어보겠다고 말했다. 채준식은 그 자리에서 바로 전화를 해서 와이프와 다섯 살 딸아이의 참석을 확인받았다.

그렇게 해서 사흘 후 토요일 계족산 산행이 결정되었다. 준비위원장을 자처한 한이슬이 일정과 간식, 산행코스와 식사장소 등을 알아보겠다며 자리에 돌아가 앉았다.

두통은 괜찮아요?

잠시 후 이슬이 승호에게 카톡 문자를 보냈다.

너 때문에 심해졌다

갚고 싶어요. 엄두를 낸 죗값, 당황시킨 죗값

무슨 소리야?

7시 겟로스트에서 봐요. 504호

승호의 큰 한숨이 사무실에 퍼졌다.

세 시간 후, 승호와 이슬은 겟로스트 504호의 퀸 침대 위에 있었다.

"체호프 알아요?"

한이슬이 두 다리를 벌려 승호의 허리를 감싼 채로 물었다. 승호는 움직임을 멈추지 않았고 되물었다.

"안톤 체호프? 러시아 작가?"

신음 소리와 함께 겨우 대답이 나왔다.

"응. 안톤 체호프의 법칙도 알아요?"

이슬이 승호의 눈을 올려다보며 다시 물었다. 그는 계속 하체를 움직이며 두 손으로 이슬의 젖가슴을 움켜잡았다. 봉긋 솟은 가슴이 그의 눈길과 손길을 잡아끌었다. 검붉은 젖꼭지가 앙증맞게 곤두서 있었다. 두 달 전부터 점점 강해진 그녀의 매력은 그 순간 벗은 몸으로 절정에 이른 듯했다.

이슬은 내내 승호의 눈만 바라보았다. 그가 움직일 때마다 새된 신음이 흘러나왔고, 가끔 얼굴을 쓰다듬거나 목덜미를 끌어안으면서도 승호의 눈에서 시선을 떼지 않았다.

"안톤이면 안 씨인가? 어쨌든, 누구든, 나랑 있을 땐 다른 남자 얘기하지 마."

승호가 헐떡거리며 말했다.

"선배님, 농담도 할 줄 아시네. 어제는 뽀뽀를 하더니."

이슬이 웃었다. 승호도 따라 웃었다. 잠시 몸의 움직임을 멈추고 딥 키스.

"다른 여자라고 해야 질투가 날 텐데. 남자가 아니고……"

그녀의 말에 승호는 아차 싶었다.

'그렇지. 이 여자는 레즈비언이지. 아니, 이제부터는 양성애자라고 해야 되나?'

이 방에 들어올 때부터 승호는 윤화의 모습이 아른거렸다. 둘을 비교하지 않으려고 애썼지만 잘되지 않았다. 윤화는 키가 크고 아름답다, 하지만 이슬처럼 매력적이지 않다, 가슴만큼은 윤화보다 이슬이 풍만하고 섹시하다, 하지만 나는 윤화처럼 날씬한 여자가 좋다, 윤화는 30살, 이슬은 23살…… 그런 생각이 끊임없이 떠올랐다.

둘은 지적인 면도 달랐다. 윤화가 집요함이라면 이슬은 여유로움이었다. 승호 스스로는 무거움이라고 생각했다. 쓸모없이 거추장스럽기만 한 지식을 잔뜩 지닌 거위와도 같은 존재……

승호는 죄책감이 들어 불편했는데, 그것이 아내와 이슬 중 누구에게 갖게 되는 것인지 헷갈렸다. 결혼한 지 세 달 만에 바람을 피워 윤화에게 미안한 것인지, 이 순간에 집중하지 못하고 와이프를 떠올리는 것 때문에 이슬에게 미안한 건지 분별하기 어려웠다.

승호 입장에서는 억울한 마음도 있었다. 윤화는 결혼 이후 더 이상해졌다. 1월 첫 만남 이후로 느꼈던 여자로서의 매력은 결혼 후 급속도로 사그라들었다. 그녀는 아무리 노력해도 풀리지 않는 문제처럼 느껴졌다. 대신 자신을 실험실의 생쥐처럼 여기는 듯한 윤화의 태도가 점점 더 거슬렸다. 그런 아내가 승호 자신으로 하여금 이슬에게 편안함과 동질감을 느끼게 만들었고, 결국은 이런 상황에 이르렀다고 스스로 변명했다.

"1막에서 권총이 나오면 3막에서 분명히 살인이 벌어진다. 그게 안톤 체호프의 법칙이래요."

섹스 중에 이렇게 말이 많은 여자는 처음이었다. 그렇다고 이슬이 집중하지 않는 것 같지는 않았다. 섹스라는 의식에 대화가 포함되는 여자라고 느껴졌다. 승호는 이슬과는 달리 아무 말 없이 자신을 관찰하기만 하는 윤화의 눈빛이 불쑥 떠올랐다.

"3막에서 일이 벌어지려면 1막에 콘돔이 나와야 하는 건가?"

"그게 경승호의 법칙이라면" 이슬의 말과 숨이 동시에 나왔다. "1막에서 한번, 2막에서 한번, 3막, 4막에서 한 번씩, 막막막막 매번 하고 싶어지는데요."

승호는 이슬의 큰 눈망울을 내려다보았다.

'이 어린 여자는 도대체 무엇 때문에 나와 이러고 있는 걸까? 호감일까? 단순한 욕정이나 호기심일까?'

한이슬이 팔을 뻗어 승호의 목을 감싸고, 두 다리로 그의 엉치를 둘렀다. 쉴 새 없이 마중물을 내보내 그녀의 몸은 촉촉했다. 침대 시트가 흥건해질 정도였다.

"더 깊이. 아주 깊이."

처음으로 그녀가 눈을 감았다. 볼수록 매력적인 모습이었다.

"내 안쪽에 영역 표시를 해 줘요."

"콘돔이 가로막고 있는데."

이슬은 그를 몸에서 떼어냈다. 재빨리 손을 뻗어 그의 페니스에서 콘돔을 걷어내고, 다시 자신의 몸속으로 넣었다.

"괜찮아요. 걱정 안 해도 되는 날이에요."

승호의 불안한 눈빛을 읽고 이슬이 먼저 말했다.

"이제, 이제, 나한테 선배님을 새겨줘요. 깊이, 아주 깊이. 그때 같이 도달하고 싶어요. 동시에."

그녀의 허리가 활처럼 휘었다 펴졌다를 반복했다. 승호의 이마에 맺힌 땀이 이슬의 가슴에 떨어졌다. 둘은 쉬지 않고 움직였다. 마침내 절정에 이르렀을 때, 승호는 가지고 있던 걸 남김없이 주었다는 듯 전율했고, 이슬은 황홀감을 이기지 못해 비명에 가까운 신음 소리를 냈다.

승호가 그녀의 몸 위로 쓰러졌다. 둘은 가쁜 숨을 내쉬며 한 동안 그 자세로 멈춰 있었다.

"1막이 끝났습니다."

호흡이 잦아든 이슬이 입을 열었다.

"배우인지 관객인지 모르겠지만, 무대 소감은?"

겨우 호흡이 잦아든 뒤에 승호가 그녀의 귓불에 대고 물었다.
“벌써 어떻게 알아요? 이제 겨우 1막인데……”
“역시 섣불리 판단하지 않는군. 부담되는데?”
“역시 기억력이 좋군요.”
“칭찬을 받으니 기분이 좋네.”
이슬이 두 손으로 승호의 얼굴을 감싸 키스했다. 승호는 혀를 뻗어 한 번 더 그녀의 애교덧니를 핥았다. 얕은 신음소리가 났다. 후회가 이렇게 행복한 섹스은 처음이라고 그는 생각했다.
“1막 베드신이 끝났으니 막간에 샤워와 식사가 이어지겠습니다. 아, 배고파.”
이슬이 일어나며 목욕 가운을 걸쳤다. 그녀는 침대 옆에 둔 스마트폰을 작동해 음악을 틀었다. 그러고는 욕실로 들어갔다.
리드미컬한 피아노 반주가 흐르더니 곧 경쾌한 트럼펫 연주가 들렸다. 며칠 전 이슬이 들려줬던 쳇 베이커인 듯했다.
“렛츠 겟 로스트예요. 우리, 같이 길 잃은 거 맞죠?”
한이슬이 욕실 유리문 틈으로 고개를 내밀어 말하고는 다시 들어갔다. 곧이어 들리는 샤워기 물소리. 승호는 자신의 스마트폰에서 Let's get lost 가사를 검색했다.

Let's get lost
lost in each other's arms
Let's get lost
let them send out alarms

And though they'll think us rather rude
Let's tell the world we're in that crazy mood.
Let's defrost in a romantic mist
Let's get crossed off everybody's list
To celebrate this night we found each other
mmm, let's get lost
mmm, let's get lost
oh oh, let's get lost

우리 길을 잃어요 서로의 품 안에서
우리 길을 잃어요 그들이 경고음을 보내게 놔둬요
그들이 우리를 발랑 까졌하다고 생각한대도
세상에 말해요 우린 완전 미친 기분이라고
낭만적인 안갯속에서 성에를 걷어내요
모든 이들의 명단에서 우리, 지워져 버려요
우리가 서로를 발견한 이 밤을 기념해요
음~ 우리 길을 잃어요 음~ 우리 길을 잃어요

욕실에서 이슬이 샤워하는 소리와 함께 노래는 계속 반복됐다.

'나는 길을 잃은 것인가? 유부남이 다른 여자와 잤으니 길을 잃은 걸까? 아니면 성공의 고속도로를 질주하다가 일탈한, 지난 몇 년이 잃어버린 길인가? 아니면 쌍둥이였던 그 애를 버리고 시작한 인생 자체가 잃어버린 길인가?'

승호의 머릿속은 점점 복잡해졌다.

'이슬은 길을 잃은 것인가, 찾은 것인가? 우리는 서로를 발견한 것인가, 서로를 이용하고 있는 것인가? 우리는 사랑에 눈 뜬 것인가, 미쳐 눈이 멀게 된 것인가? 이곳의 이름은 왜 겟로스트일까? 이슬은 쳇 베이커를 좋아해서 곡명과 같은 이름의 호텔을 택한 걸까?'

인생에서 가장 황홀한 섹스였다는 만족감 뒤에, 끝없이 꼬리를 무는 의문이 들어 승호는 심란해졌다.

"어때, 어제 죗값을 치러 후련해? 아니면, 다른 동물들처럼 우울해졌나?"

호텔에 오는 길에 픽업해 온 피자를 씹으며 승호가 물었다. 스스로에게 묻고 싶은 질문이었다.

"죄 사함은 4막에서 이루어져요. 아직 세 번 더 남았는데?"

이슬이 웃자 애교 덧니가 드러났다. 하얀 가운 사이로 풍만한 가슴이 보였다.

"내 프로필 보셨구나. 포스트 코이툼 옴네 아니말 트리스테 에스트. 우울하거나 슬픈 건 아닌 거 같고, 좀 허탈하단 뜻 아닐까요? 목적을 달성했으니까. 다 그렇지 않나? 목적 달성 후에 과정이 허탈해지는 건."

이슬은 호가든 맥주 캔을 들이켰다. 귀엽게 삐쳐 올라간 단발머리가 목덜미에서 살짝 출렁거렸다.

"너는 도대체 어떤 사람이지? 어린데 인생을 통달한 것 같기도 하고, 학력은……"

"형편없는데 아는 게 많다고요?"
이슬이 말을 끊었다.
"일반적이고 합리적인 궁금함이지. 나뿐만 아니라 다들."
그가 어깨를 으쓱했다. 자신의 학벌을 과시하려는 의도가 아니라는 점을 드러낼 때마다 군색해졌다.
"내가 중졸이어서 신기한 거예요?"
"아니라고는 말 못 하겠네. 요새 흔한 케이스는 아니니까"
"서울대 나온 선배님이 멍청한 것과 다를 바 없어요. 그것도 흔한 케이스는 아니죠."
그 말을 이해하는 데 10초쯤 걸렸다. 생각하지 않는 척하려고 승호는 맥주를 마셨다.
"음. 그렇다 치자, 라고 말하고 싶지만 또 혼날까 봐 더 물어봐야겠는데?"
"뭐든요. 중학교 교과 범위 내에서 다 대답해 줄게요."
"내가 멍청하다고 판단하는 근거는 뭐지?"
그 순간 갑자기 이슬의 눈동자가 흔들렸다. 당황한 기색이 역력했다.
"지……금은, 지금은 말 못해요. 나중에 아주 나중에 얘기할게요."
승호는 난감해졌다. 내심 이런 대답을 예상했기 때문이었다. '내가 좋아하는 마음도 몰라주고, 무감각하고, 섣부르고, 조급해서 일을 그르치고……' 그런데 그런 대답이 아니었다. 뭔가 다른 이유가 있는 듯했다.
"아주 나중이라니 영원히 말하지 않겠다는 뜻 같군."

"내년 첫눈이 내리기 전에는 모든 걸 말해 줄게요."

다시 평정심을 찾은 이슬이 수수께끼 같은 말했다. 승호는 볼수록 매력적이라고 느꼈다. 윤화처럼 첫눈에 반할 여자는 아니어도 두 달 동안 알고 지낸 뒤에 사랑하지 않을 남자는 없을 거라고 승호는 생각했다.

"어쩌자고 가족 동반 산행을 제안한 거야?"

승호는 오후 내내 불편했던 얘기를 꺼냈다.

"왜 대화가 계속 취조 모드죠? 선배님이 묻고, 나는 계속 실토해야 될 거 같고……"

이슬의 입이 삐죽 나왔다. 집에 있을 때 승호는 묻는 사람이 아니라 답하는 사람이다. 자기도 모르게 이슬에게는 자꾸 질문을 하게 되었다. 승호는 대답 대신 허리를 뻗어 그녀에게 입을 맞췄다. 어젯밤처럼.

"형사가 귀여운 짓을 하니까 봐주는 의미에서 피의자가 답변하겠습니다. 그게 뭐 잘못됐어요? 11월 초 단풍이 절정이니까 구경 가자, 그런데 가족들 눈치가 보인다, 그러면 가족들이랑 같이 가자, 댓츠잇!"

승호는 천진난만한 건지, 음흉한 건지 속을 모르겠다 싶었다.

"말 나온 김에 언니한테 전화해 봐요. 주말에 같이 갈 건지."

스스럼없이 언니라고 지칭하는 당돌함에 그는 놀랐다. 농담이다 싶었는데 한 번 더 재촉하길래 승호는 정말로 전화기를 들었다. 9시가 넘어가 전화를 할 타이밍이기도 했다.

"어, 나야. 저녁 먹었어? 응, 먹고 있지. 꽤 힘드네. 이틀 연속이라…… 어, 언론사 사람들이 좀 드세잖아.”

살짝 이슬의 눈치를 보는 경승호.

“그건 그렇고. 이번 토요일에 사무실 직원들이 계족산 단풍놀이 가자는데 같이 갈래? 어, 가족동반이래. 아, 정말? 그러면 좋지. 알았어. 그러지 뭐. 늦을지도 모르니까 먼저 자. 응, 알았어.”

전화를 끊자 호기심 가득한 이슬의 눈빛이 부담으로 다가왔다. 승호는 약간 허탈한 마음이 되어 말했다.

“간대. 좋대.”

“그럴 줄 알았어요. 잘 됐네.”

“이거 기우고, 노파심인 거 아는데…… 너, 내 와이프 앞에서……”

이슬이 검지를 뻗어 그의 입술에 갖다 댔다.

“쉿! 나 바보 아니에요. 선배님이랑은 다르다고요.”

이슬과 같이 있을 때 승호는 정말 바보가 되는 느낌이었고, 그녀의 말대로 하면 아무 문제가 없을 것 같았다. 설령, 외도라는 엄청난 사건이라고 해도……

“이제 2막의 커튼이 올랐습니다.”

승호의 무릎에 올라타며 한이슬이 외쳤다.

14

《가을》

나쁜 짓 하기 좋은 계절

상처 줬다면 가을 탓이다

내 탓이면 내가 아파야 하지만

계절 탓이므로 기다리면 된다

곧 아문다

— 한이슬의 시집 '설움의 효능'

주말의 계족산은 인산인해였다. 이슬의 말대로 그해 가을 단풍은 예년보다 예쁘게 들었다. 11월 초였는데도 다행히 춥지는 않았다. 예쁜 단풍과 좋은 날씨 때문에 산은 입구부터 사람들로 북새통이었다.

승호는 주차하는 데 애를 먹고 있었다. 등산로 입구 가까이 대려는 욕심이 화근이었다. 집에서는 여유 있게 출발했다. 윤화가 외출하는 데 걸리는 시간은 여느 여자들과는 달리 아주 짧았다. 꾸미는 데 품과 시간을 들이지 않기 때문이었다. 보통의 부부라면 서두르는 남편과 재촉하지 말라는 아내의 다툼이 있기 마련인데 둘은 그런 갈등이 없었다.

둘은 집을 나와 청주 방향의 국도를 타고 20분쯤 달렸다. 장동 방향의 지방도로 접어들자 신탄진 쪽에서 들어오는 4차로가 보였다.

조금 더 진입하자 길가에 주차한 차들이 보이기 시작했다. 윤화는 그쯤에서 길가에 차를 대고 걸어가자고 말했지만 승호는 계속 차를 몰았다. 등산로에서 더 가까운 곳에 주차 자리가 있을 거라고 믿었는데 그게 패착이었다.

"여기서 약속 장소까지 걸으려면 십오 분도 넘게 걸릴 거야."

시계를 보니 벌써 약속 시간인 열 시였다. 오전 시간이라 나오는 차량은 거의 없었고, 등산을 위해 들어가는 차들만 가득했다. 그 길의 끝에 주차장이 있는데 그 뒤로는 길이 없었다. 막다른 길인 셈이다.

승호의 BMW 차량 앞뒤로 차들이 길게 꼬리를 물기 시작했다. 어느 순간부터는 모든 차들이 아예 옴짝달싹하지 못했다. 왕복 이차로의 양쪽은 이미 주차된 차들로 가득했다. 그 사이로 도로는 차 두 대가 겨우 지나갈 정도였다.

"아, 저 앞에서 꼬인 모양인데……"

승호는 초조한 마음에 자꾸 목을 길게 늘려 앞쪽을 넘겨 보았다. 단단히 엉킨 것 같았다. 그렇다고 차를 돌리는 것도 불가능했다. 들어가겠다고 좁은 구멍에 머리 여러 개를 들이댄 형국이었다.

단톡방을 보자 승호 부부를 제외하고 모두 모인 것 같았다. 그는 더 초조해져서 문자를 남겼다.

주차가 너무 힘드네요. 조금만 기다려 주세요. 죄송합니다.

"내가 먼저 내려서 갈게요. 등산로 입구 삼거리 정자에 모여 있다는 거죠?"

윤화가 아웃도어 점퍼의 지퍼를 올리며 말했다.

"그래도 같이 가야지. 자기 우리 회사 사람들 얼굴도 잘 모르잖아?"

"결혼식 때 봐서 알아볼 수 있을 거예요. 내가 못 알아보면 사무실 사람들이 알아보겠지. 계족산에서 제일 예쁜 여자라고 단톡방에 일러둬요."

윤화는 말릴 틈도 없이 차에서 내렸다. 줄지어 서 있는 차들 사이로 씩씩하게 걷는 아내의 뒷모습을 승호는 하릴없이 바라보았다. 십분 전에 윤화의 말을 들을 걸 하는 후회가 밀려왔다. 잔머리를 굴리다가 미로 속에 갇힌 셈이 되었다.

승호는 주홍글씨라는 영화가 떠올랐다. 남녀 주인공이 장난을 치다가 자동차 트렁크에 갇혀 한 사람—둘 중 누군지는 기억나지 않았다—가 죽는 이야기였다. 처음엔 별것 아니었지만 황당한 상황에 이른 자신과 비슷했다. 조금 더 가까운 주차공간을 원하는 사람들의 작은 욕심들이 모여 아무도 빠져나갈 수 없는 외통수를 만든 거였다.

승호는 아내가 먼저 내려 합류한다고 단톡방에 문자를 남겼다. 주차하는 대로 날다람쥐처럼 뛰어 올라갈 테니 먼저 산행을 시작하라고도 했다. 초조하고 심란한 마음을 달래려고 라디오를 틀었다. 고정적으로 맞춰진 클래식 채널에서 차이콥스키의 교향곡 연주가 흘러나왔다. 승호는 눈을 감고 생각에 잠겼다.

그는 다른 사람을 기다리게 하는 것이 싫었다. 기다리는 것은 얼마든 참을 수 있다. 하지만 상대가 누구든 자기 때문에 시간을 허비하는 건 승호가 참기 힘든 상황이었다. 승찬의 분석에 의하면 그

것 역시 그 못난 범생이 기질 중 하나였다. 완벽해야 한다는 강박이 만든 조바심이었다.

그게 전부가 아니었다. 한이슬과 아내가 만난다는 것이 신경 쓰였던 것이다. 자신의 통제를 벗어나 어떻게 전개될지 모르는 불안감이었다. 상황 자체도 그런 데다가 이제는 시야에서도 벗어난 셈이었다. 이슬은 윤화에게 어떤 태도를 취할까? 윤화는 이슬에게서 어떤 낌새를 눈치챌까? 승호의 초조함은 점점 커져만 갔다. 어느새 오케스트라 선율이 그치고, 나긋나긋한 여자 아나운서의 목소리가 전파를 타고 다가왔다.

차이콥스키의 교향곡 제 5번 작품번호 64 중에서 제 3악장, 폰 카라얀이 지휘하는 비엔나 필하모닉의 연주로 듣고 오셨습니다. 흠잡을 데 없이 아름다운 가을 날입니다. 여러분은 지금 어디에서 무엇을 하고 계세요? 네덜란드의 철학자 스피노자는 이렇게 말했다죠? 인간의 후회는 두 가지 이유에서 어리석다. 첫째는 후회할 짓을 저지른 것이고, 두 번째 어리석음은 그 행동을 다시 생각하고 있다는 것이다. 그래요. 우리가 후회하지 않는 인생을 살려면 다시 생각하지 않을 용기가 필요한지도 모르겠습니다. 과거를 과거로 인정하면서 나의 현재에 주는 영향을 차단하는 것이 지혜일 수도 있고요. 여러분의 사연과 신청곡 받습니다. 우물정 9850 짧은 문자 50원, 긴 문자 100원의 이용료가 들고요, 애플리케이션에서는 무료입니다. 음악 한 곡 더 듣죠. 4875님의 신청곡입니다. 비발디의 사계 작품번호 8번 가을 중 2악장입니다. 역시 카라얀의 지휘, 이번에는 베를린 필의 연주로 만나보시죠.

승호는 창문을 열어 고개를 내밀었다. 여전히 움직일 낌새가 없는 행렬이었다. 앞쪽에서 고함소리가 들려왔다. 누군가 차를 돌리려고 무리를 하고 있는 모양이었다. 승호는 자포자기의 심정이 되었다. 주차할 공간도 없을 테고, 시간이 얼마나 더 걸릴지 알 수도 없었다. 필사적으로 일행을 따라 올라간다고 해도 따라잡기는 어려울 것이다. 목표지점인 계족산성까지는 2시간도 채 걸리지 않을 거였다.

'흠잡을 데 없는 날이라고?' 그는 혼잣말로 중얼거렸다. '흠 잡힐 일 하나 만들어볼까?'

무슨 심산인지 스스로도 잘 몰랐다. 기약 없는 주차까지 시간 때우기였는지, 아름다운 날이라는 멘트에 대한 거부감인지, 자기가 없는 공간에서 만나게 될 윤화와 이슬의 모습이 불안해서였는지…… 가을을 노래하는 바이올린 소리가 이어지고 있었다. 그는 스마트폰을 꺼내 문자 메시지를 썼다.

후회할 짓을 미리 알고 저지르는 사람이 있을까요? 스피노자는 후회할 수밖에 없는 운명을 지닌 인류를 앞에 두고 잘난 체를 한 것입니다. 약 올리는 멘트는 하지 마세요. 지나간 것을 지나간 것으로 흘릴 수 있는 건 용기나 지혜가 아니라 여유입니다. 여유 없는 사람들은 후회를 무한반복할 수밖에 없어요. 지금 아내와 내연녀가 만나고 있습니다. 같이 등산을 하고 있을 것입니다. 저는 바람피운 것을 후회해야 할까요, 바람피울 마음을 들게 만드는 여자를 원망해야 할까요? 아니면 태어난 것 자체를 후회하는 게 옳을까요?

고민할 틈도 없이 전송 버튼을 눌렀다. 이런 문자는 당연히 소개하지 않을 거라는 생각이 들어 한 번 더 문자를 썼다.

사연 꼭 소개해 주세요. 그렇지 않으면 저는 무한 반복되는 후회를 끊으려고 자살할지도 모릅니다.

두 번째 문자를 전송한 뒤에 승호는 야릇한 쾌감을 느꼈다. 일부로 더 큰 사고를 친 뒤에, 작은 실수가 덮이는 것 같은 느낌이었다. 조물주가 만든 가을은 절정이었고, 비발디가 설계한 음악도 절정을 달리고 있었다. 이제 길이 뚫리는 것보다 자신의 문자가 소개되는지가 더 중요해졌다. 02로 시작되는 번호로 전화가 걸려온 것은 3악장이 거의 끝나갈 즈음이었다. 승호는 그것이 방송국임을 직감했다. 받지 않았다. 대신 다시 한번 문자를 보냈다.

사연 소개해 주세요. 아나운서님께서 제 고민에 답도 해주세요. 기다리고 있습니다.

문득 또 다른 영화 한 편이 생각났다. ≪더 테러 라이브≫ 한강다리를 폭파하겠다는 테러범이 생방송을 이용해 자신의 요구를 전달하는 내용이었다. 심심풀이인지 반발심인지 승호 역시 자살이라는 테러를 무기로 방송을 협박하고 있는 형국이었다.

비발디의 사계 중 3악장 듣고 왔습니다. 곡이 나가는 동안 1083

님이 사연을 주셨네요. 스피노자의 말에 이견이 있으신 것 같습니다. 그럼요, 공감합니다. 스피노자는 후회가 어리석다고 말했지만 우리 모두는 그 어리석음에서 벗어날 수 없는 존재니까요. 그래도 덜 후회하려고 노력하며 사는 삶이 더 값진 것 아닐까요? 1083님께서도 지금 닥친 상황을 잘 극복하시길 응원 드리겠습니다. 다음 곡은……

승호는 눈을 질끈 감았다. 다시 문자를 보내려고 핸드폰을 들었을 때 단톡방에 알림이 떴다. 아내가 일행을 만난 것 같았다. 정도완 국장과 채준식 가족, 한이슬과 윤화가 다 같이 찍은 사진이 올라왔다. 모두 밝은 얼굴에 손가락 하트까지 하고 있었다.

경승호 씨, 우리 먼저 올라갑니다.

채준식이 씨익 웃는 이모티콘까지 넣어 문자를 남겼다. 그 웃음을 승호는 비아냥으로 느꼈다. 단톡방 답장 대신 방송국으로 문자를 보냈다.

청취자의 진지한 사연을 대충 소개해도 됩니까? 제 옆자리에 번개탄이 불붙기를 기다리고 있어요. 부탁드립니다.

잠시 후 또 한 통의 전화. 이번에도 02로 시작되는 번호였는데, 마포 경찰서라는 발신자명도 같이 떴다. 방송사에서 경찰로 연락을 취한 모양이었다. 승호는 이번에도 받지 않았다. 일이 커지고 있는데 의외로 덤덤했다. 장난이든 일탈이든 상관없었다. 소개하지 않은 음악 연주가 한 곡 더 나갔다. 그것까지 끝나고 다시 멘트를 하는 아나운서는 당혹감을 감추지 못하고 목소리를 벌벌 떨었다.

베토벤 고,교향곡까지 연이어 듣고 왔습니다. 아까 사,사연 보내신 1083번님, 의견 감, 감사드립니다. 꼬, 꼭 사연을 소개해 달라는 간절한 요청이 있,으셨네요. (한숨) 1083님 듣고 계시면 잘, 들어주세요.

그러고 나서 여자 아나운서는 승호의 문자를 그대로 읽었다. 읽으면서도 떨리는 목소리가 그대로 전파를 탔다.

청취자 여러분, 양해를 부탁드립니다. 사,사연이 소개하기에 부,부적합하긴 하지만 1083님의 상황이 조,조,좀 긴박해서 소개해 드렸습니다. 제,제 생각에는 우,우선 추,충동적으로 뭐,뭐,뭔가를 하려고 하지 마시고 가,까운 가족이나 친구를 만나시면 어,어,어떨까 싶습니다. 음악 하,한 곡 들으시면서 마,마음을 추스르시기를 부,부,부탁드려요.

차분한 목소리와 나긋나긋한 진행으로 정평이 난 아나운서가 이렇게 벌벌 떨기도 하는구나. 승호의 입에서 피식 웃음이 나왔다. 진행자의 긴장한 멘트가 끝나자 곡명 소개도 없이 바로 다음 연주곡이 흘러나왔다. 마포 경찰서 번호로 한 번 더 전화가 왔지만 승호는 받지 않았다.

흐르는 음악을 들으면서 그는 복잡한 심경이 되었다. 시도한 장난이 성공했다는 점에서 야릇한 성취감이 들었다. 하지만 동시에 다른 사람들을 골탕 먹였다는 죄책감도 느껴졌다. 게다가 장난이란 단어와는 더 이상 어울리지 않게 되어 버린 자신의 나이, 대한민국 최고의 엘리트라는 허울이 떠올랐다. 점잖아야 하고 진지해야 하는 태도를 강요받으며 살아온 인생이었다.

승호는 꽉 막힌 길을 하릴없이 바라보았다. 한이슬의 멘트가 떠올랐다. 불과 며칠 전 충동적인 그의 입맞춤에 타이타닉을 소환해 칭찬했었다. 말썽 부리지 않는 자유분방함은 당연히 없다. 방송국에 보낸 장난 문자로 승호는 더 자유분방해졌다고, 스스로 위안 삼기로 마음먹었다.

한 시간 후 정체는 풀렸지만 승호는 차에서 내리지 않았다. 주차장까지 도착해 빠져나오는 차를 기다려 주차 자리를 잡았다. 일행이 산 정상인 계족산성에서 찍은 사진을 보냈다. 아내를 포함해서 모두가 밝은 표정이었다. 알 수 없는 질투가 느껴졌다.

사람들이 내려왔을 때는 정오가 다 되어서였다. 더위에 상기된 얼굴을 하고 윤화가 조수석에 올라탔다. 뒤이어 한이슬이 따라와 뒷좌석에 앉았다. 살짝 땀을 흘린 밝은 얼굴이었다. 승호가 눈살을 찌푸렸다. 차가 없는 이슬은 채준식의 차를 타고 왔는데, 지금은 승호의 차 뒷자리를 차지했다. 그는 뭔가 시험당한다는 느낌을 받았다.

"단풍이 정말 멋있어요. 승호 씨만 못 올라가서 어째요?" 윤화가 약 올리듯 말을 걸었다.

"차에서 잘 쉬었지, 뭐." 승호가 시동을 걸며 애써 태연한 척 말했다.

"선배님 못 올라오셔서 아쉬웠어요."

한이슬의 목소리가 룸미러에 반사되어 들렸다. 승호는 아무 대구도 하지 않았다. 이후의 일은 그의 머릿속에서 애매하게 기억됐다. 약속된 식당으로 이동해서 점심을 먹은 것, 닭볶음탕과 파전에 동동주가 돌았던 것, 사발을 들이켜면서 여자들 쪽 테이블을 간혹 흘깃거린 것, 모든 장면이 슬로모션으로 재생됐다. 스트레스 때문인지 승호는 적은 양의 낮술에도 금세 취해 버렸다. 문제라고 할 만한 일은 벌어지지 않았다. 정 국장과 채준식이 권하는 잔을 들이켜며 승호는 점점 더 자포자기 상태로 빠져들었다.

그날의 일은 나중에 사진처럼 정지된 이미지로 남았다. 승호의 뇌에 캡처된 이미지는 이슬이 식당 앞에서 윤화의 팔을 붙잡은 채 활짝 웃는 장면이었다.

15

《일몰의 언덕, 해에게》
네가 사라져 이곳은 어둠이지만
너의 여행은 언제나 낮이겠구나
저 언덕 내려가는 너의 침잠이
부럽고, 여기는
다시 서글프다
- 한이슬의 시인(참)칭관찰자시점

점심시간에 쫓겨나듯 북부서에서 나온 승호는 근처 마트에서 인스턴트 피자 한 판과 고량주 한 병을 샀다. 계산하는 점원이 의뭉스러운 눈빛으로 잠깐 그를 올려다보았다. 이 시간에 술을 사는 것이 이상했든가, 고량주와 피자가 어울리지 않아 이상했든가, 어쨌든 뭔가 이상한 듯 흘깃거렸다. 어쩌면 아내의 행방도 모른다고 힐난하거나 천재 소리 들으면서 왜 그렇게 멍청하게 살았냐고 비난하는 것 같기도 했다. 스스로의 자격지심인 것을 알면서도 승호는 그런 생각을 멈출 수 없었다.

부끄러움인지 조바심인지 모를 감정 때문에 자동차 페달을 밟은 발에 힘이 들어갔다. 한밭대로를 따라 유성으로 진입했다. 5분쯤 더 달려 겟로스트 호텔의 지하주차장에 도착했다. 급히 주차를 하고 계단으로 올라와 프론트에서 열쇠를 받았다. 역시 504호였다. 이슬은 프론트의 접객대를 반달 창구라고 불렀다. 손님의 요구와 호텔이 제공하는 편의가 교환되는 공간이었다.

말이 좋아 호텔이지, 겟로스트는 모텔급이었다. 일층 로비 한켠에 시리얼과 요거트, 토스트 따위를 비치해 놓았는데 호텔이라는 타이틀을 얻기 위한 방편이었다. 승호는 그곳에 자판기 커피가 있다는 사실을 떠올렸다. 아직 이슬은 객실에 도착하지 않았을 것이다. 카페인 생각이 간절해져 그는 커피 한 잔을 받아 쥐었다.

올라가려고 엘리베이터를 기다리자, 한 쌍의 남녀가 고개를 숙인 채 걸어 나왔다. 승호는 승강기를 타고 올라가 504호 문을 열었다. 지난 몇 달 동안 이슬과 만날 때마다 왔던 곳이라 동선과 냄새, 사물의 배치가 익숙했다.

밖은 찜통처럼 더웠지만 객실은 시원했다. 미리 에어컨을 틀어놓은 모양이었다. 역시나 이슬은 아직 도착하지 않았다. 먹을 것을 탁자에 올려놓고 침대에 걸터 앉았다. 승호는 눈을 감고 지금의 상황을 정리해 보았다.

며칠 전 아내 윤화가 집을 나갔다, 이틀 후 지구대에서 조사했다, 단순 가출로 처리됐다, 오늘 직접 경찰서로 갔다, 형사는 윤화보다 다섯 살 여자애의 실종을 더 신경쓴다, 나는 의심받고 있다, 점심시간에 느닷없이 한이슬을 만나러 왔다……

조금 더 먼 과거로 가본다.

작년 1월 승찬의 소개로 윤화를 만났다, 윤화가 대전으로 내려왔다, 늦여름에 결혼을 했다, 아내에 대해 아는 사실은 여전히 별로 없다, 두통이 있었다, 한이슬과 만나기 시작했다, 직원들과 계족산 단풍 구경을 갔다, 아내는 카이스트에서 일하지 않는다, 그녀는 나를 속여왔다, 아내의 행방은 아무도 모른다……

아주 멀리도 가본다.

33년 전에 나는 쌍둥이로 태어났다, 그 애는 분리수술 중에 죽었다, 부모님은 나를 소 닭 보듯 키웠다, 스무 살이 되어서야 그 사실을 알았다, 알고도 아무에게 말을 하지 않았다, 졸업을 했고 증권회사에 다녔다, 신물이 나 그만두었다, 반년 동안 폐인 생활을 했다, 네팔에 다녀왔다, 조기섭 의원실에서 일하기 시작했다……

네팔 생각에 포카라에서 만났던 무라마츠 토모미의 얼굴이 스쳐갔다. 승호는 조금 놀랐다. 그때 이후로 한 번도 만난 적도, 연락한 적도, 심지어 생각한 적도 없던 사람이었기 때문이다. 그녀와 나눴던 대화 내용은 흐릿했다. 영어를 잘 했다는 기억과 페와 호수에서 카약을 탔던 장면만 또렷했다. 그러다가 그녀의 경고도 기억났다. 멘사 회원의 두뇌를 노려 비밀 연구를 한다는, 브레인 일루미너티라는 비밀결사 조직 이야기였다.

다시 두통이 찾아왔다. 지난 몇 달 동안 숙주와 기생충의 관계로 지내온 놈이었다. 요 며칠 잠잠하다 싶었는데 다시 불쑥 나타났다. 승호는 왼쪽 뒷머리를 어루만졌다. 얼굴도 모르고 이름조차 없던 쌍둥이 형제와 붙어있던 자리였다. 어쩌면 두통은 그때의 분리수술 탓인지도 모른다고 생각했다. 그러자 느닷없이 죄책감이 몰려왔다. 그 애는 목숨을 버렸는데 고작 두통 따위가 그 애 때문이라고 여기는 자신을 질타했다. 지워내지 못하는 생각들이 자책을 몰고 왔다.

한이슬은 오고 있을 것이다. 승호가 고량주의 뚜껑을 땄다. 냉장고 안에 들어있던 종이컵에 한 잔을 따라 절반을 마셨다. 식도와 혈관으로 스며드는 알코올이 느껴졌다. 모세혈관 구석구석에 침투하는 것 같았다. 경찰에서 조사 받은 피로감이 사라지는 듯했다. 알코올은 사람에게서 선택받은 후에 되려 사람을 지배하는 고양이를 닮았다. 술을 선택했으나 술이 그를 지배하는 것이다. 윤화를 선택했으나 그녀에게 끌려다녔고, 이슬을 선택했으나 그녀에게 조종당하고 있다. 그런 자신의 모습을, 승호는 가까스로 연민했다.

눈이 감겼다. 지난 몇 달의 일들이 감은 눈 속에서 아른거렸다. 지난해 가을 이후, 승호와 이슬은 사나흘에 한 번씩 이 호텔에 왔다. 윤화에게는 회식이 있다고 말했다. 선거가 가까워져 언론사 기자들과 자주 어울려야 한다는 핑계를 댔다. 윤화는 그런 승호에게 잔소리 하는 법이 없었다. 한편으로 고맙고 한편으로는 서운했다. 아내에 대한 죄책감은 점점 무뎌졌고, 이슬에 대한 중독은 점점 심해졌다.

잠 들면 안 된다고 생각하면서도 승호는 수면의 나락으로 떨어졌다. 자각몽을 꾸었다. 꿈인 걸 아는 꿈이었다. 물속인지 우주 공간인지 그의 몸은 유영하고 있었다. 목덜미에 어떤 무거운 것이 느껴져 뒤를 돌아보았다. 아무것도 없었다. 손을 뻗어 뒤통수를 만지자 아기 울음소리가 들렸다. 놀란 승호가 황급히 손을 떼자 울음은 기괴한 웃음소리로 변했다.

"히히히, 아내를 왜, 왜 버렸습니까?"

얼굴을 확인할 수 없는데, 목소리는 한이슬이었다. 꿈이라는 사실을 알면서도 승호는 울고 싶어졌다. 두 손으로 얼굴을 감싸 쥐었다.

"정빈이는 어디로 데리고 갔지? 실종된 다섯 살짜리 여자애 말이야."

다시 다그치는 이슬의 목소리. 승호는 뭐라 말을 하려고 했지만 입에서는 뽀글거리는 공기 방울만 나올 뿐이었다.

"대한민국 경찰을 뭘로 보는 거야? 대답하지 않을 셈이야? 당신의 뇌 두 개를 분리하는 고문을 준비했지. 이걸 견디는 사람은 없을걸."

등 뒤에서 전기톱 비슷한 소리가 가까워졌다.

"나, 나는 아무것도 몰라. 아내는 제 발로 걸어 나갔다고! 아이는…… 아이는 아마 윤화가 데리고 갔을 거야. 샴(siam)으로 간다고 했어. 샴, 태국 말이야. 거기에서 샴쌍둥이 형제 창과 앵에게 그 애를 제물로 바칠 거야. 그들이 원조야. 그들이 샴쌍둥이들의 수호신이라고."

꿈속에서 자신이 하는 말을 꿈밖의 승호도 알지 못했다. 그저 꿈이라는 사실만 알 뿐이었다. 말들이 물속인지 우주 공간인지에 파편으로 흩어졌다 다시 승호의 귀로 들어왔다.

"알았어요. 선배님이 고분고분하게 대답했으니 내가 꼭 안아줄게요. 뒤돌아 봐요."

몸을 돌리자 홍진기 형사가 한이슬의 목소리로 웃고 있었다. 승호는 비명을 지르려고 했지만 아무 소리도 나오지 않았다. 입을 벌릴수록 뻐끔거리는 공기 방울만 분출됐다. 방울이 점점 많아지더니 시야를 가렸다. 눈을 뜰 수 없었다. 30초쯤 지나 가까스로 눈을 뜨자 언뜻 봐서는 알 수 없는 숫자와 글자가 새겨져 있었다.

511.34몬.62ㅎ

이틀 전 윤화의 화장대 속에서 발견한 쪽지 번호였다. 도서관 소장 도서의 청구 번호라고, 승호는 추측했다.

"너 때문에 죄 없는 아이가 죽었어. 네가 죽었어야 했는데……"

목소리는 어느새 승찬으로 바뀌어 있었다. 꿈밖의 승호는 모든 걸 멈춰야겠다고 생각했지만 생각대로 되지 않았다. 가위에 눌린 것처럼 의식과 행동이 엇나갔다. 움직일 수도, 말할 수도 없었고 심지어 생각조차 마음대로 되지 않았다. 사라졌던 두통이 쓰나미처럼 몰려왔다.

"두통이 심해요? 두 통이 심하면 한 통만 해요. 하핫"

이슬의 농담이 일본인 토모미의 목소리로 들려왔다.

"그러게 왜 내 경고를 무시했다니? 네 두뇌는 그 인간들이 맘대로 해도 싸. 네가 선택한 업보야."

여전히 시야는 물방울로 표기된 도서관 청구번호로 가려져 있었다. 승호는 자포자기의 심정이 되었다. 될 대로 되라는 마음을 먹자, 갑자가 공기방울들이 터지고 몸이 부웅 떠올랐다. 정신을 차렸을 땐 다녔던 대학의 정문 탑 위였다.

십여 미터 아래로 삼삼오오 모인 사람들이 웅성거리며 올려다보고 있었다. 그중에는 아버지와 어머니도 있었다.

"아들! 거기서 뛰어내려 봐. 네 실력으로 올랐으니 내려오는 것도 어렵진 않겠지?"

아버지가 두 팔을 벌리며 말했다. 협박이나 경고가 아니었다. 독려의 목소리였다. 무사히 착지할 거라는 믿음의 뉘앙스였다. 갓 걷기 시작한 아이에게 몇 걸음을 재촉하듯, 아버지는 기대 섞인 눈빛을 올려 보냈다.

승호는 너무 무서웠다. 아랫도리가 뜨끈해지더니 바짓가랑이 사이로 오줌이 흘렀다.

"못하겠어요. 너무 무서워요. 엄마, 도와주세요!"

엄마는 흐뭇한 웃음을 보내기만 할 뿐 말이 없었다.

"할 수 없지. 이제 됐다. 막내 고모가 사다리를 타고 올라가 딸기를 갖다 줄 거다."

실망한 아버지의 목소리가 단호해졌다.

"그걸 먹고 거기서 내려오지 말아라. 뛰어내리지도 못할 거면서 오르긴 왜 올라간 거야, 도대체……"

부모는 동시에 등을 돌렸다. 돌아선 아버지의 뒷머리에 그 애의 얼굴이 붙어 있었다. 환하게 웃는 모습이었다. 엄마의 뒤통수에는 바이올린이 붙어 있었는데, 마치 글래디에이터가 등 뒤에 장착한 검 같았다. 바이올린 활은 공중에 떠서 스스로 연주를 하며 멀어져 갔다. 쳇 베이커의 트럼펫 곡이었다. 이슬이 들려준 노래 같았는데 그중에 어떤 곡인지 승호는 꿈속에서도, 꿈밖에서도 알 수 없었다. 그 순간, 뒤에서 그 애가 승호의 등을 떠밀었다.

"으아아아아악!"

자기 비명에 승호는 겨우 꿈을 깼다. 온몸이 땀으로 젖어 있었다. 그는 두 손으로 얼굴을 감싼 채 한동안 움직이지 않았다. 삼사 분쯤 흐른 뒤, 정신을 차리고 보니 집이었다. 안방 침대에 누워 있는 자신을 확인했다. 1년 전 윤화와 함께 구했던 신혼집이다. 며칠 전까지 아내가 머무르던 그 집이다. 겟로스트는? 경찰서는? 한이슬은?

승호는 겟로스트에서 마신 고량주 때문에 취했다고 생각했다. 필름이 끊겨 자신도 모른 채 귀가한 거라고 믿었다. 두 손으로 관자놀이를 여러 번 문지른 뒤, 그는 바지에서 핸드폰을 꺼냈다. 예상대로 부재중 전화가 많이 떠 있었지만, 기대와 달리 이슬의 전화는 아니었다. 모르는 번호가 부재중으로 찍혀 있었고, 문자도 와 있었다. 홍진기 형사였다.

경승호 씨, 왜 전화를 안 받습니까? 이 문자 확인하는 즉시 전화 주십시오

거실로 나가 발코니 커튼을 걷자 밖은 어둑어둑해지고 있었다. 시계를 보니 7시 40분이었다. 점심시간이 되어 경찰서에서 나왔으니 일곱 시간이 넘게 흐른 거였다.

승호는 형사가 아니라 이슬에게 전화를 걸려고 버튼을 눌렀다. 습관대로 초성을 입력했다. ㅎㅇㅅ 홍연서, 황인수, 한영석이 떴지만 정작 한이슬은 번호가 없었다. 승호는 잠시 침대에 핸드폰을 내려놓고 마른 세수를 했다.

'정신 차리자, 정신 차리자.'

다시 한번 시도했지만 여전히 이슬의 전화번호는 없었다. 이상한 일이었다. 연락처 뿐만 아니라 통화와 문자 내역에도 한이슬이란 이름은 없었다. 몇 시간 전 경찰서에서 주고받은 문자도, 이후에 겟로스트에서 만나자는 약속 통화도 감쪽같이 사라졌다.

'술 취해 집으로 돌아오는 길에 지워 버렸는지도 몰라. 윤화가 알

게 되면 곤란할까 봐 무의식이 삭제한 것일 수도 있고……'

갑자기 생각나 승호는 스마트폰에서 이슬의 카카오톡 오픈 채팅을 검색했다. 그녀가 일상의 단상을 두서없는 짧은 글로 남겨두는 곳이었다. 역시 검색 결과는 없었다. 그녀의 블로그도, e북으로 출간한 시집의 접속 링크도 전부 사라지고 없었다.

혹시나 싶어 구글 지도에서 겟로스트를 검색했다. 동구 소제동에 카페 이름으로 하나가 떴지만, 몇 달 동안 이슬과 만나던 유성의 호텔은 없었다. 한이슬과 관련된 모든 정보가 사라진 것이다.

머리를 한번 흔들고 나서 승호는 홍진기 형사에게 전화를 걸었다. 연결 신호가 들리기가 무섭게 상대방이 전화를 받았다.

"경승호 씨, 지금 어딥니까? 조사를 받다가 그렇게 사라지면 어떡해요?"

단단히 화가 난 목소리였다.

"아까는 실종 신고하러 온 민원인이었지만 지금은 피의자 신분입니다. 알셨어요? 지금 바로 서로 오셔야겠습니다."

형사는 겁주듯 단호하게 다그쳤다. 승호는 아무 말도 하지 않고 듣기만 했다.

"여보세요? 경승호 씨, 듣고 있습니까?"

"네, 잘 알겠습니다."

흥분한 상대와는 다르게 승호의 목소리는 차분하게 나왔다.

"뭘 알았는데요? 지금 어딥니까? 당장 이쪽으로 오세요. 그렇지 않으면 긴급 체포 될 수도 있습니다."

형사의 경고에도 승호 마음에는 동요가 없었다. 그는 아내를 죽이고도 태연한 행동을 하는 살인자를 떠올리고 있을지 모른다. 이런 유형의 연쇄살인범은 영화에서 지겹도록 봐왔다. 하지만 승호는 아니었다. 그는 아내를 죽이지 않았다. 사라진 아내의 행방보다 사라진 오후시간에 대한 미스터리가 승호에게는 더 급히 풀어야 할 문제였다.

"사람 연락처도 찾아줍니까?"

말해 놓고 승호 자신도 놀란, 느닷없는 멘트였다.

"네? 그게 무슨 말입니까?"

"경찰에서 사람 연락처도 찾아주냐고요? 이름은 한이슬이고 나이는 스물 셋. 아무리 찾아도 연락처가 없……"

"여봐요, 경승호 씨. 지금 무슨 말을 하고 있는 겁니까?"

홍진기 형사가 말을 끊었다.

"아내분 찾는다고 하지 않았습니까? 지금 당장 서로 오든가, 있는 곳을 말해요. 번거롭게 위치 추적하게 만들지 말고. 알겠습니까?"

"……"

3초 정도 전화기를 물끄러미 바라보다가 승호는 가만히 종료 버튼을 눌렀다. 아무런 감정도 없는 느린 행동이었다. 분해서 어쩔 줄 몰라 하는 형사의 모습이 떠올라 약간 통쾌해졌다. 다시 한이슬의 모습이 떠올라 그의 입가에 쓴웃음이 번졌다.

왜 연락처가 없는지, 지난 몇 시간의 기억은 왜 사라졌는지, 한이슬은 도대체 어떤 존재인지, 존재하기나 했던 인물인지…… 밀려드는 두통과 궁금증을 누르려고, 그는 고개를 다시 한번 흔들었다. 머리를 흔들 때마다 통증은 지우고 기억은 건져낼 수 있다면 얼마나 좋을까 하고 승호는 생각했다.

16

내 장래희망은
얼마나 더 읽어야 끝나는지 자꾸 뒷장을 들추게 되는 책 말고
벌써 이렇게 읽었나 싶어 남은 뒷장들이 아까운 책
그렇게 흥미로운 사람이 되는 것
마지막에 다시 처음으로 돌아오게 하는 사람 되는 것
— 한이슬의 블로그

불도 켜지 않은 거실에서 승호는 한동안 움직임 없이 가만히 앉아 있었다. 아내 도윤화의 실종은 물리적인 것이고, 내연녀 한이슬의 실종은 정신적인 사라짐이었다. 두 사람 모두 그의 삶에 등장했고 개입한 인물이었지만, 지금은 존재했는지조차 알 수가 없다. 자신의 기억과 판단을 믿고 살았던 승호지만 점점 자신이 없어졌다.

문득 승찬에게 전화해야겠다는 생각이 들었다. 그가 이슬의 존재와 윤화의 행방을 알 리 없었다. 윤화를 소개해 주긴 했지만, 같이 만난 것은 결혼식 때뿐이었다. 그러고 보니 승호는 둘이 어떻게 알게 된 사이인지도 몰랐다. 어떤 모임에서 만났다고 들었던 것 같은데 정확히 기억하지 못했다.

"오호, 천재 비서관님 오랜만입니다. 누추한 강사 나부랭이한테 전화도 주시고. 그간 기체후일양만강 가내 두루 평안하셨는지요?"

승찬이 넉살을 떨며 전화를 받았다.

"장난칠 상황이 아니다."

승호의 솔직한 말이 시무룩한 어투로 튀어나왔다.

"왜, 뭔 일 있냐?"

"윤화 씨가 사라졌어. 엿새 째다, 벌써."

놀라는 기색도 없이 승찬은 잠시 침묵을 지키다가 입을 열었다.

"나도 안 해 봤지만서두, 결혼이란 게 원래 좀 그런 거 아니겠냐? 너무 신경 쓰지 마라."

수상한 발언이었다. 보통의 경우라면 놀라서 되묻거나 같이 찾아 준다며 위로했을 것이다. 승호는 벌컥 화가 치밀어 올랐다.

"뭐라고? 와이프가 말도 없이 증발했는데 신경 안 쓰게 됐냐? 실종신고 하러 갔더니 경찰이 날 의심하더라. 기가 막혀서……"

말을 줄이면서 승호가 조금 차분해지자, 미안했는지 상대방도 말이 없었다. 여자들은 수다로 공감하지만, 남자들은 침묵으로 서로를 위로하기도 한다.

"혹시 너 윤화 씨 행방 아는 것 있냐?"

평정심을 찾은 승호가 고민 끝에 겨우 물었다.

"짚이는 게 있긴 한데……"

"뭔데? 어딘데?"

조바심에 승호의 반응이 빨라졌다.

"혹시 제수씨가 적어 놓은 무슨 쪽지 같은 거 없냐?"

"와이프가 쓴 건 아닌데 화장대 서랍에 쪽지가 있긴 했어. 무슨 도서관 책 청구번호 같던데……"

역시, 라고 승찬이 혼잣말을 한 것 같았다.

"제수씨가 자주 다니는 도서관 있지?"

"도서관을 다녔는지는 모르겠네."

아내가 카이스트 연구원이 아니라는, 형사의 말을 승찬에게 전할까 하다가 말았다.

"예전에 윤화가 이런 얘기를 한번 한 적 있거든. 자기는 가끔 혼자서 훌쩍 목적지 없이 떠난다는 거야. 뭐라더라? 아, 증발벽이라고 표현했어."

증발벽이라…… 역마살 같은 건가, 승호는 생각했다.

"그러면서 가족이나 룸메이트 보라고 쪽지를 숨겨놓고 간다는 거야. 자기를 찾으라고 남기는 단서는 아니고, 그동안 있었던 사건이나 자기 감정을 이해하라는 취지라고 했어. 인천 집에서도 그렇게 나왔다나?"

511.34몬.62ㅎ

꿈에서까지 나온 이 기호는 뭘까? 윤화는 어느 도서관에 단서를 숨겨둔 걸까?

"너는 윤화 씨를 어떻게 알게 됐다고 했지?"

승호가 물었다.

"그건 중요한 게 아니잖아?"

다시 수상한 발뺌이었다. 친한 친구에게 여자를 소개해 주고 결혼까지 시켰으면, 그 정도 물음에 답을 피해서는 안 된다. 더군다나 지금은 윤화가 실종된 상태 아닌가? 승호는 승찬의 대답을 기다리면서 그가 도움을 주려는 것인지, 일을 꼬이게 하려는 것인지 분간하기 어려웠다.

"나 지금 수업 들어가야 해. 승호야, 잘 해결하길 바란다."

급작스럽게 통화가 끊겼다. 쪽지가 힌트가 될 수 있다는 심증은 확실해졌지만, 승찬과 윤화의 관계는 새롭게 떠오르는 의구심이 됐다. '아내에게 별일 없길 바란다'가 아니라, '잘 해결하길 바란다'라니…… 이 녀석은 뭔가를 알고 있다. 확신이 되지 못하는 의심들이 떠돌아, 승호는 정신을 차릴 수가 없었다. 게다가 한이슬 쪽은 아무런 단서도 없는 상태였다.

멍하니 검은 벽을 바라보고 있는데 문자 도착 알람이 울렸다.

[대전경찰서] 유성구에서 실종된 박정빈 양(여, 5세)을 찾습니다. 107cm, 23kg, 노란색 민소매 원피스, 하얀색 운동화 / 여러분의 제보가 결정적인 단서가 될 수 있습니다 ☎182

엿새째 거의 매일 같이 오는 문자였다. 스마트폰 액정을 물끄러미 내려다 보았다. 아내도 사라지고 애인도 증발했는데, 여자아이의 실종은 자기에게 무슨 의미일까 싶었다. 그러다가 승호는 벌떡 일어났다. 집에 머무르디가는 경찰이 닥칠 거였다. 어디로든 움직여야 한다는 판단이 들었다. 경찰에게 도움을 청할지, 경찰에게서 벗어나야 할지 확신이 서지 않았지만, 자신을 믿지 않는 홍진기 형사의 목소리가 들리는 듯해 승호는 바삐 한꿈 아파트를 빠져나왔다.

한 시간 뒤 승호는 서운동 중심가의 롯데리아에서 치킨버거를 게걸스럽게 먹고 있었다. 정처 없이 번화가 쪽으로 나왔는데 갑자기 허기가 느껴졌었다. 매장 안에는 학원 쉬는 시간인지 교복 입은 아이들이 몇 그룹을 이루어 음식과 잡담을 공유하고 있었다. 관심은 없었지만 시선 둘 곳이 없어 학생들을 보았다. 햄버거를 씹으면서 어떤 아이는 웃으며 떠들었고, 어떤 아이는 시무룩한 표정이었다.

'저 아이들의 두뇌도 지금 나만큼이나 복잡할까?'

학창 시절이 떠올랐다. 우수, 표창, 우등, 모범 따위의, 형용사인지 명사인지, 칭찬인지 족쇄인지 모를 낱말들이 떠올랐다. 늘 최선을 다했는지는 모르겠지만, 최고가 아닌 적은 한 번도 없었다. 비교할 대상이 없었던 집에서만은 그냥 평범하게 취급당했다. 학교에서는 전교 일등이지만, 집에서 승호의 성적은 평균이었던 것이다. 일등이면서 꼴찌였다.

자녀의 성적표를 받아들었을 때 부모의 반응은 크게 둘이다. 형편없는 점수에도 내 새끼 최고라는 부모가 있고, 준수한 성적인데도 '그것밖에 못했니'라고 힐난하는 부모가 있다. 승호의 부모는 어느 쪽도 아닌 유형이었다. 칭찬도 질타도 없이 살짝 무언가를 경계하는 태도였다. 대체로 좋은 성적이었으니 승호의 자만을 경고하는 뜻이었을까?

'그 애가 살아있었다면 내 인생은 어땠을까?'

생각하지 않으려고 했는데 의심의 흐름이 다시 쌍둥이에게로 갔다. 스무 살, 그 사실을 알게 된 이후 승호의 삶은 그걸 의심하느냐 잊느냐의 싸움이었다. 심지어 프로야구 팀 LG 트윈스를 보면서도 그 애가 떠올랐다. 가끔은 자신의 높은 지능이 그 애의 몫까지 합쳐진 것 아닐까 싶기도 했다. 형제의 목숨을 통해 얻은 재능이라…… 일단 그렇게 생각하자 계속 그렇게 여겨졌다. 수재라는 타이틀은 쌍둥이가 죽으면서 남긴 유산이었다. 평균에서 두 배 가까이 되는 지능이었지만 지금은 가동 불능 상태인 것이다.

허기는 무서웠다. 위장의 허기가 아니라 뇌의 허기였다. 충족감은 없고 의구심만 가득했다. 승호는 알고 싶었다. 33년 동안 풀어왔던 어떤 문제보다 더 어려운 문제가 앞에 있었다. 해결하고 싶었다. 아내가 누구이며 어디에 있는지, 이슬은 어떤 존재인지, 승찬은 무얼 알고 무얼 모르는 것인지, 그들은 나를 어떻게 생각하고 있는지……

남은 감자튀김을 씹으면서 승호는 곰곰이 생각했다. 실마리는 도서관이다. 거기에 윤화가 남긴 단서가 있을 것이다. 일단 그걸 봐야 한다. 나머지는 그 이후에 생각하자. 이렇게 결론 내리고 승호는 햄버거 가게를 나왔다. 여름밤의 열기는 매서웠다.

찜질방은 번화가에서 약간 떨어진 곳에 있었다. 그곳에서 승호는 늦게까지 이어지는 홍진기 형사의 전화와 문자를 애써 무시했다. 진갈색의 찜질복을 입고 한쪽 구석에 앉아 사람들을 구경했다. 여름인데다 평일이라 사람이 많지는 않았다. 몇몇이 모여 수다를 떠는 그룹, 혼자 드러누워 자는 사람들, 부부인지 연인인지 불륜인지 귓불에 달콤함을 속삭이는 커플…… 모두가 똑같은 옷을 입고 있었고, 승호 자신도 그렇다는 사실에 은근한 안도감을 느꼈다.

'표준이란 건, 평균과 중간값이란 건, 통일이란 건 이렇게 편한 것이구나.'

생각 따라 의식도 편안해지면서 그는 잠의 나락으로 빠져들었다. 비록 딱딱한 찜질방 바닥이었지만 밤새 깨지 않고 푹 잤다. 잠에서 깬 뒤 샤워를 하고, 근처 식당에서 해장국을 먹었다. 승호는 곧바로 서운 도서관으로 향했다.

아침부터 태양은 맹렬했다. 아침이라고 해서 태양이 온순하면 여름이 아니다. 더위든, 함정이든, 어떤 것이든 승호는 이기고 싶었다. 풀어내고 싶었다.

집에서 이 킬로미터 정도 떨어진 서운 도서관은 결혼 전 승호가 자주 오던 곳이었다. 주체할 수 없이 긴 시간을 때우기에 도서관만큼 좋은 곳도 없었다. 물론 책에 대한 반감이나 부담감이 없는 경우에 한해서지만……

윤화도 책을 싫어하진 않는다고 승호는 생각했다. 그가 출근했을 때 어쩌면 윤화는 이곳에 와 있었을 수도 있다. 관심분야인 뇌과학 책을 찾아 읽었을 수 있다. 그게 아니어도 자신의 증발벽에 대한 단서를 남길 곳으로, 집에서 가까운 이곳을 택했을 가능성이 컸다. 승호는 그렇게 믿고 싶었다. 믿음은 사실의 결과가 아니라 왜곡의 이유일 때가 많다. 문제를 해결하기 위해서도 확증편향은 꼭 필요하다. 비록 깨져서 다른 증거를 찾아가는 한이 있더라도……

도서관 문이 열리기를 기다리면서 승호는 또 다시 이슬의 행방을 추적했다. 정문 앞 계단에 쭈그려 앉아 그녀의 존재를 증명할 수 있는 온갖 것들을 더듬었다. 어젯밤처럼 소용이 없었다. 그렇다고 정 국장이나 채 비서관에게 물어볼 수도 없는 노릇이었다. 아내의 실종만큼이나 이슬의 증발은 비현실적으로 느껴졌다.

“안녕하세요?”

8시 40분쯤, 출근하는 도서관 직원이 사무적인 목소리로 인사를 건넸다. 30대 후반으로 보이는 여자였는데 수상한 사람이 아니라는 사실을 확인하려는 의도가 분명했다.

마스크로 하관이 가려져 정확히 알 수는 없지만, 신경질적인 성격일 거라고 승호는 짐작했다. 책을 반납 받을 때 훼손이 됐는지를 과도한 꼼꼼함으로 살필 것 같은 인상이었다. 창의성이라고는 눈곱만큼도 없고, 루틴에서 벗어나는 걸 혐오할 것 같았다. 조금의 일탈이나 예외를 용납하지 않으려는 스타일. 잘못은 없지만 얄미움과 분노를 일으키는 유형일 거라고 승호는 생각했다. 그 촘촘한 까탈스러움이 능력이라고 믿으며 살겠지.

현관 계단에 쭈그려 앉아 있던 승호는 어색하게 목례를 한 뒤 일어났다. 현관문을 연 여자를 따라 도서관으로 들어서자 책 냄새가 끼쳤다. 사람 손길이 닿지 않은 채 밤을 지새운 책들이 뿜는 냄새였다.

여자는 사무실을 지나쳐 현관을 지나 열람실 쪽으로 향했다. 승호를 배려해서였을 것이다. 일반 열람실 문에 카드키를 대고 들어간 뒤 여자는 전등을 켰다. 순차적으로 밝아지는 실내등에 책들은 체념한 듯한 모습을 드러내고 있었다.

511.34몬.62ㅎ

승호는 열람실에서 쪽지를 들고 허공에 손가락을 짚어 청구기호를 훑었다. 마침내 그 책 앞에 섰다. 의학으로 분류된 자리였고, 책들이 많지 않아 찾는 건 어렵지 않았다. 책이 유용한 단서인지 판도라의 상자인지 모를 일이었다. 이슬이라면 '뫼비우스의 상자'라거나 '판도라의 띠'라고 농담했지도 모른다.

예상대로 뇌과학 책이었다. 제임스 몬티라는 미국의 뇌과학자의 책이었는데, 제목은 ≪두뇌 조작 Brain Operation≫이었다. 뒤표지에는 이 책에 대한 미국 언론의 짧은 서평들 열 개 정도가 쓰여 있었다.

두뇌 지도를 완성하고 조작하게 된 이상, 우리는 신의 영역에 진입한 것이다 - 뉴욕 타임즈

인류의 두뇌 역사는 이 책 이전과 이후로 나뉘게 되었다 -허핑턴 포스트

이런 내용들이었다. 승호는 마음이 조급해졌다. 한가하게 책을 읽자고 이곳에 온 게 아니었다. 책 안의 단서로 윤화의 행방을 찾아야 했다. 그리고 어쩌면 이슬의 존재도 알게 될지 몰랐다.

책을 펼치면서 승호는 서서히 바닥에 주저앉았다. 책상다리를 하고 허리를 숙인 채 단서를 뒤지기 시작했다. 갈피 사이에 쪽지가 있지 않나, 밑줄이나 메모가 달려 있지는 않나 세심히 살폈다. 하지만 아무리 뒤져도 윤화의 행방과 관련된 힌트는 찾을 수 없었다. 다시 일어나 제임스 몬티의 책 근처에 있던 몇 권도 모두 뒤져 보았다. 허탕이었다. 첫 번째 구매에 로또 1등이 당첨되는 행운은 승호에게 허락되지 않은 셈이다. 한 시간 동안의 수색을 마치고 승호는 자포자기 상태가 되었다.

그는 검색 컴퓨터 앞에 앉았다. 도서관 직원은 대출 창구에 앉아 있었다. 흘깃 그를 바라보는 눈빛이 승호는 살짝 불쾌했다. 어제 북부 경찰서에서 느꼈던 모욕감이 다시 올라오는 것 같았다. 하지만 지금은 이것에 집중해야 했다. 경찰이 그를 쫓고 있고, 빨리 윤화를 찾지 않으면 안 된다. 이슬까지 찾게 된다면 금상첨화다. 둘의 실종

은 분명히 연관되어 있을 거라 확신했다. 승호는 조바심이 턱밑까지 올라오는 걸 느꼈다.

대전 시내 모든 도서관의 책을 통합 검색할 수 있는 시스템이었다. 승호는 그 검색창에 아내의 이름부터 단서가 될만한 것들을 모조리 입력하고 있었다.

"도와 드려요?"

여자의 목소리가 들렸다. 역시 경계의 목소리였다. 승호가 머리를 움켜쥔 채로 미친 듯이 검색하는 것이 안쓰러웠는지 모른다. 아니면 도서관 직원의 업무 매뉴얼이 그렇게 하라고 지시하고 있는지도 몰랐다.

"여기……"

지친 목소리로 승호가 청구기호 쪽지를 내밀었다.

"이건 저쪽 자연과학……"

여자가 설명하고 있는데 머릿속에 뭔가 떠올라 승호는 급히 컴퓨터 쪽으로 몸을 돌렸다.

511.34몬.62ㅎ

인터넷의 주소창에 청구기호를 직접 타이핑했다. 그러자 화면이 떴다. 다시 심장이 쿵쾅거렸다.

"됐습니다. 해결했어요. 고맙습니다."

도서관 직원은 어이없다는 표정을 지으며 자기 자리로 돌아갔다. 승호는 유레카를 외칠 듯한 흥분 상태가 되었다.

웹사이트의 대문은 커다란 두뇌 그림으로 디자인되어 있었다. 측면 쪽에서 본 사람의 머리인데, 어린 시절의 학습지 '머리표 아이

템플'의 표지가 연상됐다. 사실 그것보다 더 흉측했다. 음영을 통해 뇌의 주름이 리얼하게 그려져 있었다.

측두엽을 클릭하자 메인 페이지로 진입했다. 승호는 놀라서 의자 채로 넘어질 뻔했다. 메인 페이지 사진은 윤화와 자신의 웨딩사진이었다. 둘은 서로를 바라보며 웃고 있었다. 한밭수목원에서 찍은 야외 사진이었다.

불과 일 년 남짓 전의 사진인데도 몇 년은 흐른 것처럼 느껴졌다. 행복하다거나 적어도 무난한 결혼생활은 아니었기 때문일 것이다. 작년 가을부터 한이슬을 만났기 때문이기도 했을 것이다. 승호는 지긋지긋한 자책감을 또 한번 느꼈다.

웨딩사진 속 신랑 신부 위쪽으로 하얀 하늘이 보였고, 거기에 메뉴 창 다섯 개가 가로로 배치돼 있었다. 모두 영어였다. Our story(우리 이야기), My diary(나의 일기), Researches(연구), News(뉴스), Future(미래).

승호는 모든 게시판에 한 번씩 들어가 보았다. 전체적으로는 뇌 연구와 관련된 홈페이지로 여겨졌다. '우리 이야기'에는 놀랍게도 승호와 윤화가 번갈아 가며 쓴 일기가 올라와 있었다. 교환일기를 쓰자고 조르던 윤화의 모습이 떠올랐다. 모바일 메신저에 각자의 일상을 올린 거였다. 이미 다 알고 있는 내용이라 승호는 건너뛰고, '나의 일기' 게시판에 들어가 글을 읽기 시작했다.

에피메테우스는 프로메테우스의 충고를 거절하고, 제우스에게서 아름다운 여인 판도라를 선물로 받는다. 판도라가 금지된 상자를 열자, 그 안에 봉해져 있던 모든 악과 재앙은 세상으로 퍼져 나갔다. 클릭을 하면서 승호는 어쩌면 자신이 아름다운 여자 도윤화를 거부하지 못한 에피메테우스 아닐까 생각했다.

도서관 밖에서 까마귀가 경박스럽게 울었다. 울어서라도 이 답답함과 고통에서 벗어나고 싶다고, 승호는 아내의 일기를 읽으면서 생각했다.

17

2020.1.16. 용산

S의 소개로 경승호를 만났다. 정장 차림의 매너 좋은 남자였는데 이번에는 좋은 예감이 든다. 내가 상대들에게 너무 많은 의심의 여지를 남겼기 때문에 그동안 실패한 거라고, S는 주장했다. 틀린 말은 아니지만, 그 말에 전적으로 동의하고 싶지는 않다. 나는 이렇게 항변하고 싶다. 모든 조건을 완벽하게 세팅할 수 없는 이상, 의심을 받을 수밖에 없다고…… 그러면서 그 의심을 불식시킬 정도로 내가 매력적이어야 한다고 다짐을 한다. 맹목(盲目)! 그렇다. 눈이 멀게 만들어야 한다. 보고 듣고 느끼는 상대방의 모든 감각을 차단해야 한다. 그렇지 않으면 실패만 거듭할 뿐이다.

경승호, 33세, 서울대 경제학과, 멘사 회원, 국회의원 비서관, 예전에 증권회사에 다닌 이력이 있다. 묻는 대로 대답을 잘한다. 소개팅에서 당연히 물어볼 만한 질문들 사이사이에 진짜 궁금한 것들을 끼워 넣었다.

우선, 잠버릇. 합격이다. 그는 업어가도 모른다고 말했다. 그렇다고 해도 중요한 테스트의 경우에는 저녁식사에 수면제를 조금 넣어야 안전할 것이다. 깨어 있을 때 탁월한 집중력의 비결이 숙면이라고 칭찬해 주었더니 그가 환하게 웃었다.

경승호에게는 뻔한 것에 대한 거부감이 있다고, S가 미리 내게 미리 조언했다. 알 것 같았다. 본인이 루틴한 인생을 살아왔기 때문일 가능성이 크다. 엘리트라 주목받았겠지만 결국은 같은 패턴이다. 일등석에 탔지만 결국 모두가 같은 비행기인 것이다. 퍼스트 클래스 좌석에 앉아 창밖을 바라보며 패러글라이딩을 꿈꾸는 사람이다. 그렇다면 나의 전략은 팜므 파탈(Femme fatale)이어야 한다. 그에게 없는, 그가 닮고 싶은, 그가 매력을 느낄만한 독특한 분위기를 만들어내야 한다. 오늘 첫만남은 아주 좋았다고 생각한다. 그가 쭈뼛대며 다시 연락해도 되냐고 묻길래, 연락 안 하면 혼내줄 거라고 대답했다.

2020.1.18. 마포

그를 애태우려고 몇 시간 동안 카톡을 읽지 않았다. 감정을 많이 소비할수록 약자가 된다. 본전 생각이 커지기 때문이다. 그가 감정 낭비를 충분히 했을 오후 늦게 답을 보냈다. 해장국 먹자고……

어제 첫 만남에서 나는 미키 앤 미니 미우스와 노란 파카를 입었다. 임팩트를 주기 위해서였다(물론 가엾은 더블M을 추모하는 마음도 있다). 오늘 밤엔 흰색 반팔 털스웨터에 감색 투피스 정장을 입었다. 치마는 길었지만 트임이 깊은 걸 골랐다. 남자들이 넋을 놓게 된다는 향수 '미스 디올 블루밍 부케'도 살짝 뿌렸다.

해장국집에 나타난 그는 예상대로 감정이 엉망진창이었다. 반가운 마음과 분한 마음이 얼굴에 고스란히 드러났다. 해장국을 먹으면서 또 소주를 마셨다. 저녁 시간이라 다시 음주에 적합한 타이밍이 된 것이었다. 같이 몸을 섞을 타이밍도……

오피스텔로 가자는 나의 제안에 승호 씨가 살짝 당황했다. 순간 너무 들이댔나 싶었지만 밀어붙였고 결과는 성공이었다. 숙소 1층 와인숍에서 이탈리아산 레드 와인 한 병을 샀다. 저녁을 그가 샀으니 와인은 내 차례였는데도 승호 씨가 만류하며 자기가 계산했다. 좋은 징조였다.

그와의 섹스는 그저 그랬다. 침대 밖에서는 호감 있는 척 연기하지만, 침대 위의 나는 그렇지 않다. 남자의 머릿속에서 어떤 생각이 떠오르고 가라앉는지 가만히 지켜본다. 그게 나의 카타르시스이고 오르가슴이다.

자고 가도 되냐고 묻는 그를 씻겨서 집으로 보냈다. 그가 질리게 해서는 안 된다. 아침까지 같이 있는 건 프로젝트에 도움이 되지 않는다. 아쉬운 것으로 치자면 경승호보다 내쪽이 더 크다. 하루빨리 그의 머리를 차지하고 싶다. 그가 닫고 떠난 현관문에 지금도 아쉬움이 남아 있는 것 같다.

2020.2.5. 신촌

그가 쌍둥이 형제 얘기를 했다. 이차로 와인바에 갔을 때였다. 지난번처럼 또 가족 얘기가 나왔다. 적당히 얼버무렸는데 역시나 실망한 듯한 눈치였다. 섣부른 거짓말보다 묵비권 행사가 낫다. 침묵에는 들통날 게 없기 때문이다. 가족과 친구 이야기를 안 하고 요즘 젊은 여자들과는 달리 SNS도 안 한다며 원망의 말투로 그가 말했다. 좋은 징조다. 나를 더 알고 싶고 빠져들고 있다는 뜻이다.

내가 이 만남을 발전시키는 이유는 그의 머릿속에서 꺼내야 할 것들이 많기 때문이다. 그래서 내 얘기에는 묵비권, 그의 얘기에는 관심과 질문의 패턴이 반복된다. 자기가 더 많이 꺼내면 나도 가족 얘기를 할까 싶었는지 한참 망설이더니 쌍둥이 얘기를 했다.

다른 사람에게 말하는 건 처음이라고 했다. 기분이 좋았다. 누군가의 내밀한 비밀을 듣는다는 건 영광이지, 아무렴. 샴쌍둥이로 태어났고 생후 한 달 만에 분리수술을 받았으며, 형인지 동생인지 다른 쪽은 죽었다는 것이다.

그 사실을 스무 살에 우연히 만난 고모가 들려줘서 알게 되었고, 긁어 부스럼 될까 봐 부모에게는 말하지 않았단다. 부모의 방임적인 태도도 어렸을 때는 몰랐는데, 그 사실을 안 뒤부터는 아들 잃은 후유증인 걸로 짐작한다고 승호 씨는 말했다. 지금도 왼쪽 뒤통수에는 절제술 자국이 길게 나 있으며 가끔 꿈에 얼굴도 모르는 신생아가 울면서 나온다고 한다.

딱한 마음이 들었다. 사랑해서도 안 되고, 사랑할 사이도 아니지만, 잘해 줘야겠다고 다짐한다.

2020.2.20. 대흥동

어제는 대전 블루스라는 브랜드의 막걸리를 마시고 몹시 취했다. 술이 약한 편은 아니라고 생각해 왔는데 피곤이 쌓였는지 그야말로 '꽐라'가 됐다. 다행인 것은 취하기 전에 필요했던 성과를 이뤘다는 점이다. 그가 교환일기를 쓰는 걸 약속했다. 예상했던 대로 모범생이었던 어린 시절의 경험 때문에 일기에 대한 부정적인 태도가 드러났다. 억지로 썼다는 말이고 성인이 되어서까지 쓰고 싶지 않은, 자연스러운 현상이다. 푼수처럼 부탁하는 전략을 썼다. 몇 번의 망설임 끝에 그가 받아들였다. 텔레그램 톡방에서 일기를 주고받기로 했다.

일기는 정말 중요하다. 이 프로젝트의 성패를 좌우한다고 해도 과언이 아니다. 어떤 부위가 어떤 기능을 담당하는지 알기 위해서다. 피험자의 진술이 없다면 뇌 지도 완성은 물 건너 가는 셈이다. 자발적 실험 참여자라면 면담으로 파악하겠지만, 난 그가 모르는 상태에서 알아내야 한다. 그의 약속에 기분이 좋아져서 나는 막걸리를 많이 마셨다. 그의 자취방에서 잤는데 기억이 나지 않는다. 아직도 머리가 아픈 것 같다.

2020.2.24. 장대동

드디어 대전에 이사 왔다. 승호 씨가 자기 차로 이삿짐을 날라주었다. 고마운 사람이다, 여러모로…… 같은 대전시민이 되었으니 더 친하게 지내자고 그가 말했다. 내가 하고 싶은 말이다. 친해진다는 것은 무얼까? 그는 가족이나 친구 따위의 내 껍데기를 알고 싶겠지만 나는 그의 알맹이를 건지고 싶다.

하루빨리 그와 같은 침대를 써야 한다. 머리 좌표를 설정하고 자극 캡슐을 넣고 일기로 반응을 보고 S와 J가 뇌 지도를 완성하는데 필요한 정보를 제공해야 한다. 그러려면 결혼을 하거나 적어도 동거는 해야 한다.

많지 않은 이삿짐을 부린 뒤, 짜장면과 고량주를 시켜 먹었다. 욕실에서 그가 양치 후에 자연스럽게 자기 칫솔을 칫솔걸이에 걸었다. 이 집에 더 머물고 싶어한다는 뜻이다. 목표물이 정말 가까이 다가왔다. 그가 내 영향권에서 벗어나지 못하게 만드는 것이 유일한 내 목표다.

2020.3.17. 둔산동

그가 자꾸 카이스트에 가자고 한다. 자기 사무실에서는 같이 점심 먹을 사람이 없다면서 자주 장대동으로 온다. 점심이야 먹으면 되지만 일하는 공간을 보고 싶다며 자꾸 보채는데 곤란하기 짝이 없다. 동료들과 아직 친해지지 않았다는 핑계를 댔지만 언제 다시 요구할지 모른다. 불안하다.

카이스트로 출근하는 척하지만 나는 서운 도서관에서 공부를 한다. 물론 뇌과학이다. 인근 PC방에서 베른 본부의 오더를 받고 과제를 수행한다. 내가 수집한 경승호에 대한 자료를 보내고 통계로 정리된 보고서를 받아 읽는다. 브레인 리딩과 라이팅의 세부 계획도 세운다. S가 플루로이드 칩을 개발하는 과정도 체크해야 하고, 이식할 스토리가 얼마나 짜여졌는지 J와도 협의해야 한다. 특히 그녀가 만드는 시나리오는 내가 관찰한 결과가 반영되어야 하므로 그녀와 자주 연락해야 한다.

아까 S와 통화하는 중에 걱정거리가 또 하나 생겼다. 몇 년 전,

경승호가 은둔 생활 끝에 네팔 여행을 갔는데 거기서 어떤 일본 여자를 만난 모양이라고 했다. 그녀도 멘사 회원이면서 우리 조직의 타깃이었는데 용케 벗어난 것 같았다. 어찌어찌하다가 승호 씨에게 브레인업 일루미너티를 경고했단다. 정작 그는 대수롭지 않거나 아예 잊은 기억일 수 있는데 S는 께름칙해서 자꾸 신경 쓰인다고 했다. 혹여 그 일본 여자애의 충고를 떠올리고 눈치를 채면 어쩌지? 여러 가지로 불안감이 커진다.

2020.3.27. 둔산동

내 연구실에 오겠다거나 동료들과 만나겠다는 승호 씨의 요구는 잠잠해졌다. 내가 워낙 완강히 거부한 탓이다. '안단테 안단테'라고 어르는 것도 하루 이틀이지 정말 곤란한 상황이었다. 또 네팔에서 만난 일본 여자 문제도 자꾸 거슬린다. 한번은 그가 네팔 여행 갔던 얘기를 꺼내길래, 그 여자에 대한 기억으로 번질까 봐 물컵을 쏟아 화제를 돌리기도 했다.

좋은 점도 있다. 그와의 관계는 점점 깊어지고 있다. 그가 내 방에 와서 자거나 내가 그의 원룸에서 자는 날이 많아졌다. 나는 그의 욕실에 잊은 척하면서 클렌징과 칫솔, 생리대 따위를 하나씩 넣어두었다. 그가 이삿날 내 욕실에 슬며시 칫솔을 걸어두었듯이……

섹스하는 동안 그의 눈빛은 초점을 잃는다. 나를 똑바로 보지 못한다. 이유를 곰곰이 생각해 봤는데 떠오르는 답이 없어 S에게 물었다. S의 답은 명쾌했다. 스스로를 망치라고 생각하는 사람은 모든 문제를 못으로 본다, 그렇게 단순한 풀이의 인생을 살아왔기 때문에 승호 씨에게 침대 위의 여자도 해결할 문제로 본다는 것이다. 그래서 서툴고 불안해한다는 해석이었다. 일리가 있는 것 같다.

2020.4.1. 봉명동

만우절인데 저녁을 먹던 그가 거짓말처럼 프러포즈를 했다. 만우절에 농담하지 말라고 했더니, 진지한 표정으로 안주머니에서 뭘 꺼내는 거다. 반지였다. 어쩐지 봉명동 우산 거리에서 가장 근사한 레스토랑을 예약하더라 싶었다. 반지가 마음에 든 것도 아니고, 반지를 내민 남자를 사랑하는 것도 아니지만, 나는 기분이 날아갈 것 같았다. 세 달도 되지 않아 첫 번째 목표를 달성한 것이다!

Will you marry me? 민망했는지 그는 한국말을 놔두고 영어를 썼다. 나는 웃음을 감추고 반지를 식탁에 내려놓았다. 그런 뒤 스테이크를 나 먹고 대답해 주겠다고 말했다. 식사 내내 그는 초조해 보였고, 나는 그 상황이 즐거웠다. 삼십 분 후에 내가 I don't want to marry you라고 말하자 그의 눈이 휘둥그레졌다. 실망감과 당혹감이 보였다.

"만우절 농담이었어요."라고 말한 뒤 반지를 끼자 그제야 그의 표정이 밝아졌다. 순진한 사람이라고 생각했다. 앞으로도 그 순진무구함을 계속 간직해 주었으면, 하고 나는 빌었다. 교환일기 거르면 파혼이라고 내가 경고한 뒤, 손을 잡고 레스토랑을 나왔다.

2020.4.10. 장대동

카이스트 앞에 벚꽃이 흐드러지게 피었다. 예쁘게 핀 꽃나무 아래서 우리는 다퉜다. 그가 일방적으로 화를 냈다고 해야 맞겠다. 사실 올 것이 왔다. 결혼 전에 가족 만나는 계획을 얘기하다가 내가 거부하자 폭발해 버린 것이다. 나에 대해 아는 것이 너무 없다면서 결혼을 취소하고 싶다고, 그는 말했다.

순간 당황했지만 나약하게 굴어서는 안 된다고 판단했다. 나는 순순히 물러섰다. 그만큼 실망했는지 몰랐다고, 여기까지만 하자고 말했다. 그의 표정이 일그러졌다. 자기를 잡아줄 것으로 기대하고 터뜨린 결별 선언인데, 내가 순순히 받아들이자 당황하는 기색이었다.

한참의 침묵 끝에 그가 미안하다고 말했다. 없던 일이 되었다. 나는 회심의 미소를 겨우 참았다. 내심 다행이라고 생각했다. 그가 조금 더 강단 있다거나 나를 덜 좋아했더라면 우리의 결혼은 실패로 귀결되었을 것이다. 결혼이 예정된 8월 말까지는 아직 넉 달도 더 남았다. 기선을 잡았지만 여차하면 빼앗길 수도 있다. 잘 관리해야겠다고 다짐한다.

2020.4.25. 상계동

승호 씨 부모님을 만났다. 그들은 교양 있는 중년의 중산층다워 보였다. 친절하고 배려심이 깊었다. 아들에 대해서 과하지도 모자라지도 않는, 긍정과 부정 어느 쪽에도 해당되지 않는 태도를 보였다.

내게 궁금한 것을 예의를 갖춰 물었는데 시종일관 하대하지 않았다.

미리 승호 씨가 언질을 해둬서였는지 집안에 대한 질문은 많지 않았다. 부모님의 이혼 이후 독립했고 자연스럽게—가족 사이가 멀어지는 것이 자연이라 할 수 있는가 싶지만—멀어져 연락두절 상태라고 말했다. 두 분은 그에 대해서도 평가의 말은 없었다. 오히려 나의 전공(으로 알고 있는) 뇌과학에 대한 관심을 보여줘서 고마울 따름이었다.

실험 숙주에게 감정이입 되는 것은 좋지 않다. 그러나 인간이기에 어쩔 수 없는 점도 있다. 승호 씨는 생쥐가 아니지 않는가. 베른에서 생쥐 실험을 할 때 관찰이 길어지면 동물마저 사랑하게 된다는 사실을 알았다. 실험쥐 더블엠(BB)이 죽었을 때 우리 팀 대부분이 울었다. 동물도 그럴진대 일주일에 한두 번씩 섹스를 하고, 나를 사랑한다고 말하는 사람과 거리를 유지하는 건 쉬운 일이 아니다. 그때마다 S와 J가 미션을 되새겨 준다. 사랑과 미션 수행은 동시에 이뤄질 수 없다는 걸 자각해야 한다. 사랑에 빠지는 일이 있어서는 절대 안 된다.

승호 씨의 부모도 만났겠다, 내가 그의 두뇌를 차지하는 일은 시간문제다. 하지만 여전히 넘어야 할 산들이 많다. 식사가 끝나고 나를 바래다주면서 승호 씨는 자기네 부모를 만났으니 이제 내 부모도 만나자고 말했다. 각오했던 제안이었다. 나는 확답하지 않았다. 사람을 써야 하나 싶었지만 그러고 싶지 않다. 말을 하면 거짓말이 되니까. 말하지 않으면 거짓은 존재하지 않게 되는 법이다. 어떻게

든 버텨볼 요량이다.

2020.5.5. 봉명동

달린 어린이가 없는 어른에게 어린이날은 공짜 돈을 주운 느낌을 준다. 승호 씨와 나는 대전 오월드에 놀러갔다. 동물원과 놀이동산이 있는 테마파크였는데, 어린이 없이 온 사람은 우리 둘뿐인 듯했다. 오늘만큼은 유치하게 놀자는 제안을 그가 흔쾌히 받을 줄은 몰랐다. 주차도 어려웠고 미어터질 듯한 인파에 정신이 혼미해지기도 했다. 야외에서도 마스크 쓰기가 의무화되어 더 답답하기도 했다.

캐릭터가 그려진 머리띠를 사 쓰고, 녹는 아이스크림을 빨면서 동물들을 구경했다(사실 동물보다 사람이 훨씬 많은 것 같았다). 결혼을 한다는 건 이런 걸까 싶었다. 둘이 걷다가 그 사이에 아이가 하나둘 더 생기는…… 아이들을 데리고 온 부부들의 얼굴을 보았다. 행복해 보이는 웃음도 있지만 짜증과 스트레스도 보였다.

곧 승호 씨와 결혼하게 된다. 하지만 아이는 갖지 않을 것이다. 그는 남편이기 이전에 내 실험의 숙주다. 아이가 생긴다는 건 끔찍한 일이다. 절대 안 될 일이다. 아이를 갖자는 제안은 내가 궁지에 몰렸을 때 쓸 수 있는 최후의 카드다. 물론 그런 말을 한다고 해서 갖게 되는 건 아니지만 말이다.

J는 같은 여자니까 내 심리를 더 잘 아는 것 같다. S가 승호 씨의 심리를 알려줘 도움이 된다면, J는 흔들리거나 나약해지는 내 마음을 귀신처럼 알아차리는 것 같다. 정례 보고 통화에서 그녀는 내

피임을 신신당부하곤 한다.

아장아장 걷는 아이들에게서 눈을 떼지 못하는 그의 시선을 외면한 채, 나는 호랑이를 가만히 바라보고 있었다.

2020.5.17. 대흥동

승호 씨와 야구장에 갔다. 봄밤은 시원하고 운치가 있다. 스포츠를 좋아하는 편은 아니지만 해가 넘어가는 그라운드의 분위기는 멋지다. 그동안의 스트레스가 좀 풀리는 느낌이었다.

그가 한화 이글스를 '화나, 이기긴 글렀으'라고 농담을 했는데 빵 터졌다. 너무 웃겼다. 머리만 좋지 유머나 여유가 없는 사람이라고 생각했었는데 의외의 특징도 보인다.

승찬에게서 들은 전 여자친구를 떠올리라고 야구 얘기를 했더니 놀라는 눈치였다. 그럴 수밖에.. 남자들은 모르는 걸 아는 체하는 데는 선수지만 아는 걸 모르는 체하는 데는 숙맥이다. 나중에 그의 뇌를 확보한다면 이 지점도 확인해 봐야겠다.

아직도 그는 결혼에 대한 확신이 없는 듯했다. 지난번처럼 또 결별 이야기를 꺼낼까 봐 조마조마하다. J는 그의 지적 호기심을 충분히 자극하라고 조언한다. 나는 동의하면서도 한편으로는 걱정이다. 자신보다 내가 더 똑똑하다고 생각하면 질릴 수 있기 때문이다. 수위를 잘 유지하는 것이 중요하다.

내 얘기에 대한 집중력은 연초에 비해 줄었지만 여전히 잠자리는 즐기는 것 같다. 다행이다. 플라토닉과 아카데믹이 부족해지면 몸을 써야 한다. 어쩔 수가 없다. 남자는 다 똑같다.

야구장에서의 대화를 J에게 보고했더니 "역시"라는 반응이었다. 승호 씨에 대해 많은 정보와 팁을 주었다. 그녀는 S에 의해 이 프로젝트에 참여했는데 정작 S보다 J가 승호 씨에 대해 더 많이 아는 것 같기도 하다. 아무튼 험난한 여정에 좋은 요원들이 있어 외롭지 않다.

2020.5.22. 장대동

이번 미션의 이름을 생각 과자 프로젝트라고 처음 이름 붙인 사람은 S였다. 승호 씨와의 대화 중에 생강 과자 이야기를 들은 것을 보고했더니 바로 다음 날부터 그렇게 불렀다. 처음엔 장난이었는데 계속 그렇게 부르니 정식 명칭이 되었다. J는 물론 본부까지도 번졌으니 말이다.

점점 조바심이 난다. 8월 28일로 결혼식 날짜를 잡았는데 뭔가 불안하다. 쫓기는 기분이다. 하루빨리 실험에 착수하고 싶다. 점점 같이 자는 날이 많아지고 있지만 섣불리 시작할 수는 없다. 브레인리딩은 매일 확인하지 않으면 안 되는 작업이기 때문이다. 같이 잠드는 날에 그가 자는 모습을 내려다보곤 한다. 사랑까지는 아니어도 일종의 연민이 생기는 건 어쩔 수 없다.

프로젝트 명칭이 곱씹을수록 마음에 든다. 생강 과자는 먹어 보지 못했지만 말이다. 사실 승호 씨의 착각은 흔한 일이다. 인간은 착각이 90% 이상이다. 심리학자와 경제학자들은 인간이 대부분 합리적인 판단을 하고, 가끔 비합리적으로 사고한다고 믿는다. 우리 뇌과학자의 입장은 반대다. 대부분 합리적이지 않고, 아주 가끔 합리적으로 생각한다고 믿는다. 두뇌가 얼마나 보잘것없고 그 작동이 랜덤인지는 열어 보면 안다.

인간은 보는 걸 믿는 게 아니라 믿음대로 본다. 판단한 걸 합리화하는 게 인간이다. 그런 면에서 승호 씨가 생강 과자를 생각 과자로 착각한 것도 이유가 있을 거라 생각한다. 그는 생각을 좋아하는 사람이다. 사고능력도 뛰어나지만 무엇보다 그는 사고 자체를 좋아한다. 그의 생각 하나하나가 우리 시스템에 읽힐 것이다. 생강 과자의 어느 부위에 어떤 생강 성분이 얼마나 녹아있는지 확인하는 것과 동일하다.

실험 생활 초기에 나는 베른의 선배들에게 물었다. 왜 천재의 두뇌만 사용해야 하는지, 보통의 두뇌로는 왜 실험이 불가능한지 질문했었다. 그들의 대답은 이랬다. 똑같이 불을 붙여도 바짝 마른 장작과 물기를 흠뻑 먹은 장작은 다르듯이, 활성화(activation)의 정도가 높고, 뇌 신경망의 처리 속도가 빠를수록 리딩과 라이팅이 수월하다는 거였다.

이제 알 것 같다. 여러 면에서 승호 씨의 두뇌는 남다르다. 절대 놓쳐서는 안 될 절호의 기회다.

2020.7.29. 제주도

예비 허니문으로 승호 씨와 제주도에 왔다. 결혼식은 꼭 한 달 남았다. 여름 들어 그와 같이 자는 날들이 늘었다. 엊그제 한꿈 아파트에 전셋집도 얻었으니 앞으로는 더 많아질 것이다. 브레인 리딩을 위해서는 매일 같이 자야 한다. 이 3박 4일의 제주 여행은 앞으로 수행할 작업의 초석이 될 것이다.

머리 좌표는 이미 만들어 두었다. 3주 전 어느 날, 승호 씨가 자는 틈에 그의 머리를 3D 카메라로 촬영했다. 그 데이터를 토대로 사이즈를 설정했다. 미간 중심을 기준으로 X 150(R 75, L 75), Y 200 (R 100, L 100)로 매겼다.

베른에서의 가장 큰 성공은 두개골을 절개하지 않고도 자극을 주는 방법을 찾은 것이다. 승호 씨의 fMRI(기능성 자기공명영상)를 찍을 수 없는 내 입장에서는 이 점이 가장 중요한 과제다. 시간이 오래 걸리긴 하지만 다른 방법이 없다. 두뇌 좌표 하나하나에 자극을 주고 그 반응을 확인하는 수밖에……

TMS(경두개 자기 자극술)는 머리 위에 강한 자기력을 주는 방식인데 정확도가 떨어진다. 뇌암 수술에 많이 쓰이는 사이버 나이프(Cyber knife) 방식은 병원에서만 가능하다. 우리가 베른에서 성공한 방식은 삼투압 현상을 활용한 것이다. 빈 모공에 실험 약물을 투여해 두피와 두개골을 뚫고 뇌 피질까지 도달시키는 방식이다. 생쥐에게는 통했다. 하지만 두피와 두개골이 훨씬 두터운 사람에게도 통할지는 미지수다.

낮에 관광지와 해수욕장을 돌아다녀서 그런지, 승호 씨는 금세 지쳤다. 잠도 평소보다 더 깊은 숙면이었다. 첫날 나는 잠든 그의 전두엽 쪽 빈 모공에 실험 약물을 넣었다. 마이크로 인젝터가 약물을 뽑을 때 심장이 쿵쾅거렸다. 삼투 압력이 충분하길 빌었다. 일반적으로 언어능력과 관련되었다고 알려진 부위를 골랐다. 쉬운 것부터 하고 싶었다. 첫 실험부터 실망하고 싶지는 않았기 때문이다.

성공을 확인하는 데는 몇 시간 걸리지 않았다. 다음날 아침 승호 씨는 말을 더듬었다. 그러면서도 자기가 말을 더듬는다는 사실을 몰랐다. 표현 뿐 아니라 언어 인지에도 문제가 생겼기 때문이었다. 나는 실험 일지에게 기록하고, S와 J에게 자료를 보냈다. 무난한 출발이었다. 그의 말더듬 증상은 점심 무렵에야 사라졌다.

둘째 날 밤에는 우뇌 후두엽인 X —45, Y +138 지점을 골랐다. 다음날 승호 씨의 왼쪽 눈이 흐릿해졌고, 불편함 때문에 오전 일정을 취소했다. 극소량을 투여했기 때문에 효과는 오래 가지 않았다. 역시 점심 먹고 나서 그의 시력은 회복되었고, 박물관 두 곳과 이호테우 해수욕장에서 임몸을 구경했다.

마지막 밤인 지금, 그는 잠들어 있다. 이 글을 쓰고 나서, 그의 측두엽을 실험할 것이다. 영문도 모른 채 말을 더듬고 눈이 뿌옇게 되는 그가 안쓰럽기도 하지만 어쩔 수 없다. 나는 점점 흥분된다. 브레인 리딩에 얼마나 많은 밤이 소요될지 모르지만, 그 작은 실험과 결과들이 모여 두뇌는 정복될 것이다. 스스로 원한 것은 아니지만 경승호는 인류의 영웅이 될 수도 있다.

2020.8.28. 호놀룰루

하와이행 비행기를 기다리고 있다. 오늘 결혼식은 성공적이었다.

들키지 않았다는 점에서…… 승호 씨는 방심한 상태에서 몹시 매운 고추를 씹은 직후의 감정 상태였다. 두려움과 후회, 기대감와 안도감이 교차했다. 나 역시 마찬가지였다. 이제 본격적인 실험을 할 수 있게 된다는 기대와 거짓이 들통날까 걱정되는 마음이 교차했다.

J가 연기학원에서 열 명을 섭외해 예식장으로 보내주었다. 미리 사진과 역할을 공유한 상태라 초면이었어도 어렵지는 않았지만 긴장됐던 건 사실이다. 그들은 노련했고, 다행히 승호 씨나 가족들이 눈치채지는 못한 것 같다.

S도 왔다. 통화와 메일은 수없이 주고받았지만 만난 것은 처음이었다. 그는 노량진에서 잘 나가는 한국사 일타강사였다. 이름 최승찬, 내 남편 경승호의 절친이자 내게 그를 소개해 준 요원. 승호 씨 앞에서 나는 S를 승찬 오빠라고 부르며 친한 척했다. 우리의 연기는 들키지 않았고, 그런 점에서 나쁘지 않았다.

사람들이 수군거리는 걸 느낄 수 있었다. 내 가족은 전혀 없고 직장 동료와 친구 몇 명만 참석한 것에 대한 구설이다. 각오한 일이다. 나는 당당하게 행동했다. 위축되면 의심을 산다. 승호 씨는 못마땅한 표정이었다. 포기해 놓고도 내 가족이 나타나길 내심 기대했던 모양이다. 이해한다. 나에 대해 잘 모른 채 결혼하는 것이 불안하기도 했을 것이다. 하지만 모든 상황은 종료됐다. 다 잘 될 것이다.

그는 아내를 얻었고, 나는 기회를 얻었다.

2020.9.15. 서운동

모든 것이 순조롭다. 하와이에서 시작한 브레인 리딩은 계획대로 진행되고 있다. 매일 밤 남편이 잠든 것을 확인한 뒤, 나는 그의 두뇌에서 표적 좌표를 찾는다. 빈 모공을 찾아 약물을 침투시킨다. J에게서 공급받는 약물의 구체적인 성분은 모른다. 삼투압의 힘으로 두피와 두개골을 뚫고 뇌피질에 도달해 전기 자극을 일으키는 정도로만 알고 있다.

어제는 남편과 뮤지컬 '지킬 앤 하이드'를 관람했다. 승호 씨의 사무실에서 제공한 일종의 보너스였다. 4월에 총선이 끝났는데—다행히 조기섭 의원은 재선에 성공했다—당선 인사니, 원 구성이니 하는 핑계로 시간을 끌다가 몇 달 만에 영감이 한턱 쐈다는 거다. 그것마저도 순수한 직원 격려가 아니라, 친분 있는 공연기획자에게서 표를 팔아줘야 하기 때문이며 티켓 구입비마저 그 의원의 사비가 아니라 정치후원금에서 쓴다는 거였다. 사무실 직원들은 투덜댔으나 어쨌든 각자의 희망일에 따라 15만 원짜리 티켓을 두 장씩 나눠 가졌다.

남편은 뮤지컬을 꽤나 즐기는 듯했다. 공연이 끝나고 집에 오면서도 노래를 흥얼거리거나 정신분열에 대한 자기 생각을 말하기도 했다. 연애할 때는 내가 말이 많았지만 결혼 이후에는 반대다. 내가 그를 관찰할 일이 많기 때문이다. 간밤에 심은 실험이 어떻게 나타나는지 지켜보는 것이 내 일이다. 그의 행동이나 말 한마디, 텔레그램에 올린 메시지 등을 예의주시한다.

다행히 그는 텔레그램을 통한 교환일기를 즐기는 것 같았다. 내가 제안했던 연애 초기에는 유치하다는 이유로 꺼려했지만, 어느새 그것에도 재미를 붙였는지 자기 속내를 제법 충실히 쓰고 있다. 연애 초반에는 나에게 잘 보이기 위한 내용을 많이 썼지만 지금은 내가 읽는지 아닌지 의식하지 않는 정도가 된 듯하다. 말이나 행동으로 드러나지 않은 그의 두뇌 반응을 확인할 수 있다는 점에서 그의 텔레그램 일기는 매우 유용하다. 명색이 교환일기라 나도 안 쓸 수는 없지만 내 포스팅은 점점 줄고 그가 올리는 게시물은 많아지고 있다.

지난주에 나는 성감(性感)을 관장할 것으로 추측한 왼쪽 전두엽(X 25, Y -32 지점)에 투약했다. 다음날 아침 평소대로 그는 출근했고 나는 서운 도서관으로 갔다. 실험 일지와 계획서를 정리하고 있는데 오전 10시쯤 문자가 왔다. 참기 힘든 성적 욕구를 호소하는 내용이었다.

나는 웃음이 터졌다. 그는 성욕을, 나는 웃음을 참지 못했다. 조용한 사무실에서 아랫도리를 배배 꼬며 절박한 메시지를 쓰고 있는 그를 상상하니 절로 웃음이 났다. 분명 활자로 타이핑된 언어였지만 그것은 한여름 수컷 매미의 맹렬한 울음과도 같았다. 밤 논둑에 퍼지는 개구리의 울음이었고, 가을 저녁 찌르르 소리를 내는 귀뚜라미의 애걸복걸이었다.

승호 씨가 점잖은 엘리트라는 사실과 전두엽을 살짝 손봤을 뿐인데 짐승처럼 흥분하는 모습 사이의 괴리가 우습게 느껴졌다. 그건 마치 지킬과 하이드의 차이였고, 이성과 본능, 멘탈과 피지컬의 차이였다. 인간이 아무리 고상하다 해도 작은 두뇌 자극 하나만으로 마비와 활성화를 큰 폭으로 오가는, 나약한 존재라는 사실을 새삼 느끼게 된다.

그는 결국 참지 못하고 전화까지 했다. 내가 일하(는 것으로 알고 있)는 카이스트 쪽으로 데리러 오겠다고 했다. 서운동에 있던 나는 순간 당황했지만 대충 둘러댄 뒤 한시간이 지나 그를 집에서 만났다.

그의 존재는 말 그대로 발기한 수컷이었다. 엄밀히 말하자면 발기 당한 수컷이겠지만…… 그의 저돌적인 침입을 온몸으로 받아들이면서 나는 기분 좋게 되뇌었다. '이제 비아그라는 끝났어'라고. 그리고 모든 성적 불감증을 한방에 날려버릴 좌표를 기록에 남겼다. 그날도 내 오르가슴은 늘 그렇듯이 연기에 불과했다.

2020.9.29. 서운동

드디어 찾았다. 떨리는 마음으로 나는 스마트폰에 좌표와 시간을 기록한다. X 155, Y 87 지점. 2020년 9월 29일 새벽 4시 35분. 생각보다 빨리 발견했다. 세 달을 각오했는데 43일 만에 찾아냈으니 말이다. 그는 작은 숨소리를 내며 여전히 자고 있다. 자기 머리에서 어떤 일이 벌어지는지 모른 채……

침대 머리맡에서 나는 그를 내려다보고 있다. 깨어 있을 때처럼 잘 때도 그의 자세는 반듯하다. 노란 스탠드 조명 빛이 숨 쉴 때마다 오르내리는 그의 가슴팍을 비추고 있다. 머리를 탐색하기 위해 침대 프레임에 고정시켜 놓은 작은 핀 조명이 방금 찾아낸 B 포인트를 가리키고 있다. 어린 시절 땡볕 아래서 종이를 태우려고 돋보기로 모았던 햇빛 같다. 독창하는 뮤지컬 배우를 비추는 스포트라이트 같기도 하다.

이제 리딩(reading)이 끝났으니 라이팅(writing) 작업을 시작해야 한다. 한차례 심호흡을 한다. 오랜 염원을 이루게 됐다는 희열과 아무것도 모른 채 자고 있는 이 사람에 대한 죄책감이 뒤엉킨다. 어느 쪽이든 감정에 휘둘리지 않아야 한다. 흥분과 자책 모두 이 프로젝트를 망치는 길이 될 것이다. 탐색 과정인 리딩보다 주입인 라이팅은 훨씬 복잡하고 섬세하다. 절대 감정에 휩쓸려 일을 그르쳐서는 안 된다. 나는 지금 겨우 절반을 지난 마라토너일 뿐이다.

키트를 열어 손가락 두 마디 크기의 마이크로 인젝터를 꺼낸다. 다시 한번 심호흡을 한 뒤 주사기의 끝을 바라본다. 말단 부분으로 갈수록 사선 모양으로 날카롭게 벼려져 있다. 지름 3나노미터의 이 작은 구멍을 통해 스토리가 심어질 것이다. 플루이드 칩은 반도체 메모리를 액화(液化) 한 것인데 S가 이미 두 달 전에 완성해 두었다. 숙주—라고 부르고 싶지는 않지만 적당한 다른 단어가 떠오르지 않는다—의 뇌에 옮겨질 정보는 J 담당이었다. 정보라기보다는 스토리에 가까운 것인데 보름 전 서울에서 S가 준비해 놓은 플루이드 칩에 새겨졌다.

이제 B 포인트에서 빈 모공을 하나 찾아 그 속으로 액화칩을 주사하면 된다. 이 작업을 얼마나 반복해야 할지 아직은 모른다. 그의 반응을 관찰하며 결정할 문제다. 똑같은 바이러스에도 사람마다 면역 반응이 다르듯 이것 역시 그의 뇌에서 어떻게 작용할지 모른다.

생쥐 실험에서 얻은 성공이 통하길 바랄 뿐이다.

잠깐 나는 그동안 스위스 베른에서 희생된 수천 마리 생쥐들의 명복을 빈다. 실험이 아니었다면 태어나지도 못했을 거라는 생각으로 합리화해 보지만 미안한 건 어쩔 수 없다. 특히 처음으로 브레인 라이팅에 성공한 더블 M—우리는 그 녀석을 마이티 마우스라고 불렀다—이 떠올랐다. 공포, 안락, 슬픔, 기쁨 등 네 가지 감정을 자극할 스토리를 주입했을 때 녀석은 정확히 우리의 예상대로 움직였다. 가령, 짝짓기 경험을 나눴던 암컷이 갑자기 사라지는 영상을 플루이드 칩에 넣어 주입했을 때 MM은 전형적인 슬픈 행동을 보였다.

키트 안에 인젝터를 내려놓고 나는 가만히 눈을 감는다. 흥분이 가라앉고 지난 10년의 도전이 영화 예고편처럼 재생된다. 우리의 실험이 오늘 밤 맺게 되는 작은 열매는 짐작할 수 없이 커질 것이다. S와 J, 그들의 얼굴과 목소리가 뇌리에 스쳐간다. 그들의 헌신은 오래 기억될 것이다.

지금 이후 인류의 운명은 통째로 바뀔 것이다. 속단하기는 이르다는 경계심도 든다. 그럼에도 내 뇌하수체에서는 아드레날린이 멈추지 않고 뿜어져 나온다. 이제 치매와 트라우마 없는 세상이 열린다. 우울증과 조현병도 정복될 수 있다. 콤플렉스, ADHD, PTSD 따위의 심리학 용어도 사전에서 지워질 것이다. 모든 종류의 중독과 악몽과 가벼운 두통까지도 곧 종말을 맞이한다.

내가 주입해서 열리는 이 문이 유토피아로 통하는지는 모르겠다. 하지만 많은 사람들을 디스토피아에서 건져낼 수는 있다고 믿는다.

여전히 떨리는 손을 내밀어 나는 마이크로 인젝터를 집어 들었다.

2020.11.15. 서운동

한 달 간의 관찰은 기대 이상이다. B 포인트에 주입한 스토리에 따라 남편은 충실히 반응하고 있다. J가 설계하고 S가 만들어낸 액화 플루이드 칩을, 나는 밤마다 주사하고 있다. 우리가 B 포인트라고 부르는 지점은 인간이 스토리를 받아들이고 만드는 두뇌 영역이다. 우리의 기대대로 칩에 설계된 스토리는 승호 씨의 전두엽을 장악하고 지배했다.

나와 S, J는 매일 투여하는 칩의 내용을 비밀 톡방에서 공유했다. J는 타고난 스토리텔러다. 그녀는 한이슬이라는 상상의 인물을 창조해냈다. 9월 29일, B 포인트에 처음으로 투여한 칩에는 이슬의 성격과 커리어, 둘이 만나게 되는 과정 등이 담겨 있었다. 다음날 퇴근 후에 승호 씨는 갑자기 사무실 여직원이 바뀌었다는 말을 했다. 나는 속으로 쾌재를 불렀다. 그날 밤 내가 투여한 액화 칩에는 남편이 호감을 가질만한 요소들이 한이슬이라는 가공의 인물에 스며들어 있었을 것이다.

아무리 자극이 최적화되어 있더라도 받아들이는 두뇌가 튕겨내면 그만이다. J가 천재 스토리 작가라고 느낀 것은 바로 그 지점이다. 그녀는 승호 씨의 호기심과 호감도가 상승할 요소를 정확히 알고 있었다. 가령, 한이슬이 양심적 학위 거부자라든가, 놀라울 정도로 지적이면서도 유연하다든가, 경승호 자신은 가지고 있지 못하면서 동경만 해오던 포인트를 정확히 투입했다. 아무리 날카롭고 합리적인 지킬 박사여도 그렇게 섬세하게 설계된 스토리 앞에서는 꼼짝없이 하이드 씨가 되고 마는 것이다. J는 아내인 나보다도 경승호에 대해 훨씬 더 많이 알고 있는 듯했다.

승호 씨는 텔레그램에 한이슬에 대한 이야기는 전혀 쓰지 않았다. 당연한 일이다. 내가 볼 수 있는 공간이고 외도의 죄책감이 있기 때문이었다. 그가 점점 내 눈을 마주치지 못한다거나 쳇 베이커 노래 얘기를 꺼낸다거나 할 때마다, 나는 생각 과자 프로젝트가 잘 진행되고 있음을 직감했다.

한이슬은 우리가 만들고 주입한 가공의 인물이지만 사무실에서 승호 씨는 김민희를 한이슬로 착각하며 지내고 있을 것이다. 그의 착각이 현실에서는 드러나지 않을 거라고 S는 확신했다. 왜냐하면 허구의 스토리에 따라 '의식'하는 것과 일상적인 생활을 영위하는 것을 별개로 설정했기 때문이다.

솔직히 처음에 나는 걱정이 앞섰다. 남편이 한이슬로 착각해 김민희에게 이상한 짓을 한다든가, 가상의 호텔인 겟로스트를 찾겠다고 실제로 이동하지 않을까 우려했다. 하지만 며칠 관찰한 결과, 승호 씨의 두뇌는 지킬과 하이드가 서로 의식하지 못하는 것처럼 완전히 이분화되었다. S의 말이 맞았다. 그의 두뇌 속에 한이슬은 있어도 실제 생활에서 그녀의 존재는 없는 셈이다. 한이슬이 그를 매혹시키는 시공간은 버추얼이지만, 승호 씨는 그것이 가상이라고 여기지 못한다. 실제 생활에 버추얼의 요소를 끌어오지도 않는다. 심장의 판막이 온몸을 돌기 전의 피와 돈 이후의 피가 섞이지 않도록 막아

주는 것과 같은 이치다.

만에 하나, 그 두 세계가 충돌한다고 해도 큰 문제는 아니다. 전형적인 조현병 증상이어서 정신 병동에 가두면 그만이다. 실험이 마무리될 때까지만 승호 씨가 버텨주면 된다. 제발.

호텔 겟로스트는 남편과 한이슬, 두 사람만의 공간이다. 그곳은 자의식만으로 완성되는 공간이기 때문에 실재하는 인물—김민희든 어떤 여자든—이 동행하지 않아도 되도록 설계됐다. 그러니까 승호 씨는 버추얼 공간인 겟로스트 안에서 한이슬과 대화하고 함께 음식을 먹고 섹스도 하는 셈이다.

11월 초에 계족산 산행이 있었다. 조심스럽게 제안하는 남편에게 나는 흔쾌히 가겠다고 대답했다. 가족들까지 함께하는 산행은 정도완 국장의 제안이었다. 교통 상황이 꼬여 승호 씨는 차에 남게 되었지만 오히려 그것이 다행이었다. 김민희 씨와 단둘이 얘기할 수 있어서였다.

김민희는 매우 소극적인 여자였다. 먼저 말을 걸지 않으면 입을 닫고 있는 스타일이었다. 그녀가 생각하는 남편 역시 시크한 스타일로 자신에게 크게 관심을 갖지 않는다고 했다. 다행이었다. 다만 최근 승호 씨가 어떤 뮤지션에 대해 자꾸 말하고, 안 쓰던 스타일의 농담을 하기 시작했다고, 김민희는 내게 증언해 줬다.

남편이 일기에 한이슬에 대한 언급을 하지 않기 때문에 즉각적인 효과를 알 수는 없다. 그럼에도 브레인 라이팅의 효과는 분명히 드러나고 있다고 느껴진다.

S는 일주일에 두 번 우편으로 주사 약물을 보낸다. 나는 J에게서

매일 그날 밤 B 포인트에 투여하는 스토리의 내용을 전달받는다. 그의 언행에서 두뇌의 스토리 작용을 관찰해 내는 것이 중요하다.

2020.12.2. 잠실

출장 핑계를 대고 서울에 가 S와 J를 만났다. 프로젝트를 전반적으로 점검하고, 앞으로 어떻게 할지 의논하기 위해서였다. 아마 남편은 가상의 공간 겟로스트에서 한이슬을 만나고 있을 것이다. 길을 잃고, 아무것도 모른 채로……

J는 B 포인트를 찾은 것과 그 지점을 관문 삼아 진행하고 있는 브레인 라이팅이 성공적이라는 점에 한껏 고무돼 있었다. S, 즉 최승찬은 승호 씨가 자신의 친구라는 점이 마음에 걸리는 모양이었다. 하소연하는 그에게 내가 '나는 이것 때문에 억지로 결혼까지 한 사람'이라고 말하자 S가 멋쩍게 웃었다. 우리 셋은 희생의 억울함을 버리고, 사명감을 다잡기로 의기투합했다.

실험 경과를 브레인업 일루미너티 본부에 보고하는 일은 S가 도맡았다. 격려와 응원이 쏟아지고 있다고 했다. 아무리 비밀 조직의 비밀 프로젝트라고 해도 언제까지 비밀일 수는 없다. 세상에 공개하는 시점을 이사회에서 논의하기 시작했다고 S는 전했다. 네이처나 브레인 사이언스와 같은 국제 학술지에 실어야 한다는 의견과 그건 시기상조이며 역풍을 맞을 수 있다는 우려가 공존한다고 했다. 나는 하루라도 빨리 결과를 발표하고 실험을 끝내기를 원한다. 하지만 신중론에 빠진 일부 이사들은 이 사례만으로는 부족하고 또 다른 피험자를 찾아 실험을 이어가자는 의견을 냈다고, S가 말했다. 그러면 나는 또 다른 사람에게 접근해 관계를 쌓고, 실험이 가능한 상황을 만들어야 한다는 얘기다. 지난 일 년의 어려움이 뇌리에 스쳐가면서 암담함이 느껴졌다.

J는 우리 셋 중에서 가장 기분이 좋아 보였다. S가 이유를 묻자 손가락을 입에 대며 비밀이라고 했다. J에게는 이 프로젝트에 참여하게 된 또 다른 동기가 있는 것 같다. 어쩌면 타고난 모험심이 보통 사람보다 강한 것 같기도 했다. 남편과 한이슬의 관계를 정신적으로든 육체적―가상이라 육체적인 관계라는 말도 이상하긴 하지만―으로든 더 깊게 만들 계획이라고 그녀는 말했다. 그 말에 나는 살짝 기분이 나빠졌다. 아무리 우리의 실험 대상이기는 해도 내 남편이고, 아무리 가상의 세계라고 해도 남편의 외도인데 기분이 좋을 리 없는 것 아닌가.

18

《판별》

신속 항원 검사 키트에
당신 눈물을 짜 떨구면
사랑에 감염됐는지 알 수 있다

수줍은 듯 설레어
사무치게 그리워
야멸차게 서러워
날아갈 듯 기뻐서
흘린 눈물방울들이
두 줄을 그으면
틀림없다

- 한이슬의 시인(참)칭관찰자시점

아내의 일기는 거기까지였다. 승호는 컴퓨터 테이블에 팔을 괴고 양손으로 얼굴을 감쌌다. 도저히 믿을 수 없었다. 고개를 흔들고 마른 세수를 해 보았다. 한참만에 이 믿기지 않는 현실을 인정할 수밖에 없다는 생각이 들었다. 일기가 사실이라면…… 승호는 상황을 정리해 본다.

아내와 승찬은 국제 비밀결사 조직의 조직원이다. 네팔에서 만났던 일본 여자 토모미가 경고했던 멘사 멤버 헌터들이다. 승찬은 일부러 나에게 윤화를 소개해서 실험을 진행했다. 아내는 밤마다 내 뇌를 뒤졌다. 스토리가 들어있는 액화 칩을 심었다. 내 언행과 교환일기를 통해 효과를 추적했다. 그렇게 브레인 리딩과 라이팅을 진행했다. 한이슬은 아예 존재하지도 않는 인물이다. 나는 그동안 김민희를 한이슬로 착각하고 대했다. 이슬과의 관계는 모두 허구다. 겟로스트는 없는 공간이다……

"5분 후부터 점심시간입니다."

도서관 직원이 사무적으로 외쳤다. 열람실 안에는 대여섯 명만 있었다. 승호는 다시 이슬과 관련된 정보를 찾았다. 그녀의 인스타그램, 블로그, 오픈채팅 시인참칭관찰자시점 등 그녀가 글을 남겼던 공간을 추적했지만 아무것도 없었다. 혹시나 싶어 인터넷 서점 예스24에서 그녀의 시집 '설움의 효능'을 검색했지만 역시 없었다. 감쪽같이 사라졌다. 아니, 모든 것이 처음부터 없었던 셈이다.

"점심시간이라구요. 나가셨다가 1시에 다시 들어오세요."

5분 전보다 더 날카로운 목소리였다. 조금 전 열게 된 판도라의 상자 때문에 그는 제정신이 아니었다. 그 사이에 다른 이용자들이 나가고 열람실에는 승호 혼자였다. 마지막 경고를 쏘아붙인 도서관 직원은 팔짱을 낀 채 일어서 있었다. 아이보리색 민소매티와 감청색 반바지를 입고 있었다. 승호 쪽을 보고 있지는 않았지만 잔뜩 의식하고 있는 것 같았다.

승호는 살인 충동을 느꼈다. 모든 것이 엉망이 되었고 더 엉망이 될 미래도 없어 보였다. 상대는 누군가의 아내이거나 애인일 것이고, 어떤 아이의 엄마일 수도, 노부부의 딸일 것이다. 깐깐한 일 처리로 도서관장과 시 고위공무원의 신임을 받고 있는 직원일 수도 있다.

'내가 저 여자를 죽인다면 어떻게 될까?'

여자에게서 파생된 온갖 관계는 단절될 것이다. 대부분 슬퍼할 것이지만 어떤 이는 시큰둥할 것이다. 승호는 주위를 둘러보았다. 무기가 될 만한 것은 보이지 않았다. 도서관에 책과 책장 이외에 또 무엇이 있겠는가?

갑자기 승호는 책으로도 사람을 죽일 수 있는지가 궁금해졌다. 아니, 뭐라도 궁금해해야 윤화를, 승찬을, 이슬의 생각을 멈출 수 있을 것만 같았다. 비극은 비극으로 덮어질 수 있을까, 두 번의 비극은 두 배의 비극이 되는 걸까? 큰 비극은 작은 비극에 자리를 내줘 치유되는가?

가까운 서고에서 승호는 가장 날카로워 보이는 책을 꺼냈다. 두꺼운 표지의 도감이었다. 출판한 지 얼마 되지 않았는지 종이들도 날카롭게 벼려져 있었다. 직원 쪽으로 발걸음을 옮기면서 승호는 오른손으로 책을 훑고 있었다. 오 미터 정도의 거리로 좁혀졌을 때, 잔뜩 화나 보이던 여자의 어깨가 승호 쪽으로 돌았다. 내보려던 이용객이 빠른 걸음으로 자기 쪽으로 오자 그녀의 짜증은 당혹감으로 변했다.

"이 책이 죽여줘요."

당황스러워하는 여자의 얼굴에 승호가 큰 소리로 소리쳤다.

"뭐, 뭐라고요?"

그때 승호는 살짝 웃었다. 오른쪽 입꼬리가 올라가서 비웃음이 되었다. 어느새 두 사람은 책상 하나를 놓고 마주 섰고, 둘 사이의 거리는 일 미터도 되지 않았다. 여자는 당혹감과 공포로 뒷걸음질을 치려고 했지만 쉽지 않았다.

"이 책 말이에요. 이 책이 당신을 죽여줘요."

죽여줘요가 먼저였는지, 도감을 여자의 머리에 내리친 행위가 먼저였는지, 승호는 나중에 기억하지 못했다. 어쩌면 그 말은 책에게 여자를 죽여달라고 애원하는 주문 같기도 했다.

책이 여자 머리를 강타하는 소리, 여자의 악 소리, 쓰러지면서 머리가 책상 모서리와 바닥에 연이어 부딪히는 둔탁한 소리가 1초 안에 연이어 들렸다. 그제야 승호의 입꼬리는 제자리를 찾았다. 그는 들고 있던 책을 바라보았다. 표지에는 ≪우리를 살리는 우리산하 약초 도감≫이라고 쓰여 있었다.

아이러니라고 승호는 생각했다. 여자는 기절했는지 죽었는지 아무 소리를 내지 않았다. 추가 공격이 두려워 죽은 시늉을 하고 있는지도 몰랐다. 승호는 여자가 쓰러진 쪽으로 책을 던지고 발걸음을 옮겼다.

"식사 맛있게 하세요. 이승에서든, 저승에서든."

밖은 여전히 더웠다. 열람실 여자를 기다리는지 직원으로 보이는 남녀 한 쌍이 흡연구역에서 담배를 피우고 있었다.

"죄송하지만 담배 한 대만 빌릴 수 있을까요?"

승호의 요청에 여자가 한 걸음 물러섰다. 남자는 의심스러운 눈초리로 승호를 주시하며 호주머니에서 담배를 꺼냈다.

"불도 좀……"

남자가 라이터를 켜 불을 붙였다.

"캑캑"

태어나서 처음으로 흡입하는 담배 연기에 승호는 숨이 막혔다. 남녀가 발걸음을 옮기는 그를 황당하다는 듯 바라봤다. 십 미터쯤 떨어지자 비웃는 것 같기도 하고 힐난하는 것 같기도 한 둘의 속삭임이 들리는 듯했다.

범죄를 저질렀다는 죄책감도, 흡연으로 인한 당혹감도 승호는 느끼지 못했다. 지난 일 년 반의 시간이 자신의 모든 것을 망쳤다는 허탈함만이 남아 있었다. 실종된 아내를 찾으려고 했으나 결국 몰랐으면 좋았을 진실을 알게 되었다. 사랑하는 한이슬을 잃었고, 사람을 죽였다. 엘리트로, 모범생으로 살아온 인생 34년이 한순간에 무너지고 만 것이다.

도서관이 보이지 않는 주택가 골목에 이르러 승호는 결심한 듯 핸드폰을 들었다.

"형사님, 저 경승호입니다."

삼십 분 뒤 승호는 다시 전날처럼 북부서 녹화 진술실 안에 있었다.

"뭐라고요? 두뇌 실험을 당한 거라고요?"

홍진기 형사는 냉소 섞인 말투로 반문했다. 그런 뒤 옆자리의 여자를 바라보았다. 삼십 전후로 보이는 여경이었다. 동의를 구하는 듯한 선배의 눈빛에도 여자는 승호에게서 시선을 거두지 않았다. 그는 순간적으로 그 눈빛이 한이슬을 닮았다고 생각했다. 한이슬, 승호의 머릿속에서만 존재하는 인물. 승호 내면의 트라우마와 자격지심이 빚은 상상의 여자……

"자, 그건 차차 들어보고. 도서관 직원은 왜 죽이려고 했습니까?"

승호는 고개를 떨궈 무릎 위에 모은 자신의 손을 내려다보았다. 반짝이는 수갑이 양쪽 손목에 채워져 있었다. '죽였습니까'가 아니라 '죽이려고 했습니까'라면 죽지는 않았다는 얘기다. 그렇다고 안도감이 드는 건 아니었다. 빨리 사건의 전모를 밝히고 싶었다.

"제가 말씀드린 사이트에 먼저 접속해 주시면 안될까요? 그걸 보시면 전부 설명이 됩니다."

홍진기 형사가 체념하듯 끄응 하는 신음 소리를 냈다. 고개를 천장 쪽으로 제친 채로 깊은 한숨을 내쉰 뒤, 그는 상체를 승호 쪽으로 조금 내밀었다.

"그래, 뭐라고요? 그 사이트 주소가."

"오일일 마침표 삼사 몬 마침표 육이 히읗"

승호가 희망 섞인 말투로 진술하자 형사는 여경에게 고갯짓을 했다. 여자의 타이핑 소리. 승호는 입술이 타들어갔다.

한 시간 전, 승호는 도서관을 나와 홍진기 형사에게 전화를 한 뒤 승찬에게 연락을 취했다. 단축번호 3번이었다. 아버지, 어머니 다음으로 친분이 두터운 사람. 고교 시절부터 형제처럼 지낸 친구. 그자가 자신을 속여왔다고 생각하니 치가 떨렸다. 폰을 쥔 손을 반대편

손으로 붙잡아야 할 지경이었다. 며칠 동안 윤화에게 허탕 전화를 많이 해서인지 승찬이 받을 거라고 기대하지 않았다.

"오, 브라더. 웬일?"

평소처럼 태평한 승찬의 목소리에 승호는 다리가 풀려 주저앉았다.

"왜 그래? 너 무슨 일 있어?"

"브레인 어쩌고 일루미너티, 도윤화, 뇌 실험, 멘사 헌팅, 플루이드 칩, 브레인 리딩, 라이팅, 가상의 한이슬…… 이게 다 뭐야? 도대체 나한테 왜 그런 짓을 한 거야?!"

승호는 길바닥에 주저앉은 채로 소리쳤다.

"……"

답 없는 승찬 쪽의 수화기에서 옅은 한숨이 흘러나왔다.

"야, 최승찬! 어떻게 네가 나한테 이런 짓을……"

"승호야. 너 지금 무슨 말을 하는 거니? 수면 내시경 중이야? 프로포폴이 다 안 깼어? 너 지금 미친 연산군 같은 거 알아? 사약 받아 죽은 엄마가 떠올라 이성을 잃었니?"

승호의 분노에 약오름이 더해졌다. 저 깐족을 더는 못 참을 것 같았다. 자기는 위트라고 지껄이는 말을 그동안 왜 참아줬는지 승호는 스스로가 미워졌다.

"네가 윤화랑 또 다른 놈이랑 다 짜고 내 머리를 뒤졌잖아. 실험했잖아! 뭘 주입해서 망상에 빠지게도 하고. 도대체 왜, 왜, 왜!"

발악하는 승호를 평상에 앉은 노파 둘이 놀란 눈으로 바라보고 있었다. 부치던 부채도 내려놓고 승호 쪽을 손가락으로 가리키며 수

군거렸다.

"승호야, 도대체 무슨 말을 하는지 모르겠다. 나 지금 수업 들어가야 되니까 이따 통화하자, 응? 나는 수업할 테니 너는 정신 차리고 있어라, 알았지?"

통화 단절음. 승호는 머리채를 쥐어 감쌌다.

"없는 사이트인데요."

이슬을 닮은 눈빛이 홍진기를 보며 말했다. 홍 형사는 그러면 그렇지 하는 마음을 감출 생각도 없이 승호에게 시선을 꽂았다.

"이봐, 경승호 씨. 잘 생각해 봐. 며칠 전에 당신 아내 도윤화가 실종됐어, 어제 신고하러 와서 당신은 갑자기 사라졌어, 밤새 연락도 안 돼, 오늘 도서관에서 여직원을 죽이려고 했어, 자수하고 잡혀서는 이상한 말만 떠들어…… 당신이 형사라면 모든 게 당신 짓이라고 의심 안 할 수가 있겠어?"

어느새 홍진기는 반말에, 윽박 조였다.

"없는 거 맞아요? 그럴 리가 없는데……"

승호는 뭔가 생각난 듯 수갑 찬 두 손으로 남방 안주머니 뒤져 쪽지를 꺼냈다. 자리에서 일어나 여경에게 쪽지를 넘겨주었다.

511.34몬.62ㅎ

여경은 다시 한번 타이핑을 하더니 이내 고개를 저었다.

"그 사이트, 도윤화가 닫아버렸거나 제가 본 뒤에는 자동으로 닫히는 그런…… 뭐, 그런 일회용 사이트가 있다던데. 아무튼 형사님, 저는 피해자예요. 제 머리. 제 머리를 조사해 주세요. 주사 자국 있나 봐주시고 저희 집. 저희 집에 가면 뭔가 있을 거예요. 밤마다 제가 자는 틈에 무슨 실험을 한 흔적이…… 그리고 공범도 있어요. 제 친구. 제 친구였는데 그 새끼 최승찬."

승호는 더듬으며 말했다. 홍진기와 여경은 가끔 서로를 바라보면서 어이없음을 공유하는 듯했다.

그때 전화벨이 울렸다. 취조실 테이블에 올려놓은 승호의 핸드폰에 승찬의 이름이 떴다.

"이 자식입니다. 도윤화랑 최승찬 이 자식, 공범이에요. 브레인 뭐 일루미너티 비밀조직원이라고요."

승호가 소리치는 것을 무시한 채 홍진기 형사는 손을 뻗어 전화를 받았다. 바로 스피커폰으로 전환.

"최승찬 씨?"

"누, 누구시죠?"

"아, 저는 대전북부서 홍진기 형사라고 합니다. 경승호 씨 친구분 되시죠?"

"네, 그렇습니다만."

승호는 자기의 잘못이 들킬까 봐 승찬이 겁을 먹었다고 생각했다.

"야, 이 개새끼야. 15년 우정을 저버리고 친구를 실험 대상으로 삼아? 미친 새꺄, 네가 뭘 노리는지 모르지만 넌 꼭 지옥 갈 거야."

승호가 수갑 찬 두 손으로 테이블을 내리치며 한바탕 욕설을 하자 홍진기는 스피커폰을 끄고 폰을 귀에 갖다 댔다.

"친구분이 많이 흥분된 상태입니다. 경승호 씨는 살인미수 혐의로 조사를 받고 있어요. 아내 도윤화 씨 실종 사건도 신고자에서 피의자로 신분전환 되었고요."

홍 형사는 잠시 뜸을 들였다. 승찬이 말하는 내용을 듣는 모양이었다.

"약을요?"

통화를 하면서 눈을 치켜뜨는 형사.

"네, 그것도 조사를 해보겠습니다. 지금 피의자가 흥분 상태에서 너무 말도 안 되는 헛소리를 지껄여서요. 자기 뇌를 실험당했다나……"

승호는 두 손을 목뒤로 넘겨 머리를 감쌌다. 은색 수갑이 다시 반짝였다.

"살인미수가 될지, 폭행이 될지 더 조사를 해봐야 합니다. 도윤화 씨 행방에 대해서 친구분이 아시는 내용은 없으신가요?"

자포자기한 듯 승호는 테이블 위에 고개를 파묻고 있었다.

"네네, 알겠습니다. 필요하면 다시 전화드리겠습니다. 최승찬 씨라고 했죠? 협조 감사드립니다."

전화를 끊은 홍진기 형사는 메모지에 승찬의 전화번호를 옮겨 적었다. 그리고 여전히 테이블에 고개를 파묻고 있는 승호에게 물었다. 아주 단호하고 공격적인 말투였다.

"도윤화 왜 죽였어?"

승호가 대답하기 전에 모두의 휴대폰에서 긴급문자 알림이 울렸다.

[경찰청] 대전 유성구에서 실종된 박정빈 양(여, 5세)의 납치 용

의자를 찾습니다. 도윤화(여,29) 키 169cm, 50kg 마른편, 미인형
☎112

19

《맹점》

점 하나 정도는

못 본 걸로 해줘

숨구멍이라고 해둬

— 한이슬의 시집 '설움의 효능'

도윤화가 만 5세의 여아 박정빈을 유림공원에서 납치하는 CCTV 장면이 TV 뉴스에 나왔다. 경찰이 납치 사건을 공개수배로 전환한 지 일주일 만이었다. 이로써 도윤화는 실종자이면서 동시에 아동유괴 용의자가 되었다.

"좆같아서 원. 본청 새끼들. 휘두를 때는 망나니 같고, 책임 회피할 때는 쥐새끼 같다니까."

유치장에서 피의자인 승호를 앞에 두고 홍진기 형사는 푸념을 했다. 그가 아내를 죽인 범인이라고 생각하는 동안 광역 수사대에서 선수를 친 것과 협의 없이 바로 공개 전환한 것에 분개했다.

"이봐, 경승호. 웃기지 않아? 당신 아내 도윤화, 납치 피의자면서 실종자야. 당신이 신고한 행불 신고가 아직 유효하다니까. 그 와중에 CCTV 영상이 제보되면서 납치 용의자가 된 거야. 피의자는 잡아야 되고, 실종자는 찾아야 되는데 당신 아내는 뭘까? 무슨 이런 코미디가 다 있냐고?"

아내 살인범으로 몰아붙였던 것이 미안했는지 나중에 폭행 재판 과정에서 홍진기는 승호에게 유리한 증언을 해주었다.

"저, 그 여자애 있잖아요. 윤화가 납치한…… 그 애 혹시 영재 아니에요?"

"영재고 아니고 그게 무슨 상관인데? 찾는 게 중요하지."

형사가 짜증 묻은 목소리로 다그쳤다.

"제 정신이 이상하다고 해서 아무도 안 믿지만요, 윤화는 그 애 머리 때문에 납치한 겁니다. 영재의 뇌를 연구하려고…… 제 머리에 실험했듯이 말이에요."

홍진기 형사는 비웃음을 날렸다.

"좋아요. 감옥에 가기 싫으면 꾸준히 그런 말을 계속하도록 해요. 감옥은 못 가도 정신병원 정도는 가겠네."

"형사님, 저는 진짜 솔직하게 말하는 거예요. 윤화 잡고 아이도 찾으려면 제 말씀을 들어야 해요."

승호는 점점 절박해졌다. 했던 말을 다시 반복할 수밖에 없었다.

"도윤화, 최승찬, 그리고 또 한 명의 인물이 저를 포섭하고 제 뇌에 실험을 했어요. 뇌 지도를 만들고 B 포인트라는 곳을 찾았어요. 그곳에 설계된 스토리를 넣어 제 의식을 조작했다구요. 저는 한이슬이라는 여자를 가상에서 만났고, 사랑도 했어요. 저한테는 이게 진실입니다."

승호가 자기 머리를 가리킬 때마다 은색 수갑이 덜컹거렸다.

"정신감정을 따져서 감형 받으려고 하는 피의자.. 그 진술에 신빙성이 있어서 그걸로 수사를 한다? 말이 된다고 생각합니까? 제발

이제 그만하자고."

승호는 머리를 감쌌다.

"이봐, 경승호 씨. 맹점이라는 거 알아요? 맹점. 안 보이는 점이지."

손가락을 눈앞에서 빙글 돌리며 홍진기 형사가 말했다.

"누구한테나 맹점이 있지. 우리 형사들은 맹점이 없어야 한다는 강박이 있어요. 그 구멍으로 용의자가 빠져나갈 수 있으니까. 그런데 가만히 생각해 보면 반대야. 형사한테 맹점이 없어야 하는 게 아니라 범인한테 맹점이 있어야 잡을 수가 있거든."

형사의 이야기를 들으면서 승호는 생각했다. 단 하나의 오류도 없는 인생을 향해 살아왔다. 그러나 만점 지향의 인생 자체가 오류인지도 모른다. 맹점 지향의 인생을 살았어야 하나 싶었다. 있을 수밖에 없는 맹점의 존재를 인정하지 않는 것이 자신의 가장 큰 맹점이었던 것이다. 승호는 구치소 면회실 천장에 매달린 전등을 올려다보았다. 홍 형사의 고개가 따라 올라갔다. 둘은 한참 동안 말없이 앉아 있었다.

검찰 송치와 함께 구치소에 수감된 다음날, 승호의 부모는 변호사를 데리고 면회를 왔다. 그들은 새옹지마의 지혜를 가진 자들답게 조용했다. 유난 떨지 않았고, 잘 챙겨 먹으라는 덕담을 했다.

변호사는 40대 중반쯤으로 보이는 남자였는데 찌는 듯한 더위에도 긴 셔츠를 입고 면회 때도 양복을 벗지 않았다. 노출을 극도로 꺼리는 피부암 환자 같다고 승호는 생각했다. 대신, 나이에 비해 이마의 노출은 상당히 진전되어서 몇 가닥 남지 않은 앞머리가 도드라졌다. 그 위에 땀이 송골송골 맺혔다. 말 한마디 하는 것보다 땀 한 번 훔치는 빈도가 잦았다. 은행 지점장 출신의 아버지가 지인 찬스를 쓴 것 같았는데 승호는 묻지 않았다.

변호사는 검찰에 승호의 정신감정을 의뢰하겠다고 말했다. 놀란 것은 승호뿐이었다. 양친은 여전히 무심하고 조용히 방관하고 있었다.

"내 정신은 말짱한데요?"

승호는 실형을 사는 것보다 더 억울한 느낌이었다.

"아닐 수도 있다."

내내 조용하던 아버지가 단호하게 말했다. '아니다'도 아니고 '아닐 수 있다'를 그렇게 확신에 차서 말하다니 승호는 짐짓 놀랐다. 아버지의 말은 '절대 아니다'보다 더 강한 부정으로 들렸다. 승호의 반응이 있기 전에 변호사가 얼른 말을 받았다.

"미쳤다는 걸 증명받자는 게 아닙니다. 심신미약 상태에서 우발적으로 행동했다는 점을 인정받으면 실형도 피하고, 피해자 합의 후에 벌금형으로 끝낼 수 있어요. 승호 씨는 나한테 얘기했듯이 있는 사실 그대로 검찰과 의료진에게 말하면 됩니다."

승호는 어이가 없었다. 진실을 말하는데 그게 정신이상의 근거가 될 판이었다.

며칠 후 정신감정을 위해 검사와 수사관은 정신과 전문의를 데리고 구치소로 찾아왔다. 캠코더 녹화가 진행되는 동안 승호는 그동안 있었던 사실들을 진술했다. 옆에 앉아 있던 변호사는 연신 땀을

닦으면서도 고개를 끄덕거리며 변호인의 임무를 다했다. 특히 한이슬과 관련된 진술에서 그는 비웃음인지 흡족함인지 모를 웃음을 살짝 보였다.

도서관 직원은 전치 8주의 부상을 입었다. 승호가 내리친 약초 도감의 날카로운 모서리 부분이 관자놀이의 피부와 근육을 찢었다고 했다. 부지런한 변호사의 노력 덕분에 3천만 원이라는, 합리적인 금액에 합의가 성사되었다. 치료비 일체와 위자료가 포함된 금액이었다.

승찬이 고자질한 마약 검사에서 승호는 음성 판정을 받았다. 피해자와의 합의서, 정신감정서, 한이슬이란 인물의 부존재 확인서, 아내 도윤화의 수배 확인서, 국회의원 조기섭과 서울대 동문회 이름의 탄원서 등을 제출한 결과, 승호는 벌금형을 선고받았다.

검찰 조사 과정에서 죄명도 살인미수에서 상해치상으로 낮아진 데다—의도를 가진 살인 도구라고 보기에 약초 도감은 다소 우스꽝스러웠다—변호사의 전략대로 존재하지 않는 인물에 대한 일관된 진술이 정신감정에 유리하게 작용했다. 입원을 조건으로 선처를 요청한 변호사의 전략도 제대로 먹혔다. 검찰은 항소하지 않았고, 승호는 구치소에서 풀려났다.

20

꿈에서 승호는 아내를 만났다. 서운동 아파트였다. 욕실 문을 열자 간이의자에 쭈그리고 앉은 윤화의 등이 보였다. 뭔가를 두들기는지 그녀의 목과 어깨가 실룩거리고 있었다. 승호는 아내의 팔이 움직이는 쪽을 따라 서서히 앞을 내다보았다. 흥건한 핏물이 흐르는 장면이 들어왔다. 고개를 돌리려고 했지만 뒤에서 누가 잡고 있는 것처럼 얼굴이 움직이지 않았다. 그는 직감했다. 그 붉은 피의 출처가 다섯 살짜리 여자아이 정빈의 몸뚱이란 사실을……

하던 일을 멈추고 윤화가 느린 속도로 고개를 돌리기 시작한다. 충격과 공포가 승호의 몸을 옭아맸다. 들켜서는 안 된다는 마음은 있지만 몸이 작동하지 않았다. 정작 들키면 안 되는 짓을 하던 아내는 고개를 돌려 그를 확인하려고 한다. 마침내 아내의 얼굴이 보였을 때 그는 또 한 번 소스라치게 놀랐다. 윤화의 이목구비는 사라지고 없었다. 마네킹 얼굴처럼 둔덕만 있을 뿐이었다.

가쁜 호흡과 함께 눈을 떴을 때, 승호는 병실 침대 위였다. 한참을 하얀 천장을 바라본 뒤 심호흡을 했다. 그제야 일렁거리던 꿈의 배에서 단단한 현실의 뭍으로 돌아온 느낌이 들었다.

"또 흉한 꿈을 꾸었나 본데?"

옆자리의 공 씨가 슬며시 말을 걸어온다. 승호가 정신을 차리기를 기다린 눈치였다. 한 달 전에 입원한 50대 남자다. 이곳에 지내는 일 년 동안, 2인 병실의 옆자리에는 다섯 명이 다녀갔다. 그들은 정신질환을 앓고 있다는 공통점만 제외하면 성격과 행동이 모두 제각각이었다. 룸메이트가 바뀔 때마다 승호는 신경이 날카로워졌으나 어느 순간부터 마음이 편해졌다. 그들과 비슷한 방식으로 행동하면 스트레스 받을 일이 없다는 사실을 깨달았기 때문이다. 강박증 환자에게는 같이 초조한 태도를, 우울증 환자와는 같이 침울하게 지냈다. 같은 조현병 룸메이트가 들어오면 서로의 망상을 공유했다.

공 씨는 말이 많은 타입이었다. 승호가 서울대 출신의 수재에 환각과 피해망상에 시달리는 조현병 환자라는 사실을 알게 된 이후, 그의 말수는 더 늘었다. 승호와는 달리 그는 스스로 조현병이 있음을 자각하고 있었는데 말을 많이 해야 나을 수 있다고 믿었다.

"현실에서 조각난 잠재의식들이 랜덤으로 조합된 게 꿈이라고 하지. 내 주장이 아니라 프 선생의 말이지요."

"프 선생이라뇨?"

승호는 적당한 반문과 반응이 공 씨와 잘 지내는 방식이라는 사실을 알고 있었다.

"프로이트 말이오. 칼 프로이트."

"지그문트겠죠."

공 씨는 상관없다는 듯 어깨를 으쓱해 보였다. 고졸이 한이 되었다는 그는 세상의 모든 지식을 머릿속에 넣겠다는 의지로 잡지식을 쌓았다. 책, 라디오, TV, 유튜브, 다른 사람의 이야기 등 출처를 가리지 않았다. 그는 포식동물처럼 게걸스럽게 정보를 뇌에 욱여넣었다.

승호는 그의 장광설을 들으면서 감탄과 한숨을 동시에 내뿜곤 했다. 이런 것까지 알고 있다니 싶은 놀람과 뭔가 조금씩 틀린 정보에 대한 딱함이었다. 그 많은 정보를 다 흡수하려다 보니 정작 정확히 아는 내용은 적었다. 어쩌면 그의 조현병도 그런 지식강박 때문에 생긴 것 아닐까 하고 승호는 스스로 진단했다.

"그나저나 경 군, 그 뉴스 들었어? 왜, 일 년 전쯤에 납치됐던 여자아이 있었잖아. 걔가 사지 말짱히 돌아왔다는군."

승호는 정신이 번쩍 들어 몸을 공 씨 쪽으로 돌렸다.

"아, 정빈이. 박정빈."

"이름까지 기억하고 있네. 역시 수재다워, 허허."

흐뭇한 웃음을 짓는 공 씨를 뒤로하고 승호는 서둘러 병실을 나왔다. TV가 있는 로비까지 한달음에 도착했다. 몇몇 환자들이 바둑 채널을 보고 있었다. 승호는 소파 위에 있던 리모컨을 집어 들어 부랴부랴 버튼을 눌렀다. 채널이 YTN 뉴스로 전환됐다.

"거 뭐요? 보고 있는 걸 갑자기 바꾸면 어떻게 해?"

바둑 대국을 보던 사람들이 투덜거렸으나 승호 귀에는 들리지 않았다. 정신 병동에는 이상한 사람들이 이상한 언행을 하는 곳이라 환자들은 이상함을 당연함으로 여긴다. 뇌의 어딘가가 고장 난 사람들은 서로를 이해하지 못하면서 한편으로는 이해한다. 상대가 어떤 행동을 할지 모른다는 불안감은 병동의 평화가 유지되는 방식이었다. 사람들의 편견과 달리 정신 병동에는 구시렁거림은 있어도 고성이나 폭력은 드문 편이었다. 승호가 반응을 보이지 않자 바둑 보던 사람들은 투덜거리며 각자의 병실로 돌아갔다.

다른 뉴스가 보도되는 동안 승호는 흘림 자막을 뚫어지게 바라봤다. 이윽고 사회 분야 뉴스 중간에 정빈이 납치 뉴스 자막이 흘러갔다.

지난해 납치 실종된 6세 여아 무사히 발견

'윤화가 정빈이를 풀어줬구나. 아이에게서도 연구 목적을 달성했나 보다.'

자세한 뉴스 리포트를 기다리는데 승호의 눈길을 잡아끈 것은 정작 다른 리포트였다.

다음 소식입니다. 미국 브라운대 연구팀이 세계 최초로 브레인 워싱, 즉 뇌 세탁에 성공했다고 밝혔습니다. 자세한 소식 미국에서 박선용 특파원이 전해드립니다.

미국 브라운대의 연구 결과가 전 세계 과학계를 충격으로 몰아넣고 있습니다. 미국 동부시각으로 17일 오전, 이 대학 브레인 리서치 컬리지의 애덤 파우얼 학장과 미셸 하워드 연구팀장은 기자회견을 열고, 브레인 워싱에 성공했다고 밝혔습니다. 브레인 워싱이란 말 그대로 뇌세탁인데, 우리의 두뇌에 저장된 정보를 선별해서 지울 수 있는 기술입니다. 이로써 뇌전증과 뇌성마비, 알츠하이머 등 뇌와 관련한 난치병을 치료할 뿐만 아니라 인간의 감정과 기억을 조절할 수 있는 길이 열릴 것으로 전망됩니다.

전 세계 뇌과학계는 오랜 인류의 숙원이 풀렸다며 환영하는 분위기지만 세계 뇌과학 윤리기구인 WBMO는 이번 연구 결과가 초래할 윤리 문제에 심각한 우려를 나타냈습니다. WBMO는 뇌실험과 관련해 비자발적으로 연구에 이용당한 사람들의 수가 전세계적으로 3천 명이 넘을 것으로 추정하며 그동안 이들의 인권 문제를 꾸준히 제기해 왔습니다.

인류의 미래를 밝힐 획기적인 성취일지, 디스토피아로 들어가는 문을 열게 된 것인지 앞으로의 파장이 주목됩니다. 미국 뉴욕에서 YTN 뉴스 박선용입니다.

승호는 한동안 멍하니 앉아 있었다. 세계 뇌과학 윤리기구라는 곳에서 주장하는 '비자발적 뇌연구 피해자'가 바로 자신이었다. 억울한 일이었다. 충동적으로 도서관 직원을 해치긴 했지만 부모님과 변호사의 도움으로 피해자와 합의했고, 벌금형 선고로 교도소행은 피할 수 있었다. CCTV 확보로 아내에 대한 혐의도 벗었다. 하지만 그의 진술을 믿는 사람은 없었고, 그 결과 이렇게 정신병동에 들어와 있다. 승호는 일관되게 진실을 말했을 뿐인데 그 진술은 환각과 피해망상의 심각성만 키울 뿐이었다.

여자아이가 무사히 돌아온 뉴스, 뇌 세탁 성공 뉴스를 보면서 승호는 참담했다. 진실은 때로 덫이 된다. 진실을 말하는 것이 올가미가 된다. 그렇게 덫에 걸린 상태에서는 아무리 발버둥을 쳐도 소용이 없다. 더 옭아매일 뿐이다.

지난 일 년 동안 그는 자포자기의 심정이었다. 형사와 검사뿐만 아니라 자신의 편이어야 마땅한 변호사와 부모까지도 승호를 믿지 않았다. 처음엔 볼 수 없는 진실을 말하기 때문이라고 생각하기도 했다. 증명할 수 없는 경험을 한 사람의 억울함이었다. 허무맹랑한 진실도 있는 법이라고 믿는 사람은 없었다. 한이슬은 공상의 존재라고 하더라도 윤화와 승찬에 대한 승호의 진술은 조사할 만한 가치가 있었을 법한데 그들은 그러지 않았다. 사람들은 보는 것을 믿지 않고 믿음대로 본다.

미국 대학교가 브레인 워싱에 성공한 배경에 자신과 정빈이의 정보가 활용됐을 거라고 승호는 확신했다. 도윤화와 최승찬, 그리고 또 다른 한 인물의 실험 결과가 흘러갔을 것이다. 하지만 이런 얘기를 한다고 해도 의사는 믿지 않을 것이다. 이미 승호 자신은 피해망상 중증 환자로 낙인 찍혔다.

병원에서 그는 자주 쌍둥이를 생각했다. 후두엽끼리 붙은 채로 태어나 한 달 정도 같이 살다가 떠나버린 자신의 그림자. 분리 수술 중에 그 애는 어떤 생각을 했을까? 사그라드는 호흡을 느끼면서 무엇을 느꼈을까?

승호는 몇 달 전 면회를 온 어머니에게 불쑥 물었다.

"엄마, 제 쌍둥이 형제는 어떻게 됐어요?"

그 얘기를 꺼내는 건 처음이었다. 순간 놀란 듯한 표정이 이내 체념으로 돌아섰다. 서로 말은 안 했지만 승호가 알고 있다는 사실을 부모도 짐작하고 있었다. 그마저도 각자의 짐작이었다. 양친 모두 다른 사람에게는 물론, 서로에게도 죽은 아들 이야기를 꺼내지 않았다.

"글쎄다. 병원에서 알아서 처리했겠지. 오래돼서 기억도 안 나네."

일부러 태연한 척하는 엄마의 태도에 승호는 화가 솟구쳤다.

"장례 치러줄 생각은 안 했나 봐?"

그의 목소리 톤이 올라갔다. 화를 누르자 비아냥이 담긴 어투가 튀어나왔다.

"우리는 너 살리는 것에 집중했다."

엄마의 말은 그게 전부였다. 승호가 화를 삭이며 기다렸으나 더는 아무런 해명도, 변명도 없었다. 그 애가 죽은 것에 죄책감은 없었는지, 그의 존재에 대해 왜 얘기하지 않았는지, 그 애는 떠올리지 않으면 떠오르지 않는 존재인지 따지고 싶었지만 그럴 수 없었다. 조현병 진단을 받고 정신 병동에 갇혀 있는 자신이 그 애의 한 달보다 나은 삶이라고 판단할 수 있을까? 승호의 물음은 어느 쪽으로도 뻗지 못했다.

"엄마 간다. 상담 잘 받고 약 챙겨 먹어라."

모성애를 참는 것인지, 애초부터 없었던 것인지, 그 애를 잃고 나서 그렇게 된 것인지 모를 일이었다. 승호에게 엄마는 가끔 찾아오는 딸꾹질 같은 존재였다. 해를 끼치지도, 큰 도움도 되지 않지만 가끔씩 나타나 신경 쓰이게 되는 존재……

엄마는 우울하거나 어두운 면은 없었지만 살갑지도 않았다. 자신의 삶에 아들이 들어오는 것도 허락하지 않았고, 당연히 승호의 내밀한 영역으로 넘어오지도 않았다. 지난 이 년 동안 승호에게 벌어진 일도 그녀는 텔레비전 뉴스를 보는 듯했다. 엄마가 떠난 면회실에 승호는 한참 동안 우두커니 앉아 있었다.

뉴스가 나온 일주일 뒤였다. 간호사가 편지 한 통을 들고 승호에게 다가왔다.

"와아, 경승호 씨. 21세기가 시작된 지 21년도 더 지났는데 손 편지를 받으시네요. 누가 보냈을까? 혹시 외국에 사는 애인?"

국제우편이었다. 붉은색과 푸른색이 교차하는 테두리 무늬가 낯설었다. 미국과 한국의 우편 소인이 나란히 찍혀 있었다. 승호가 눈치를 주자 곁눈으로 훔쳐보던 간호사가 시큰둥한 표정으로 자리를 떴다.

발신지는 미국 로드아일랜드주였다. 뇌 세탁 실험에 성공했다는 브라운대학이 있는 곳이다. 발신자 이름은 없었지만 자신을 이곳에 몰아넣은 사람의 편지임을 승호는 직감했다. 수신란에는 병원의 주소와 명칭이 영어로 쓰여 있었고, 그 아래 한글 정자체로 '경승호 씨에게'라고 쓰여 있었다. 두렵거나 떨리지는 않았다. 더는 잃을 것도 없다고 승호는 생각했다. 아내의 정체를 알려 준 사이트처럼 이 편지도 그에게 판도라의 상자일 것이다. 마음을 비웠는데도 막상 편지 봉투를 뜯으려고 하자 승호는 자신의 손이 떨리고 있는 것에 놀랐다.

21

Everything happens to me

인사말로 어떤 문장이 좋을지 몰라 한참을 생각했어요. 고민 끝에 이걸 골랐죠. 쳇 베이커의 노래 제목이란 사실은 승호 씨도 잘 알 거예요. 잘 들여다보고 여러 번 읽어 보세요. 체념으로 읽힐 수도 있고, 희망으로 보일 수도 있습니다. 살다 보면 온갖 일이 벌어지죠. 지금 승호 씨의 상황도 마찬가지예요. 희망을 가지라고 말하지는 않을게요. 삶을 절망으로만 색칠하진 말아요. 또 알아요? 당신에게 앞으로 어떤 일이 벌어질지.

지금 한국의 날씨는 어떤가요? 첫눈이 왔나요? 여기는 두 주 전쯤에 첫눈이 왔고, 이틀 전에는 폭설이 내렸어요. "첫눈에 반하는 바보가 많아 첫눈이 과대평가돼 있다"는 말도 들어 봤죠? 순수함은 이렇게 서로 다른 영역에서도 통하는 겁니다. 탁월하면서 동시에 순수한 두뇌를 가진 당신이라 다행이에요.

이곳 로드아일랜드주는 대서양과 붙은 미국의 북동쪽 끝입니다. 아시아 대륙의 북동쪽 끝에 붙은 한국과 비슷한 것 같아요. 그쪽에서 시작되고 여기에서 완성된 연구가 인류의 미래를 바꾸게 되다니 새삼 신기하고 감격스럽습니다.

이제 내 소개를 해야겠군요. 송다연이라고 합니다. 이름을 듣고도 모르겠는가요? 하긴 세월이 많이 흘렀으니.. 힌트를 더 주죠. 지하철, 분홍색 헤어롤, 롯데월드 어드벤처, 가평과 양평의 호텔들, 함께 봤던 포르노…… 이제 기억이 납니까?

아, 나머지 절반의 나도 소개해야겠네요. 한이슬, 겟로스트, 양심적 학위 거부자, 애교덧니, 쳇 베이커, 중졸의 사무원, 참이슬콜…… 이제 감이 잡혀요? 그래요. 나는 당신이 증권맨 시절에 몇 달 만났던 그 여자예요. 동시에 국회의원 사무실에서 같이 일했던 동료고요. 예전의 우리는 사랑 대신 섹스로 연결돼 있던 사이고, 작년의 우린 사랑했으나 함께 허구에 갇힌 사이죠. 지금은 우리는 어떤 사이일까요? 인류의 미래를 바꿀, 영화 같은 실험의 연출자와 주연배우의 관계라고 해야 되나?

사랑을 기대할 수 없어서 섹스에 탐닉했다는 말을 부인하진 않겠어요. 승호 씨에게 열등감이 있었던 건 사실이니까요. 하지만 오해는 말아요. 당신을 만날 때 나는 브레인업 일루미너티 회원도 아니었고, 일부러 접근한 것도 아니에요.

우리가 헤어진 뒤, 당신은 몇 달 동안 칩거생활을 했더군요. 나중에 우리가 S라고 부르는 당신 친구 최승찬에게 들었습니다. 네팔 여행을 다녀와서는 국회의원실로 들어갔더군요. 의외였어요. 당신은 정치와 전혀 어울리지 않는다고 생각했거든요.

여의도에서 대전으로 쫓기듯 내려가게 된 사건에 대해서도 들었습니다. 모든 정치인들은 나르시시스트입니다. 자기밖에 모르는 관종이죠. 그 밑에서 일하는 사람들은 어떨까요? 자기가 모시는 국회의원을 섬기면서 한편으로는 그 자리를 탐하는 사람들이에요.

'보좌'하는 사람은 희생정신이 있어야겠지만 숨겨놓은 야망이 없다면 여의도에 있을 이유가 없죠.

당신은 어떤가요? 내가 보기에 야망은 없지만 정답은 있어야 하는 쪽이었어요. 상사인 일급 보좌관에 대한 투서를 국회의장에게 넣은 걸 어떻게 이해해야 할까요? 당신의 밀고가 비뚤어진 엘리트 의식 때문이라는 것은 쉽게 알 수 있죠. 그 사람은 불륜을 저질렀지만 당신에게서 신고를 당하고 물의를 사과해야 하는 의무를 지닌 건 아니었습니다. 정답에서 살짝 벗어났을 뿐인데, 그리고 그건 당신의 답안지도 아닌데 당신은 투서를 했더군요. 비록 가상의 세계이지만 아내를 두고 한이슬과 만나보니 상사 보좌관의 심리가 이해되던가요?

내가 브레인업 일루미너티에 소속된 건 당신과 헤어지기 전부터였어요. 놀이공원보다 훨씬 재미있더군요. 어드벤처 걸에게 어울리는 일이에요. 사람의 뇌를 탐험하는 일은 즐겁기도 하지만 그걸 통해 인류를 발전시킨다는 보람도 있죠.

병원에서 과거를 돌아보고 있나요? 당신의 탁월한 두뇌가 성취한 것들 말고, 그것이 왜곡시킨 당신의 행동을 돌아보세요. 누군가를 밀고한다든가, 라디오 진행자를 협박한다든가, 도서관 직원을 죽이겠다든가 하는 행동이 어디에서 비롯됐는지 성찰해 보길 바랍니다.

당신의 아내 도윤화는 나를 J라고 부르더군요. 맞아요. 내 역할은 플루이드 칩에 넣을 스토리를 짜는 거였어요. 난 생물학 전공이지만 문예 창작을 전공해도 될 뻔했어요. 이런 재능이 있는지 나도 몰랐네요.

한이슬은 나이기도 하지만 당신이기도 해요. 한이슬이란 캐릭터는 당신을 깊게, 그리고 오래 관찰한 결과물이에요. 당신의 뇌 속에서 거부반응 없이 받아들여질 인물이어야 했죠. 그러니 너무 미워하지 말아요. 우리가 같이 낳은 아이라고 생각하면 노여움이 줄어들까요?

사람들은 흔히 착각을 해요. 비슷해야 사랑하게 된다고…… 단언컨대 아닙니다. 인간은 자신과 비슷한 상대에게 동질감과 편안함을 느낄지언정 매력은 못 느끼죠. 나에게 없는 것, 나와 다른 것을 지니고 있으면서, 나를 다른 세상으로 이끌어 주는 사람에게 빠지게 됩니다.

그곳에서 신세한탄과 함께 자아성찰도 많이 하고 있죠? 당신은 똑똑한 사람이니까 잘 알 거예요. 당신의 결핍을.. 이슬은 당신에게 없는 자유로움을 갖고 있죠. 그녀와의 사랑이 승호 씨에게 나쁜 경험이 아니었길 바랍니다. 그만큼 매력적인 여자를 사랑하는 건 흔한 일이 아니죠. 당신이 느꼈을 약간의 두통은, 그리고 지금 처한 상황은 그 대가라고 생각해 주길 바랍니다. 피해의식과 억울함이 남아있겠지만 우리와 당신이 윈윈게임을 즐겼다고, 나는 생각합니다. 비록 당신이 의도하지는 않았어도 말이죠.

당신이 사랑한 한이슬은 이쯤 해두고, 당신 친구와 아내 중에 누구 얘기를 먼저 해볼까요? 음.. 배신감으로 치면 더 오랜 인연인 승찬 씨가 크겠죠. 역시 노여워하지 않았으면 좋겠네요. 그도 인간적인 고뇌가 컸어요. 승브라더스라고 불릴 정도로 단짝이었던 친구를 실험도구로 쓴다는 것에 갈등도 있었죠. 하지만 이 생각 과자 프로젝트는 당신이 짐작하는 것 이상으로 엄청난 것입니다.

속았다고 생각하지 말아요. 그럴수록 당신의 억울함만 커질 뿐이니까요. S는 동의 없이 당신을 이 프로젝트에 끌어들였지만 우정이 없는 건 아니에요. 임무를 잘 수행해 내면서도 흔들리기도 했어요. 다시는 만날 일이 없겠지만 좋은 친구를 두었었다고 생각하세요.

그는 훌륭한 요원입니다. 도윤화를 당신에게 투입하고, 이후엔 내가 만든 스토리를 액화해서 플루이드 칩에 넣었죠. 본부와의 소통도 충실히 수행해 냈어요. 그 바쁜 학원 강사 일을 하면서도 말이죠. 친구로서 자부심을 가져도 좋아요.

우리는 홍대와 잠실에서 몇 번 만났죠. 야구장도 한 번 갔고요. 당신과 만나던 중에 승찬 씨는 내게 이 일을 제안했어요. 놀이공원 일도 지겨웠을 때라 난 흔쾌히 받아들였죠. 내가 꿈꾸던 일이었고, 특히 당신을 대상으로 하는 실험이라 더 자신감이 있었어요. 지금도 후회하지 않아요. 내 호기심, 모험심은 이 프로젝트에서 찬란한 결과물을 빚어냈거든요.

가끔 이런 생각이 듭니다. 처음 축음기에서 소리가 흘러나왔을 때 사람들은 얼마나 놀랐을까 하고요. 사진과 영상은 더 했겠죠. 아주 옛날 글자가 발명됐을 때도 그랬을 거예요. 어떤 의미가 어떤 매체를 만나 기록되고 재생될 때, 소름 돋는 진보가 이뤄지는 것입니다.

내가 만든 스토리가, 한이슬이란 인물과 호텔 겟로스트라는 장소, 당신의 마음을 움직일 장치와 상황들, 그 모든 것이 몇 방울의 액체가 되어 당신 뇌에 입력되고, 그것이 당신의 말과 행동으로 출력되는 것을 확인할 때, 그 기쁨이란 이루 말로 할 수 없었죠. 요즘 계속 쏟아지는 뉴스를 봐서 알겠지만, 우리의 이 성취는 인류의 미래가 아니라 존재 자체를 업그레이드하는 위대한 도약입니다.

도윤화에 대한 당신의 감정은 어떤가요? 한이슬을 만나기 전까지는 사랑했겠죠? 권태로웠던 날들에 설렘을 주었던 걸 떠올려 봐요. 어느 날 사라진 그녀를 원망하지 말고요. 미움이란 건 그래요. 도통 쓸모가 없는 감정이에요. 사랑이라고 딱히 다르진 않지만.. 그녀가 잘 있길 바라고 있습니까, 힘들어하고 있길 기대합니까? 당신의 마음을 모르니, 저 옆 연구실에 있는 그녀의 상태에 대해서는 말하지 않을게요.

다만, 한 가지만 전해주고 싶네요. 아기를 갖자고 한 그녀의 제안은 우리의 각본에 없던 거였습니다. 오랜 친구였던 승찬 씨도 그랬지만 윤화 역시 당신에게 죄책감 이상의 좋은 감정을 가졌습니다. 당신을 닮은 아이를 갖고 싶다는 말이 아예 새빨간 거짓말은 아니었다는 점을 알아두세요.

그녀는 내가 당신의 전 여자친구라는 사실을 여전히 모릅니다. 일회용 사이트에서 그녀의 일기를 읽었겠지만 당신도 눈치채지 못했을 겁니다. 실험 성공이 공식 발표된 이후에도 나는 얘기하지 않았어요. 모르는 것이 나을 때도 있는 법이죠. 당신과 사랑했다가

식었던 나, 사랑하지 않지만 결혼한 도윤화, 누가 더 인상적이었나요?

나, 송다연은 한때 당신을 미워했습니다. 왜 그렇게 잘나서, 멘사 회원일 정도로 똑똑하지 않았더라면, 그냥 평범한 남자였으면 알콩달콩 사랑하며 지내지 않았을까 하는 마음이 컸죠. 하지만 나는 내 미움과 질투에 지지 않았어요. 그걸 바탕으로 한이슬을 만들어냈고, 결국 위대한 성취를 이뤄냈죠.

도윤화의 리포트 때문에 당신이 샴쌍둥이였단 사실을 알게 되었어요. 그녀의 말로는 당신이 죄책감을 가지고 있다더군요. 그럴 수 있을 겁니다. 생존이 결정되는 순간, 옆에 있던 사람이 죽었다면 그의 죽음으로 생명을 부지했다고 느낄 수 있죠. 많은 재난 현장의 생존자들이 심각한 스트레스에 시달리죠. 심지어 어떤 이는 그들을 죽이고 살아남았다고 느끼기도 한답니다. 당신은 어때요? 기억하지도 못하는 시절이라 자책이 덜한가요, 모르고 지냈다는 사실에 죄책감이 심해지나요?

위로가 될지는 모르겠지만 이렇게 말해주고 싶네요. 당신처럼 샴쌍둥이로 태어나지 않았어도 인간은 누구나 '그림자 책무감'을 가지고 있습니다. 자신의 그림자를 의식합니다. 나와 비슷하지만 나는 아닌 존재, 사람들은 그것을 핑계 삼기도 하고, 의지하기도 합니다. 나도 내가 만든 한이슬에게서 많은 위로를 받았습니다. 당신도 죽은 쌍둥이 형제를 힘들게 지워내려고 애쓰지 말아요. 그저 받아들이길 바랍니다.

당신의 뇌가 연구에 활용된 것을 억울해하지 말아요. 어린 시절에 생각 과자를 너무 많이 먹은 탓이기도 하고, 네팔에서 만난 토모미의 경고를 무시한 죗값이기도 합니다. 세상에 소비되는 천재의 운명은 원래 그런 거라고 생각하면 승호 씨 마음이 조금은 가벼워질까요?

먼 미래에 당신은 영웅이 될 겁니다. 이것이 억울하게 갇혀 있는 당신에게 줄 수 있는 내 진심의 위로입니다. 잘 지내요.

편지는 그렇게 끝났다. 승호는 눈을 감았다. 편지의 내용은 진실을 말하고 있는데 오히려 그의 마음은 길을 잃었다. 점점 더 그들이 주입한 허구에 빠져드는 느낌이었다. 이 모든 진실이 꿈처럼 여겨졌다. 어쩌면 삶 자체가 연출된 긴 드라마 시리즈인지도 모른다.

느닷없이 승호는 한이슬이 보고 싶어졌다. 정말 그녀는 가상의 존재였던가? 조현병을 진단받고 갇혀 있는 동안 그렇게 울부짖었던 진실을, 승호는 믿을 수가 없었다. 이제는 억울함이 아니라 길을 잃은 막막함에 눈물이 맺혔다. 고이지도, 흐르지도 않기를 바라며 승호는 눈을 감았다.

한참 만에 다시 눈을 뜨자 한껏 어두워진 병실 창밖으로 첫눈이 내리기 시작했다.

에 필 로 그

Epilogue

이슬은 호가든 맥주 캔을 들이켰다. 귀엽게 삐쳐 올라간 단발머리가 목덜미에서 살짝 출렁거렸다.

"너는 도대체 어떤 사람이지? 어린데 인생을 통달한 것 같기도 하고, 학력은……"

"형편 없는데 아는 게 많다고요?"

이슬이 말을 끊었다.

"일반적이고 합리적인 궁금함이지. 나 뿐만 아니라 다들."

그가 어깨를 으쓱했다. 학벌을 과시하려는 의도가 아니라는 점을 드러낼 때마다 군색해졌다.

"내가 중졸이어서 신기한 거예요?"

"아니라고는 말 못하겠네. 요샌 흔한 케이스는 아니니까"

"서울대 나온 선배님이 멍청한 것과 다를 바 없어요. 그것도 흔한 케이스는 아니죠."

그 말을 이해하는 데 10초 쯤 걸렸다. 생각하지 않는 척하려고 승호는 맥주를 마셨다.

"음. 그렇다 치자,라고 말하고 싶지만 또 혼날까봐 더 물어봐야겠는데?"

"뭐든요. 중학교 교과 범위 내에서 다 대답해 줄게요."

"내가 멍청하다고 판단하는 근거는 뭐지?"

그 순간 갑자기 이슬의 눈동자가 흔들렸다. 당황한 기색이 역력했다.

"지……금은, 지금으로서는 말 못해요. 나중에 아주 나중에 얘기할게요."

승호는 난감해졌다. 내심 이런 대답을 예상했기 때문이었다. '내가 좋아하는 마음도 몰라주고, 무감각하고, 선부르고, 조급해서 일을 그르치고……' 그런데 그런 것이 아니었다. 뭔가 다른 이유가 있는 듯했다.

"아주 나중이라니 영원히 말하지 않겠다는 뜻 같군."

"내년 첫눈이 내리기 전에는 모든 걸 말해 줄게요."

어떤 계절은 몸에 다녀가는데 이번 계절은 맘에 들이닥쳐서
무얼 긋고서야 사라진다
어떤 사람은 깃에 스쳐가는데 이번 사람은 넋에 아로새겨져
무얼 찢고서야 멀어진다
칠판 잘못 할퀸 분필처럼 소름, 고름, 슬픔 다 뽑아낸 뒤
용의선상에서 제외된다

- 한이슬의 시집 '설움의 효능'

작가의 말

글쓰기는 내게 비싸게 구는 오랜 친구였다. 내쪽의 호감에 비해 저쪽의 호의가 마뜩잖았다. 늘 그랬다. 쉽게 만나 주지 않고 속내도 드러내지 않는다. 이제 책을 묶게 되었지만 그래도 여전히 모르겠다. 내가 친구의 마음을 얻었는지. 그래서 계속 써볼 요량이다.

아이들에게 책을 읽히다 보니 관심의 영역이 넓어졌다. 등지고 살다시피 했던 과학에도 솔깃해졌는데 특히 뇌 과학에 눈길이 갔다. 뇌 과학자들의 교양서를 읽다 보니 뇌를 소재로 이야기를 만들면 재미있을 것 같았다. 이 작품의 출발점이었다.

뇌 과학 추리소설이라 우기고는 있지만 이 작품에서 나는 오히려 인문학을 말하고 싶었다. 경승호는 의무감에 골만 잘 넣는 스트라이커지만 한이슬은 득점에 관심 없는 듯 공놀이 자체를 즐긴다. 두 사람의 대비를 통해 지식의 무용성(無用性)을 탐구하고 싶었다.

우리의 지식은 늘 쓸모를 강요받아왔다. 인정받고 성공하는 데 써먹어야 한다. 하지만 꼭 그래야 할까? 안다는 것이, 알아간다는 것이 목적에서 해방될 수는 없을까? 앎이 삶을 풍성하게 하고 즐거움과 카타르시스의 원천일 수는 없을까? 인문학은, 아니 세상의 모든 지식은 우리가 마음만 먹는다면 한이슬의 공이 될 수 있을 것이다.

가만히 둘러보면 우리 삶을 풍성하게 만드는 것들은 전부 쓸모없다. 돈으로 환산되지 않는다. 서쪽 하늘이 펼친 노을, 사랑하는 사람이 주는 설렘, 가을 아침의 이슬, 자전거가 가르는 바람의 상쾌함, 친구가 토닥토닥 두들겨주는 등의 감촉…… 이 소설도 그렇게 풍성함을 주는 무용지물로 읽히면 좋겠다.

매일 마시는 커피에도 많은 것들이 함축되어 있다. 열대의 더운 바람, 야생동물들의 흘깃거림, 검게 그을린 농부의 땀, 바리스타의 수고가 녹아 향기와 풍미가 뽑힌다. 그렇듯 이 책도 많은 이들에 빚지고 있다.

초반의 착상과 구상은 우리 동네 카페 '화이트무스'의 추출물이다. 통영의 게스트하우스 '슬로비'와 '바다의 기분'은 밀도 있는 시간을 선물해 주었다(그 여름에 진도 많이 뺐습니다. 사장님들 감사). 영혼의 에너지 충전소 카페 '토브'와 좋은밭 식구들에게도 감사한다.

주말마다 사라지는 내게 시비 걸지 않은 가족들의 너그러움이 없었다면 이 책은 나오지 못했을 것이다. 감사와 사랑을 전한다. 표지에 쓰라고 흔쾌히 작품을 내어주신 한국화가 정철 선생님께도 감사드린다.

내 두뇌에 다녀간 많은 사람과 장소, 사건, 감정 들이 이 책의 글감이 되었다. 고맙다. 특히 뇌 자체를 선물해 주신 김옥화 여사께 감사드린다(여든이 넘었어도 총명함을 잃지 않는 어머니, 사랑합니다).

2024년 7월, 대전에서, 이지완